DEUTSCH
FÜR AMERIKANER

DEUTSCH
FÜR AMERIKANER

C. R. GOEDSCHE MENO SPANN

Northwestern University

AMERICAN BOOK COMPANY

New York

PREFACE

DEUTSCH FÜR AMERIKANER employs modern concepts of language learning. In content and method, the book takes into account the needs of the American student in the following order: (1) to understand spoken German and to read without conscious translation even beyond the range of this book; (2) to converse freely on matters of daily life; and (3) to write in German on familiar topics, utilizing vocabulary and language patterns already learned. Fairly extensive class testing of the material at Northwestern University leads the authors to believe that everything admitted to final copy contributes to filling these needs.

The organization of the material permits the instructor to concentrate on the audio-lingual skills without neglecting the reading and writing skills. The four activities—hearing, speaking, reading, and writing—are thoroughly integrated throughout. If, however, reading is to be emphasized, the sections on conversation and writing, being separate units, may be omitted.

The lesson texts in Part 1, many of them in dialogue form, are designed to challenge the interest and ability of the mature student. They contain useful information about the life and culture of the German-speaking peoples. The readings in Part 2, "Ein Amerikaner in Deutschland" and "Ein Deutscher erlebt Amerika," bring to light significant differences between German and American cultures.

In Lessons 2 through 5, the German texts are introduced with English translation. This method is designed to give the student an immediate feeling of accomplishment: with the aid of the translation, he can follow the continuity of the thought and understand the relationship of individual words to the total meaning of a sentence. These texts, in slightly altered form, are repeated without translation later in the lessons, where they become the basis for structural analysis and practice. In each lesson of the book, words used in the exercises are listed as Active Vocabulary.

Structure and its function are presented inductively: structural elements are explained only after the student has had the opportunity to become familiar with them. Elements which differ from English are given special attention. In the four lessons called Review and Supplement, points of structure which have been previously described and practiced are summarized fully and systematically.

The exercises employ a variety of techniques to provide the student with maximum practice in linguistic patterns. An effort is made to offer only useful and natural sentences. Such patterns and words which experience has shown to require more than the usual amount of practice are drilled in recurring exercises.

Extensive space has been devoted to the practice of German sounds and sound combinations. Repeated pronunciation drills have been provided in the first twelve lessons for those sounds which commonly offer the greatest difficulty to American students.

An accompanying Instructor's Manual gives detailed directions on the method of instruction recommended by the authors.

CONTENTS

7. Four Verbs for *to like*.   8. Adjectives Used as Nouns.

LIST OF ILLUSTRATIONS

Maps by Selma Ordewer. Drawings by Jerry Robinson. Photographs on pages 5, 7, 46, 174, 186, 238 (top) by courtesy of The Roy Bernard Company, Inc.; on pages 36, 94, 118, 214, 216, 226, 238 (bottom) by courtesy of the German Tourist Information Office; on page 164 by courtesy of Lutheran Church Productions, Inc.; on pages 258, 260 by courtesy of the Austrian State Tourist Department; on page 108 by Photo Lala Aufsberg; on pages 146, 156 by Black Star; on page 236 by O. Angermeyer.

ERSTER TEIL

1

EINFÜHRUNG
IN DIE AUSSPRACHE

INTRODUCTION TO PRONUNCIATION

WE are introducing you to German pronunciation with the help of some words and phrases with which you may be familiar. Learn to pronounce these words by carefully imitating your instructor or the tape. While there are some notable differences in pronunciation between German and English, you will find that it is quite easy for an American to pronounce German words.

You have, no doubt, heard the German word for *Mrs.:*

Frau.

Now say *Mrs. Brown:*

Frau Braun.

The German word for *Miss* is also well known:

Fräulein.

Now you can address Miss Brown in German:

Fräulein Braun.

You have heard the German word for *Mr.* many times:

Herr.

Now you can combine these forms of address with salutations. *Good morning, Mr. Brown*, is:

Guten Morgen, Herr Braun.

If later in the day you meet Mrs. Brown, you should say:

Guten Tag, Frau Braun.

If we meet Mr. Brown in the evening, we say: *Good evening, Mr. Brown:*

Guten Abend, Herr Braun.

The German equivalent for *Good night* is:

Gute Nacht.

Now pronounce the first words of a famous German Christmas carol:

**Stille Nacht, Heilige Nacht,
Alles schläft, einsam wacht . . .**

In the field of music, you are no doubt familiar with several German names, for example:

Bach, Händel, Mozart.

One of Mozart's best known operas is *The Magic Flute:*

Die Zauberflöte.

The name of Germany's best known poet rhymes with **Zauberflöte:**

Goethe.

Mozart lived many years *in Vienna:*

in Wien,

a city famous for its waltzes:

Wiener Walzer,

and the king of waltzes:

Johann Strauß.[1]

---

[1] The symbol ß is used instead of **ss** after a long vowel and after a short vowel at the end of a syllable. When writing German, ß may be replaced by **ss**, but not by **sz**.

Wolfgang Amadeus Mozart

The words for one of the songs about the famous city will offer no pronunciation problem:

Wien, Wien, nur du allein,
sollst stets die Stadt meiner Träume sein.

(*Vienna, Vienna, only you alone shall always be the city of my dreams.*)

There is another composer named **Strauß:**

Richard Strauß.

He is the greatest German composer since

Beethoven, Wagner und Brahms.

Now you can pronounce in German the name of

Richard Wagner.

Here are the titles of some of his operas:

Lohengrin,
Der Fliegende Holländer (*The Flying Dutchman*),
Die Götterdämmerung (*The Twilight of the Gods*),
Die Walkü′re.[1]

Now let us leave the field of music. Perhaps you are interested in physics. Then you know something about

die Relativitäts′theorie′

of the famous physicist

Einstein.

You have seen many a "people's car." Now learn how the Germans pronounce the word:

Volkswagen.

Would you like to study some day at one of the following German universities?

Heidelberg, Hamburg, München,
Berlin′, Freiburg, Göttingen.

---

[1] German does not indicate a stressed syllable by an accent mark. We will use accent marks in the first few lessons to aid you.

Ludwig van Beethoven

Richard Wagner

Of course, before you can attend any of these universities, you will have to study

Deutsch

in your book

Deutsch für Amerika′ner.

COMMENTS

As you repeated the German words above, you noticed of course that the letters in given German words represent sounds which are similar to those in English words and others which are quite different. The latter deserve your special attention. You will also have to observe the distinction between short and long vowels. Naturally, we don't expect you to master the new sounds all at once. In successive lessons we will give you an opportunity to practice a few of them at a time.

Note the following:

1. Each of the letters **a, e, i, o, u** stands for only one sound. This sound is a single simple sound, not a vowel sound gliding off to another sound, as, for example, in English *so* [so^n]; the German equivalent of that word is **so** [so].

2. Each vowel must be pronounced clearly: **A-me′-ri-ka.** This is also true of the final unstressed **e,** as in **stille.** This final **e** has a sound much like the *e* in the unstressed form of the definite article *the*. Say once more **Stille Nacht.**

3. As a rule, a vowel is long when final (**ja, so**), when followed by one consonant (**Guten Tag**), by **h** (**Brahms**), or when doubled (**Beethoven**). A vowel is short when followed by more than one consonant (**Stille Nacht**). The contrast between long and short vowels should be given special attention. Try hard to make short vowels really short.

PRONUNCIATION EXERCISE

Read the practice words first vertically, then horizontally to hear the contrast. (The English meanings for the German words used in pronunciation exercises are given for your information. You are not expected to memorize them.)

1.

LONG **a**	SHORT **a**
like *a* in *father*	like *o* in *hot*
der Tag (*day*)	die Nacht (*night*)
der Abend (*evening*)	der Walzer (*waltz*)
Brahms	Hamburg
der Wagen (*car*)	allein' (*alone*)
ja (*yes*)	Mozart

2.

LONG **e**	SHORT **e**
like *a* in *date*, without the off-glide	like *e* in *nest*
Beethoven	das Nest
die Theorie'	das Bett (*bed*)
das Thea'ter	der Septem'ber
geben (*to give*)	der Student'
leben (*to live*)	der Herr (*gentleman, Mr.*)

UNSTRESSED **e**

like *e* in *the*

gute (*good*, inflected form)
stille (*still, quiet,* inflected form)
heilige (*holy,* inflected form)
die Flöte (*flute*)
die Walkü're (*Valkyrie*)

3.

LONG **i**	SHORT **i**
like *i* in *machine*	like *i* in *kin*
Berlin'	Richard
die Musik'	der Winter
Lohengrin	beginnen (*to begin*)
die Bibel	binden (*to bind*)
ihn (*him*)	in

4.

LONG **o**	SHORT **o**
like *o* in *no*, without the off-glide	like *o* in *obey*
Beethoven	das Gold
Lohengrin	der Holländer
die Rose	der Volkswagen

Mozart   der Sommer (*summer*)
Ofen (*oven, stove*)   offen (*open*)

5.   LONG **u**   SHORT **u**

like *oo* in *mood*   like *u* in *put*

gut (*good*)   und
die Musik′   die Mutter (*mother*)
nur (*only*)   die Butter
du (*you*)   der Hund (*dog*)
die Minu′te   der Busch (*bush*)

USEFUL CLASSROOM EXPRESSIONS

Most of these expressions are idiomatic. The English translations, therefore, do not represent necessarily basic meanings of German words. Repeat these linguistic patterns after your instructor or the tape and memorize them, keeping in mind their English equivalents:

Guten Morgen.	*Good morning.*
Guten Tag.	*Good afternoon* or *Hello* or *Good day.*
Wie geht's?	*How are you?*
Danke, gut.	*Thanks, I'm fine.*
Und wie geht's Ihnen?	*And how are you?*
Danke, auch gut.	*Thanks, I'm fine, too.*
Wie heißen Sie?	*What's your name?*
Ich heiße . . .	*My name is . . .*
Öffnen Sie Ihr Buch auf Seite acht!	*Open your book on page eight.*
Lesen Sie, bitte!	*Please read.*
Noch einmal.	*Once more.*
Alle zusam′men.	*All together.*
Überset′zen Sie, bitte!	*Translate, please.*
Antworten Sie bitte auf deutsch!	*Please answer in German.*
Wiederho′len Sie den Satz, bitte!	*Repeat the sentence, please.*
Sprechen Sie bitte etwas lauter!	*Please speak a little louder.*
Verste′hen Sie mich?	*Do you understand me?*
Ja, ich verstehe Sie.	*Yes, I understand you.*
Machen Sie Ihr Buch zu!	*Close your book.*
Gehen Sie an die Tafel!	*Go to the blackboard.*
Schreiben Sie das Wort an die Tafel!	*Write the word on the blackboard.*

Was bedeutet dieses Wort auf englisch?	*What does this word mean in English?*
Richtig.	*Correct.*
Falsch.	*Wrong.*
Das ist alles.	*That is all.*
Für morgen Aufgabe drei.	*For tomorrow, lesson three.*
Auf Wiedersehen.	*Good-by.*

2

DEUTSCHLAND UND AMERIKA

GERMANY AND AMERICA

I. HEARING AND SPEAKING

EVEN though German and English are linguistically more closely related than, let us say, French and English, you will still find many differences, some more pronounced, others less pronounced. Learning German will be easier for you if you expect things to be different in German from what they are in English. So that you may discover the elements which are different, we will give you translations for the German texts in the next four lessons.

Listen carefully to your instructor or to the tape, keeping in mind the English meaning.

A. TEXT 1

„Wir haben hier eine Karte von Euro′pa und eine Karte von Ame′rika.	"We have here a (card) map of Europe and a map of America.
Wie heißt das große Land westlich von Deutschland, Herr Baker?	(How is called) What is the name of the (great) large (land) country west of Germany, Mr. Baker?
Verstehen Sie das Wort ‚westlich'?"	(Understand you) Do you understand the word 'westlich'?"

„Ja, ich verstehe es. | "Yes, I understand it.
Das Land heißt Belgien."[1] | The country is called Belgium."
„Aber Belgien ist klein. | "But Belgium is small.
Das große Land heißt ... " | The large country is called ... "
„Frankreich." | "France."
„Richtig. Nun sagen Sie mir, | "Correct. Now (say you) tell me,
wie heißt das Land | what is the name of the country
östlich von Deutschland, Fräulein | east of Germany, Miss Fields?
Fields?
Verstehen Sie die Frage nicht? | Don't you understand the question?
Ich frage Sie: Wie heißt | I am asking you: What is the name
das Land ... ?" | of the country ... "
„Rußland, nein, Polen." | "Russia, no, Poland."
„Das ist richtig. Man sagt aber | "That is correct. One says, how-
auf deutsch Polen. ,Poland' ist ein | ever, 'Polen' in German. Poland is
englisches Wort. Welches Land | an English word. Which country
liegt nördlich von Amerika, Herr | lies north of America, Mr. Fletch-
Fletcher?" | er?"
„Kanada." | "Canada."
„Ja, und welches Land liegt südlich | "Yes, and which country lies south
von Amerika, Fräulein Height?" | of America, Miss Height?"
„Mexiko." | "Mexico."
„Richtig. Amerika hat zwei Nach- | "Correct. America has two neigh-
barn, und wie viele Nachbarn hat | bors, and how many neighbors has
Deutschland, Herr Braden?" | Germany, Mr. Braden?"
„Deutschland hat neun Nachbarn." | "Germany has nine neighbors."
„Richtig. Deutschland hat viele | "Correct. Germany has many
Nachbarn, und das ist Deutsch- | neighbors, and that is Germany's
lands großes Problem'." | great problem."

B. PRONUNCIATION

Review

Distinguish between long and short vowels:

LONG a	SHORT a
haben (*to have*)	danke (*thanks*)

---

[1] In a few words, **ie** is not pronounced as long **i;** each of the two vowels is pronounced separately: **Belgien, Familie, Linie.**

aber (*but*)

sagen (*to say*)

die Frage (*question*)

das Land (*country*)

falsch (*wrong*)

man (*one, they*)

LONG e

Beethoven

gehen (*to go*)

geben (*to give*)

lesen (*to read*)

SHORT e

sprechen (*to speak*)

westlich (*to the west*)

es (*it*)

englisch

LONG i

mir (*to me*)

Berlin′

die Bibel

ihn (*him*)

SHORT i

das Bild (*picture*)

richtig (*correct*)

nicht (*not*)

wild

LONG o

groß (*great*)

die Rose

der Ofen (*stove*)

der Morgen (*morning*)

SHORT o

von (*of, from*)

das Wort

Bonn

das Gold

LONG u

gut (*good*)

die Minu′te

das Buch (*book*)

nur (*only*)

SHORT u

und (*and*)

der Hund (*dog*)

die Suppe (*soup*)

die Butter

Note: A number of words have a short vowel, even though only one consonant follows: **man, es, an, das, in, mit, was, hat.**

New Sounds

1. Umlauts or Modified Vowels

   ä long ä resembles *a* in *gate:* **die Relativität′, er schläft** (*he is sleeping*).
   short ä resembles *e* in *let:* **der Holländer, ändern** (*to change*).

   ö long ö: pronounce as *a* in *gate* with your lips rounded and protruded: **die Flöte, Goethe** (oe represents an older spelling of ö).
   short ö: pronounce as *e* in *let* with your lips rounded and protruded: **öffnen, östlich, Göttingen.**

   ü long ü: pronounce as *i* in *machine* with your lips rounded and protruded: **die Walkü′re, südlich.**

short **ü:** pronounce as *i* in *kin* with lips rounded and protruded: **Müller, München.**

2. Diphthongs (vowel sounds with an off-glide)

ei resembles *ai* in *aisle*: **Einstein, Rhein, schreiben** (*to write*), **einmal** (*once*).
äu, eu resemble *oy* in *boy*: **Fräulein, Deutschland, bedeuten** (*to mean*).

Note: Do not confuse **ie** with **ei.** Keep the words *field* and *height* in mind, they will help you to distinguish between the two German sounds: **Wien — der Wein** (*Vienna — wine*); **wieder — weiter** (*again — further*); **das Lied — das Leid** (*song — sorrow*); **sie schrieben — sie schreiben** (*they wrote — they write*).

II. STRUCTURE AND FUNCTION

What are some of the outstanding differences which you have noticed while comparing the German sentences with their English counterparts?

1. Spelling

Observe: **eine Karte** (*a map*).

All German nouns are written with a capital letter: **Das Wort, der Herr, die Karte, das Land.**

Observe: **ein englisches Wort** (*an English word*).

German adjectives which are derived from names of countries or geographical regions are written with a small letter: **der amerika′- nische Student′, das europä′ische Problem′, der afrika′nische Kontinent′.**

Observe: **Ja, ich verstehe es.** (*Yes, I understand it.*)

The German word **ich** (*I*) is not capitalized, except, of course, at the beginning of a sentence.

2. The Three Genders

While English can show gender only by a pronoun (*the man — he; the woman — she; the word — it*), German can show gender also by the article:

MASCULINE: **der Herr** (*the gentleman, Mr.*)
FEMININE: **die Frau** (*the woman, Mrs.*)
NEUTER: **das Wort** (*the word*)

Inanimate objects are neuter in English. In German, however, they may be either masculine, feminine, or neuter:

MASCULINE: **der Volkswagen**
FEMININE: **die Frage** (*the question*)
NEUTER: **das Land** (*the land, country*)

You will ask: How am I to know what the gender of a German noun is? Later we can give you some helpful rules. For the time being, you will have to learn the definite article together with the noun or look up the gender in the vocabulary at the end of this book.

3. Present Tense

a. The infinitive is the basic form of a verb. In German, infinitives end in **en: haben** (*to have*), **liegen** (*to lie*), **sagen** (*to say*), **verstehen** (*to understand*).

English indicates only one form of the present tense by an ending, the third person singular: *he says, he understands.* The German verb, however, has an ending for each person. These endings are added to the stem of the verb. The stem is the infinitive less **-en.** Here are, to start with, the most important forms of the present tense:

sagen: STEM **sag-**

ich sage	*I say*
er, sie, es sagt	*he, she, it says*
wir sagen	*we say*
sie sagen	*they say*
Sie sagen	*you say*

Depending on the context, the present tense may be expressed in English either by the simple verb form (*I say*), by the progressive form (*I am saying*), or by the emphatic form (*I do say*).

Note: The pronoun **sie** means both *she* and *they*. To determine its meaning, you must look at the verb. If it ends in **-t, sie** means *she* (**sie sagt** *she says*). If the verb ends in **-en, sie** means *they* (**sie sagen** *they say*). **Sie,** meaning *you,* is always written with a capital **S.** (**Was sagen Sie?** *What do you say?*)

b. Verbs whose stems end in **d, t,** or in **n** preceded by a consonant, insert an **e** between the stem and the ending **t** to facilitate pronunciation.

antworten: STEM **antwort-**		**öffnen:** STEM **öffn-**	
ich antworte	*I answer*	**ich öffne**	*I open*
er, sie, es antwortet	*he, she, it answers*	**er, sie, es öffnet**	*he, she, it opens*
wir antworten	*we answer*	**wir öffnen**	*we open*
sie antworten	*they answer*	**sie öffnen**	*they open*
Sie antworten	*you answer*	**Sie öffnen**	*you open*

d. Learn especially well the two irregular and very common verbs **haben** (*to have*) and **sein** (*to be*).

ich habe	*I have*	**ich bin**	*I am*
er, sie, es hat	*he, she, it has*	**er, sie, es ist**	*he, she, it is*
wir haben	*we have*	**wir sind**	*we are*
sie haben	*they have*	**sie sind**	*they are*
Sie haben	*you have*	**Sie sind**	*you are*

4. Imperative

Observe: **Lesen Sie bitte, Herr Müller!**[1] *Please read, Mr. Müller.*

In German there are two ways to give an order to another person. Here we are concerned with the imperative form used in addressing a person who is not a relative or an intimate friend: **Lesen Sie!** Note that this imperative form is the same as the **you**-form, **Sie lesen,** except that the pronoun **Sie** follows the verb: **Lesen Sie!** (*Read.*).

5. Questions

Observe: **Verstehen Sie mich?** *Do you understand me?*

In a question, German, unlike English, does not use a helping word. German places the verb before the subject: *"Understand you?"* This inversion exists in English too, but its use is restricted: *Is he sick? Have you done it?* Examples: **Versteht er Deutsch?** (*Does he understand German?*), **Sprechen Sie Englisch?** (*Do you speak English?*).

---

1 German imperatives always have an exclamation point.

1. New Words

der	**Nachbar**	neighbor
die	**Frage**	question
die	**Karte**	map
(das)	**Deutschland**	Germany
das	**Land**	land, country
das	**Problem'**	problem

groß	great, large
klein	small
nördlich	north, to the north
östlich	east, to the east
südlich	south, to the south

viele	many
welcher,	
welche,	
welches	which
westlich	west(ern), to the west

fragen	to ask
liegen	to lie, be situated
sagen	to say, tell

aber	but, however
nein	no
nun	now
von	of, from

2. Review

In this and the following vocabulary reviews, we list basic words of previous lessons, so that you may have an opportunity to recheck their meanings.

haben (6)	lesson (1)	
schreiben (8)	page (2)	
antworten (9)	to mean (3)	
die Aufgabe (1)	to be (4)	
lesen (10)	book (5)	
sein (4)	to have (6)	
die Seite (2)	to speak, talk (7)	
sprechen (7)	to write (8)	
das Buch (5)	to answer (9)	
bedeuten (3)	to read (10)	

überset'zen (7)	woman, Mrs. (1)	
das Fräulein (5)	sentence (2)	
heißen (4)	to go (3)	
verstehen (9)	to be called, mean (4)	
wiederho'len (8)	Miss (5)	
der Satz (2)	to open (6)	
gehen (3)	to translate (7)	
das Wort (10)	to repeat (8)	
die Frau (1)	to understand (9)	
öffnen (6)	word (10)	

B. PRACTICE IN STRUCTURE AND FUNCTION

1. *Fill in the appropriate forms of the verb indicated:*

   sein: 1. Ich _____ hier. 2. Er _____ in Deutschland. 3. _____ das richtig? 4. Es _____ Aufgabe zwei. 5. Sie _____ in Amerika (two forms).

   haben: 1. Ich _____ eine Karte. 2. _____ sie eine Frage? (two forms). 3. _____ Sie das?

When a question word is used, the verb also preced
Was bedeutet dieses Wort auf englisch? (*What does th
in English?*).

III. READING

TEXT 2

The sections called Text 2 contain no new vocabulary and gr
They are meant to be read for comprehension.

„Herr Baker, wie heißt das große Land westlich von Deutschland?"
„Frankreich."
„Richtig. Ich frage Sie nun, Herr Brown. Wie heißt das große Land
östlich von Deutschland? Verstehen Sie die Frage?"
„Das Land heißt Polen."
„Polen ist aber ein kleines Land. Das große Land heißt Rußland.
Herr Müller, wie heißt das Land nördlich von Amerika?"
„Ich heiße Miller.—Das Land nördlich von Amerika ist Kanada."
„Das ist richtig, Herr Miller. Welches Land liegt südlich von
Amerika, Fräulein Fields? Verstehen Sie das Wort ‚südlich'?"   10
„Nein, ich verstehe es nicht."
„‚Südlich von' heißt auf englisch 'south of'. Nun sagen Sie mir,
wie heißt das Land südlich von Amerika?"
„Das Land südlich von Amerika heißt Mexiko."
„Richtig. Wie viele Nachbarn hat Amerika, Fräulein Height?"   15
„Zwei, Kanada und Mexiko."
„Und wie viele Nachbarn hat Deutschland, Herr Fletcher? — Sie
haben eine Karte, Herr Fletcher."
„Deutschland hat neun Nachbarn."
„Richtig. Deutschland hat viele Nachbarn, und das ist Deutschlands 20
großes Problem."

IV. CONVERSATION AND WRITING

A. ACTIVE VOCABULARY

You are responsible only for the words given under this heading.
They are the bases for the exercises.

heißen: 1. Er _____ Sam. 2. Sie _____ Jean. 3. Wie _____ sie?
(two forms). 4. Wie _____ Sie? 5. Wie _____ das auf deutsch?

verstehen: 1. Fräulein Height _____ die Frage nicht. 2. _____ Sie
Deutsch? 3. Jean _____ die Aufgabe nicht. 4. Wir _____ es.
5. Was _____ Sie nicht?

antworten: 1. Er _____ nicht. 2. Aber sie _____ nicht (two forms).
3. _____ Sie, bitte!

2. *Form imperatives: Example:* (öffnen) _____ das Buch. **Öffnen Sie**
das Buch!
1. (wiederholen) _____ das, bitte! 2. (übersetzen) _____ das, bitte!
3. (antworten) _____ nicht auf englisch! 4. (sprechen) _____ bitte
nicht so laut! 5. (schreiben) _____ das Wort an die Tafel!

3. *Form questions: Example:* **Deutschland liegt südlich von Dänemark.**
Liegt Deutschland südlich von Dänemark?
1. Mexiko liegt südlich von Amerika. 2. Das Land heißt Polen.
3. Sie versteht die Frage nicht. 4. Das ist richtig. 5. Sie haben eine
Karte.

4. *Translate:*
1. He says it. 2. She says: Germany. 3. What do they say? 4. What
are you saying? 5. They say it in German. 6. Say it in German. 7. I
understand. 8. We understand. 9. He understands. 10. Does he
understand? 11. Does she understand? 12. We have that. 13. Do you
have it? 14. He has a question. 15. She has a question. 16. Ask Miss
Fields. 17. That is correct. 18. Is that the lesson? 19. Is she here?
20. Please read in German. 21. Please translate. 22. Please repeat the
question. 23. We are going. 24. Are you going? 25. No, but she is
going.

C. *PRACTICE IN CONVERSATION*

Learning to express yourself in German means to acquire many
accepted linguistic patterns. You must repeat the following dialogues aloud until you are thoroughly familiar with them. While
conversing with another student, you need not follow the order
in which the dialogues are presented. But neither of you should
deviate from their linguistic form for the next few lessons.

„Guten Morgen. Ich heiße Brown.''	"Good morning. My name is Brown.''
„Ich heiße Müller. Wie geht's?''	"My name is Müller. How are you?''
„Danke, es geht. Und Ihnen?''	"Pretty well, thanks. And you?''
„Gut, danke. Welche Kabine haben Sie?''	"Fine, thanks. Which cabin do you have?''
„Nummer neun.''	"Number nine.''
„Dann sind wir Nachbarn. Ich habe Nummer zehn.''	"Then we are neighbors. I have number ten.''
„Fahren Sie auch nach Deutschland?''	"Are you going to Germany, too?''
„Ja, ich bin Student und will in Hamburg studieren.''	"Yes, I'm a student and want to study in Hamburg.''
„Ich bin auch Student. Ich will in München studieren.''	"I'm a student, too. I want to study in Munich.''
„Woher kommen Sie?''	"Where do you come from?''
„Ich komme von Clinton.''	"I come from Clinton.''
„Wo liegt Clinton?''	"Where is Clinton?''
„Es liegt am Mississippi in Iowa.''	"It's on the Mississippi in Iowa.''
„Und Sie?''	"And you?''
„Ich komme von Millersburg in Ohio.''	"I come from Millersburg in Ohio.''

D. PRACTICE IN WRITING

1. Copy the first ten lines of Text 2.

2. Dictation.

3. Write ten short sentences, all of which should be variations of Text 2. Here, as in subsequent composition exercises, don't try either to be too original or simply to copy sentences. You can learn most by *imitating* the original text, making slight variations. The following sentences illustrate this method: „Wie heißt das große Land westlich von Deutschland? Frankreich.'' Using only words and points of grammar occurring in this lesson, you could write: „Das große Land westlich von Deutschland heißt Frankreich,'' or „Frankreich liegt westlich von Deutschland.'' Again: „Polen ist aber ein kleines Land. Das große Land heißt Rußland.'' Combining and varying these two sentences slightly, you could say: „Rußland ist ein großes Land, aber Polen ist ein kleines Land.''

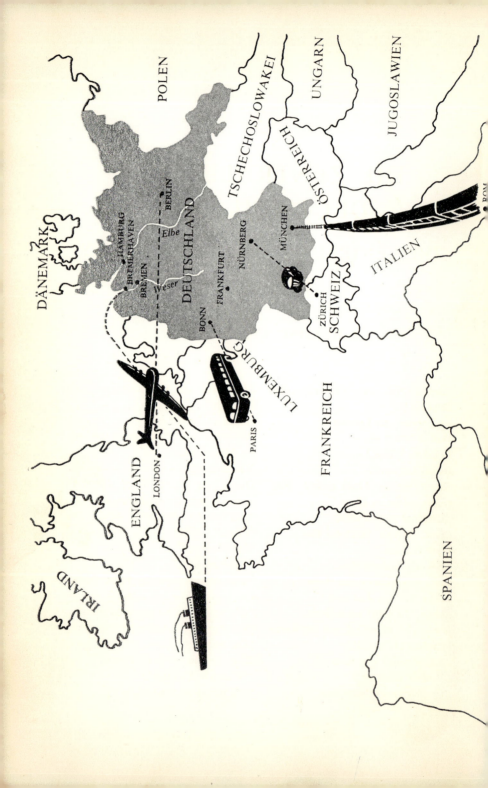

3

DIE ZENTRALE LAGE DEUTSCHLANDS

THE CENTRAL LOCATION OF GERMANY

I. HEARING AND SPEAKING

A. TEXT 1

„Sehen Sie das Flugzeug über England?
Es kommt von London.
Wohin' fliegt es,
Fräulein Fields? —
Keine Antwort?
Sehen Sie die Linie nicht? Sie zeigt, wohin' es fliegt."
„Es fliegt nach Berlin'."
„Gut. Wohin' fährt der Bus, Herr Braden?"
„Ich sehe keinen Bus."
„Der Bus kommt von Paris'. Sehen Sie den Bus jetzt?"
„O ja. Er fährt nach Bonn."
„Sehen Sie einen Zug auf der Karte, Fräulein Height?"
„Ja, nördlich von Rom."
„Wohin' fährt er?"
„Er fährt nach München."

"Do you see the airplane over England?
It comes from London.
(Whereto flies it?) Where is it flying to, Miss Fields?
No answer?
Don't you see the line? (She) It shows where it's flying to."
"It's flying to Berlin."
"Good. Where is the bus going, Mr. Braden?"
"I see no bus."
"The bus is coming from Paris. Do you see the bus now?"
"Oh, yes. (He) It's going to Bonn."
"Do you see a train on the map, Miss Height?"
"Yes, to the north of Rome."
"Where is it going?"
"It's going to Munich."

25

„Woher′ kommt der Dampfer westlich von England?"	"(Wherefrom comes) Where is the (steam)ship to the west of England coming from?"
„Ich glaube, er kommt von Amerika."	"I believe it's coming from America."
„Ich glaube das auch. Wohin fährt er, Herr Baker?"	"I believe that, too. Where is it going, Mr. Baker?"
„Er fährt nach Bremerhaven."	"It's going to Bremerhaven."
„Warum fährt er nicht nach Bremen?"	"Why doesn't it go to Bremen?"
„Das ist ein Passagier′dampfer, und die Weser ist bei Bremen nicht tief genug für einen großen Dampfer."	"That's a passenger ship, and the Weser river isn't deep enough near Bremen for a big ocean liner."
„Das Bild zeigt uns auch ein Auto. Woher′ kommt das Auto, Herr Fletcher?"	"The picture also shows us an automobile. Where is the car coming from, Mr. Fletcher?"
„Das Auto kommt von Zürich und fährt nach Nürnberg. Es ist ein Volkswagen. Mein Vater hat auch einen Volkswagen,	"The car is coming from Zurich and is going to Nuremberg. It's a Volkswagen. My father also has a Volkswagen,
und meine Mutter sagt,	and my mother says
der Volkswagen ist für eine Frau..."	the Volkswagen is, for a woman, ..."
„Danke, Herr Fletcher. Das ist genug für heute."	"Thanks, Mr. Fletcher. That's enough for today."

B. PRONUNCIATION

Review

1. *Distinguish between long and short vowels:*

LONG a	SHORT a
die Frage (*question*)	die Karte (*map*)
haben (*to have*)	das Land
sagen (*to say*)	der Dampfer (*steamer*)

LONG e	SHORT e
Bremen	der Septem′ber
das Problem′	der Herr (*gentleman, Mr.*)
sehen (*to see*)	sprechen (*to speak*)

LONG i	SHORT i
fliegen (*to fly*)	blind
wir (*we*)	mild
ihn (*him*)	April'

LONG o	SHORT o
Mozart	das Volk (*people*)
das Auto (*car*)	von (*of, from*)
Polen	kommen (*to come*)

LONG u	SHORT u
gut (*good*)	Rußland
nun (*now*)	die Mutter (*mother*)
genug (*enough*)	dumm (*dumb*)

2. Unstressed **e** sounds like *e* in *the:*

die Minu'te	die Klasse	die Frage (*question*)
das Ende	viele (*many*)	die Karte (*map*)
die Lampe	die Aufgabe (*lesson*)	heute (*today*)

3. Umlauts

er fährt (*he drives*)	der Holländer	römisch (*Roman*)
er schläft (*he sleeps*)	die Dämmerung (*dawn*)	Goethe
die Relativität' (*relativity*)	Händel	schön (*beautiful*)

östlich (*to the east*)	südlich (*to the south*)	München
öffnen (*to open*)	für (*for*)	fünf (*five*)
Göttingen	über (*over*)	Müller

4. Diphthongs

sie heißen (*they are called*)	but	sie hießen (*they were called*)
zeigen (*to show*)	but	die Ziege (*goat*)
sie bleiben (*they remain*)	but	sie blieben (*they remained*)
deinen (*your*, inflected)	but	sie dienen (*they serve*)
das Leid (*sorrow*)	but	das Lied (*song*)

das Fräulein (*young lady*)	Deutschland
Bäume (*trees*)	das Flugzeug (*airplane*)
Mäuse (*mice*)	heute (*today*)
das Gebäude (*building*)	bedeuten (*to mean*)
er läuft (*he runs*)	der Freund (*friend*)

New Sounds: Consonants

1. The consonants **b, d, g** resemble the corresponding English sounds. However, at the end of a word or syllable and before **t,** they are pronounced like **p, t, k:**

lieb (*dear*)	das Land	der Zug (*train*)
lebhaft (*lively*)	und	genug (*enough*)
er glaubt (*he believes*)	endlich (*finally*)	er zeigt (*he shows*)

Note: The combination **ng** has the sound of *ng* in *ring, sing, singer,* but never the *ng* sound in *finger:*

lange (*long*)	singen (*to sing*)	der Hunger
fangen (*to catch*)	der Finger	bringen (*to bring*)
der Ring	der Frühling (*spring*)	hängen (*to hang*)

2. The consonant **w** is pronounced like English *v:*

das Wort	wie (*how*)	warum' (*why*)
westlich (*to the west*)	wer (*who*)	die Welt (*world*)
welcher (*which*)	woher' (*from where*)	wiederho'len (*to repeat*)

3. The consonant **v** in most German words sounds like English *f;* in some words of non-German origin, **v** resembles English *v:*

v = f	**v = v**
der Vater (*father*)	die Violi'ne
der Volkswagen	das Vitamin'
von (*of, from*)	die Universität'
verstehen (*to understand*)	der Novem'ber

4. The consonant **z** and the combination **tz** are pronounced like *ts* in *rats, nuts:*

das Herz (*heart*)	die Katze (*cat*)	der Zug (*train*)
der März (*March*)	jetzt (*now*)	zeigen (*to show*)
der Schatz (*treasure*)	zentral' (*central*)	die Zeit (*time*)

German, as well as English, has borrowed many words from Latin, such as words ending in **-tion: die Nation', die Station'.** The **t** in the combination **-tion** is pronounced *ts:* **die Konversation', die Revolution', national'.**

5. The consonant **l:** There is a distinct difference between the pronunciation of the English and the German **l.** Pronounce in succession *mill* and *million*. The sound of *l* in *million* resembles the **German l,** with the tip of the tongue touching the gums above the upper front teeth:

das Land	**fliegen** (*to fly*)	**viel** (*much*)
liegen (*to lie*)	**glauben** (*to believe*)	**voll** (*full*)
die Lage (*location*)	**welches** (*which*)	**hell** (*light*)

6. The German **r** is either tongue-trilled or uvular. Although **uvular r** is more common, both are acceptable. However, the **trilled r is** easier for you, since it is closer to the American *r* than the **uvular r.** To pronounce the trilled **r,** vibrate the tip of your tongue rapidly and briefly up and down: **rot, das Radio, rein, die Frage, die Karte, das Wort, groß, nördlich, der Herr.**

The German **r** in the unaccented syllable **-er** sounds similar to the *r* in *father:* **der Vater, die Mutter, das Wasser, der Dampfer, dieser, welcher, verstehen.**

7. The consonant **h** after a vowel (**fahren, sehen**) lengthens that vowel, but **h** remains silent. Compare the English exclamation *Ah!*

II. STRUCTURE AND FUNCTION

1. Nominative and Accusative

Depending on its grammatical function in a sentence, a noun may appear in four cases, the nominative, the genitive, the dative, or the accusative. The following sentence will illustrate these four grammatical functions:

The instructor shows the class Germany's location.

"The instructor" performs the action, thus functioning as the subject; therefore, "instructor" is in the nominative case.

"The class" indicates the object or person in whose interest or for whose benefit the action is performed, that is, the instructor shows the map *to* the class. "Class" functions as the indirect object; therefore, it is in the dative case.

"Germany's" is in the possessive or genitive case. The genitive expresses a relationship between two nouns, indicating possession or belonging to each other.

"Location" functions as the direct object, denoting the word toward which the action of the verb is directed; therefore "location" is in the accusative case.

In this lesson we will practice the forms for the nominative and accusative cases.

Apply what you have just read about these two cases to the following sentences; that is, determine which nouns are in the nominative, and which are in the accusative, and why:

1. Der Bus kommt von Paris. 2. Eine Linie zeigt, wohin das Flugzeug fliegt. 3. Das Flugzeug kommt von London. 4. Ich sehe einen Bus. 5. Ich sehe die Linie auf der Karte. 6. Sehen Sie die Linie? 7. Sehen Sie das Flugzeug nicht?

Now observe the forms for the definite and indefinite articles:

	MASCULINE	FEMININE	NEUTER
NOM.	**der Dampfer**	**die Linie**	**das Flugzeug**
	ein Dampfer	**eine Linie**	**ein Flugzeug**
ACC.	**den Dampfer**	**die Linie**	**das Flugzeug**
	einen Dampfer	**eine Linie**	**ein Flugzeug**

Note: Only the masculine nouns indicate the accusative by a change in the article.

2. Prepositions with the Accusative

In German, the genitive, dative, or accusative case is required after certain prepositions. In this lesson, we give you only one preposition, **für,** which always requires the accusative case.

> *Example:* **Die Weser ist nicht tief genug für den Dampfer.**
> *The Weser river is not deep enough for the steamer.*

3. Personal Pronouns

NOM.	**er**	*he*	**sie**	*she*	**es**	*it*
ACC.	**ihn**	*him*	**sie**	*her*	**es**	*it*

Examples:

> **Wo ist der Mann? — Er ist in Chicago.**
> **Wo ist die Frau? — Sie ist in New York.**
> **Wo ist das Auto? — Es ist in der Garage.**

Note that, in German, inanimate objects may be masculine, feminine, or neuter. Therefore, the three corresponding personal pronouns **er, sie, es** must be used:

> NOM.   **Wo ist der Wagen? — Er ist in der Garage.**
> **Wo ist die Karte? — Sie ist hier.**
> **Wo ist das Auto? — Es ist in der Garage.**

> ACC.   **Wer hat den Wagen? — Erich hat ihn.**
> **Wer hat die Karte? — Ich habe sie.**
> **Wer hat das Auto? — Vater hat es.**

4. Vowel Change: a to ä, e to i(e)

Some German verbs, in the third person singular, change the stem vowel **a** to **ä** and the stem vowel **e** to **i** (with certain verbs, to **ie**):

fahren	sprechen	sehen
ich fahre	ich spreche	ich sehe
er, sie, es fährt	er, sie, es spricht	er, sie, es sieht
wir fahren	wir sprechen	wir sehen
sie fahren	sie sprechen	sie sehen
Sie fahren	Sie sprechen	Sie sehen

5. Nein, nicht, kein

Nein (*no*) is the negative answer to a question: **Sehen Sie den Dampfer? Nein. Nicht** negates a statement or a word: **Ich sehe ihn nicht.** (*I do not see it.*) **Kein,** which negates a noun, is the negative form of the indefinite article **ein** and takes the same case endings as **ein.** Depending on the context, **kein** may mean *no, not a, not any:* **Wir haben kein Auto.** (*We have no car.*) **Er hat keinen Volkswagen.** (*He doesn't have a Volkswagen.*) **Haben Sie keine Bilder?** (*Don't you have any pictures?*)

III. READING

TEXT 2

Read for comprehension:

„Sehen Sie den Bus östlich von Paris, Herr Fletcher? Wohin fährt er?"
„Er fährt nach Bonn."

„Richtig. Wohin fährt der Zug nördlich von Rom?"
5   „Er fährt nach Rom."
„Nein, er kommt von Rom. Die Linie zeigt, wohin er fährt."
„Er fährt nach München."
„Gut. Woher kommt der große Dampfer westlich von England,
Fräulein Fields?"
10   „Ich glaube, er kommt von Amerika."
„Gut. Warum fährt ein Passagierdampfer nach Bremerhaven und
nicht nach Bremen?"
„Die Weser ist bei Bremen nicht tief genug für einen großen
Dampfer."
15   „Richtig. Das Bild zeigt uns ein Flugzeug. Wohin fliegt es,
Fräulein Height? — Keine Antwort?"
„Ich sehe kein Flugzeug."
„Es fliegt über England. Sehen Sie das Flugzeug jetzt?"
„Ja, es fliegt nach Berlin."
20   „Haben Sie einen Volkswagen, Herr Baker?"
„Nein. Mein Vater sagt, ein Ford ist . . ."
„Danke, Herr Baker. Das ist genug für heute."

IV. CONVERSATION AND WRITING

A. ACTIVE VOCABULARY

1. New Words

der **Bus**	bus	**glauben**	to believe
der **Dampfer**	(steam)ship,	**kommen**	to come
	ocean liner	**sehen**	to see, look
der **Vater**	father	**zeigen**	to show
der **Zug**	train		
die **Antwort**	answer	**bei**	near
die **Linie**	line	**für**	for
das **Bild**	picture	**genug**	enough
das **Flugzeug**	airplane	**heute**	today
		jetzt	now
mein	my	**nach**	to, toward
kein	no	**über**	over
tief	deep	**warum'**	why
		woher'	wherefrom
fahren	to go, drive	**wohin'**	whereto
fliegen	to fly		

2. Review

die Frage (4)	*many* (1)	**sein** (3)	*but, however* (1)
fragen (2)	*to ask* (2)	**klein** (9)	*lesson* (2)
schreiben (8)	*to mean* (3)	**öffnen** (5)	*to be* (3)
viele (1)	*question* (4)	**aber** (1)	*to repeat* (4)
die Seite (6)	*to read* (5)	**die Aufgabe** (2)	*to open* (5)
liegen (10)	*page* (6)	**übersetzen** (10)	*sentence* (6)
bedeuten (3)	*to understand* **(7)**	**gehen** (8)	*to be called,*
verstehen (7)	*to write* (8)		*mean* (7)
sprechen (9)	*to speak* (9)	**heißen** (7)	*to go* (8)
lesen (5)	*to lie, be*	**wiederholen** (4)	*small* (9)
	situated (10)	**der Satz** (6)	*to translate* (10)

B. *PRACTICE IN STRUCTURE AND FUNCTION*

1. *Identify the subject and the direct object:*
   1. Wir sehen einen Dampfer. 2. Sehen Sie das Flugzeug? 3. Er glaubt es. 4. Verstehen Sie das Problem? 5. Er zeigt uns ein Bild von Bonn.

2. *Give the indefinite article in the nominative case for the following nouns* **(der Herr—ein Herr):**
   1. der Volkswagen 2. die Frau 3. das Land 4. der Zug 5. die Karte 6. der Nachbar 7. das Wort 8. der Dampfer 9. die Seite 10. der Satz

3. *Give the pronoun in the nominative case for the nouns in 2, above* **(der Herr—er).**

4. *Form questions using* **sehen** *and the nouns in 2, above, in the accusative* **(Sehen Sie den Volkswagen?).**

5. *Form questions using pronouns for the nouns in 2, above* **(Sehen Sie ihn?).**

6. *For the following verbs, give the third person singular and plural as a statement and as a question* **(zeigen: er zeigt, sie zeigen; zeigt er? zeigen sie?):**
   1. fragen 2. schreiben 3. öffnen 4. antworten 5. fahren 6. sprechen 7. sehen 8. lesen 9. haben 10. sein

7. *Fill in the appropriate form of* **kein:**
   1. Er sagt _____ Wort. 2. Haben Sie _____ Karte? 3. Wir sehen

_____ **Land. 4. Wir haben** _____ **Volkswagen. 5. Es ist für** _____
Dampfer tief genug. 6. Ich habe _____ **Auto.**

8. *Translate:*

1. I fly. 2. He flies. 3. He is flying. 4. Does he fly? 5. She is speaking.
6. Is she speaking? 7. Why isn't she speaking German? 8. We ask.
9. They ask. 10. Are you asking? 11. I believe it. 12. He doesn't
believe it. 13. Doesn't he believe it? 14. Do you believe it? 15. I
see the line. 16. He doesn't see the line. 17. Do you see it? 18. She
doesn't see it. 19. Do you see the bus? 20. Do you see it? 21. Read
the sentence. 22. She doesn't read it. 23. I am going to Hamburg.
24. The (steam)ship is going to Bremen. 25. Isn't it going to Hamburg? 26. No, it's not going to Hamburg. 27. They have no car.
28. I don't have a car. 29. Doesn't he have a car? 30. No answer.

C. PRACTICE IN CONVERSATION

Repeat until you are thoroughly familiar with the dialogue:

„Wir landen in Bremerhaven, nicht wahr?"
"We are going to land in Bremer-haven, aren't we?"

„Ja. Unser Dampfer kann nicht nach Bremen fahren."
"Yes. Our ship cannot go to Bremen."

„Warum nicht?"
"Why not?"

„Die Weser ist nicht tief genug."
"The (river) Weser is not deep enough."

„Die Passagiere fahren dann mit dem Zug nach Bremen."
"The passengers then go by train to Bremen."

„Von da fahre ich mit dem Bus nach Hamburg."
"From there I'm going by bus to Hamburg."

„Ich fliege nach Köln."
"I'm flying to Cologne."

„Fahren Sie nicht nach München?"
"Aren't you going to Munich?"

„Doch, aber ich will meinen Onkel besuchen."
"Yes, I am, but I want to visit my uncle."

„Haben Sie Geschwister?"
"Do you have sisters and broth-ers?"

„Einen Bruder. Er ist drei Jahre älter als ich."
"A brother. He is three years older than I."

„Ich habe eine Schwester."
"I have a sister."

„Wie alt ist sie?"
"How old is she?"

„Sie ist jünger als ich; sie ist sechzehn.”	"She is younger than I; she is sixteen."
„Wie heißt sie mit Vornamen?”	"What's her first name?"
„Lisa.”	"Lisa."

D. PRACTICE IN WRITING

1. Dictation.

2. Copy the first ten lines of Text 2.

3. Write ten short sentences, all of which should be variations of Text 2. Remember, you can learn most by deviating only slightly from the original text.

4

KÖLN

COLOGNE

I. HEARING AND SPEAKING

A. TEXT 1

„Sie sehen hier ein Bild von der Stadt Köln.

An welchem Fluß liegt Köln, Herr Fletcher?"

„Sie sagen nichts? Haben Sie die richtige Seite?—Oh, Sie haben kein Buch.

Herr Baker, helfen Sie Herrn Fletcher bitte!

Geben Sie ihm Ihr Buch und zeigen Sie ihm den Fluß!"

„Köln liegt am Rhein."

„Das ist richtig. Köln ist eine sehr alte Stadt aus der römischen Zeit. Das Wort kommt von dem latei'nischen Wort ‚colo'nia', auf deutsch ‚Kolonie'.

Sprechen Sie bitte nicht mit Ihrem Nachbar, Fräulein Fields!

An welchem Ufer liegt Köln, am rechten oder am linken Ufer, Fräulein Fields?"

"You see here a picture of the city of Cologne.

On what river (lies Cologne) is Cologne situated, Mr. Fletcher?"

"You say nothing? Do you have the right page?—Oh, you have no book.

Mr. Baker, help Mr. Fletcher, please.

Give him your book and show him the river."

"Cologne is situated on the Rhine."

"That is correct. Cologne is a very old city (out of) from Roman times. The word comes from the Latin word *colonia*, in German, *Kolonie.*

Please, don't talk with your neighbor, Miss Fields.

On which bank does Cologne lie, on the right or on the left bank, Miss Fields?"

„Köln liegt am linken Ufer.''
„Das Bild zeigt uns auch das
interessan'teste Gebäude der Stadt
Köln, den Kölner Dom.

Sie haben eine Frage—das Fräulein
in der letzten Reihe mit der weißen
Bluse, am Ende der letzten Reihe.''
„Ist der Dom so hoch wie das
Empire State Building?''
„Nein. Kein Gebäude in der Welt
ist so hoch wie das Empire State
Building.''
„Wie alt ist der Dom?''
„Der älteste Teil ist aus dem drei-
zehnten Jahrhun'dert, der neuste
Teil aus dem neunzehnten Jahr-
hundert.
Der Dom ist im gotischen Stil.
Fräulein Height, erklären Sie der
Klasse, bitte, was gotischer Stil ist,
auf englisch natür'lich.—
Ich danke Ihnen, Fräulein Height.''

"Cologne lies on the left bank.''
"The picture shows us also the
most interesting building in the city
of Cologne, the Cathedral of
Cologne.

You have a question—the young
lady in the last row with the white
blouse, at the end of the last row.''
"Is the Cathedral as high as the
Empire State Building?''
"No. No building in the world
is as high as the Empire State
Building.''
"How old is the Cathedral?''
"The oldest part is from the thir-
teenth century, the newest part
from the nineteenth century.

The Cathedral is in Gothic style.
Miss Height, explain to the class,
please, what Gothic style is,
in English, naturally.—
I thank you, Miss Height.''

B. PRONUNCIATION

Review

1. *Distinguish between long and short vowels:*

der Name	alt	er	das Nest	ihn	bin
der Vater	die Hand	wer	jetzt	wir	ist
das Jahr	falsch	zehn	die Welt	der Stil	in

die Oper	die Sonne	genug	hundert
wo	der Gott	die Musik'	und
oder	kommen	der Zug	warum'

2. Unstressed **e** sounds like *e* in *the:*

bedeuten	die Reihe	haben
genug	der Name	sagen
das Gebäude	die Seite	gehen

3. Umlauts

während (*during*)	Männer (*men*)	schön (*beautiful*)
europä'isch (*European*)	Länder (*countries*)	Söhne (*sons*)
spät (*late*)	Hände (*hands*)	Öl (*oil*)
können (*to be able*)	grüßen (*to greet*)	das Stück (*piece*)
öffnen (*to open*)	der Schüler (*pupil*)	küssen (*to kiss*)
zwölf (*twelve*)	die Tür (*door*)	müssen (*to have to*)

4. ng like *ng* in *singer*

fangen, hängen, der Singer, der Finger, der Hunger, bringen, lange

5. w = *v*

wo, während, das Wort, wie, welcher, was, warum', wer

6. v = *f*

viele, der Vater, von, verstehen, vier, der Vogel, vor

v = *v* (in a few words of non-German origin)

Novem'ber, die Universität', die Vase, die Violi'ne, das Vitamin'

7. z, tz = *ts*

das Herz, der März, zeigen, die Zeit, zwei, der Zug, zentral', jetzt.

New Sounds: Two Sounds for ch

Depending on its position in a word, the **ch** may be identified as either an **ach**-sound or an **ich**-sound.

1. The **ach**-sound is used after **a, o, u, au** and is made in the back of the mouth. Pronounce the imaginary word *aka* several times in succession. Now, instead of letting your tongue touch the back of your mouth, leave space for the air to pass and press the tip of your tongue against your lower front teeth: **acha, acha, ach . . .**

machen (*to make*)	noch (*still*)
nach (*after, to*)	doch (*yet*)
lachen (*to laugh*)	der Koch (*cook*)
wach (*awake*)	die Tochter (*daughter*)
das Dach (*roof*)	die Woche (*week*)
das Buch (*book*)	auch (*also*)
das Tuch (*cloth*)	der Rauch (*smoke*)
der Kuchen (*cake*)	rauchen (*to smoke*)

die **Buche** (*beechtree*)	**brauchen** (*to need*)
suchen (*to seek*)	der **Brauch** (*custom*)

2. The **ich**-sound is used after **i, e, ä, ö, ü, eu, äu,** and after consonants, and is made in the front of the mouth. Pronounce the *h* in *hew*. Notice that the tip of your tongue touches the lower front teeth and that the air passes gently over your tongue, which is raised:

ich (*I*)	**echt** (*genuine*)	**lächeln** (*to smile*)
nicht (*not*)	**recht** (*right*)	**Mächte** (*powers*)
das **Licht** (*light*)	**rechnen** (*to count*)	**Nächte** (*nights*)
wöchentlich (*weekly*)	die **Küche** (*kitchen*)	**welcher** (*which*)
Töchter (*daughters*)	**Bücher** (*books*)	das **Mädchen** (*girl*)
Köche (*cooks*)	**schüchtern** (*shy*)	das **Ländchen** (*small country*)

Note: The **g** in the uninflected suffix **-ig** is pronounced as **ch** in **ich:**

ruhig (*quiet*)	**einzig** (*only*)
wichtig (*important*)	der **König** (*king*)
wenig (*little*)	der **Honig** (*honey*)

3. The combination **chs** is pronounced like *x:*

sechs (*six*), **Sachsen** (*Saxony*), **wachsen** (*to grow*).

II. STRUCTURE AND FUNCTION

1. Dative Case

Observe: The instructor shows the class a picture of Cologne.

The direct object of the verb *shows* is "a picture of Cologne," and the indirect object is "the class." The case of the indirect object is also called the dative case. The dative represents the person or object in whose interest or for whose benefit the action is performed. English expresses the relationship between the dative (*the class*) and the accusative (*a picture*) by position (the indirect object precedes the direct object), or by using *to* with the indirect object (*The instructor shows the picture to the class*). In German, the position of the objects is the same as in the English *He shows the class a picture*. However, the dative case in German is indicated by distinct forms of the article and the personal pronoun. The following examples show these forms for a masculine article and pronoun:

Zeigen Sie <u>dem</u> Mann die Karte!	*Show the man the map.*
Zeigen Sie sie <u>dem</u> Mann!	*Show it to the man.*
Zeigen Sie <u>ihm</u> die Karte!	*Show him the map.*
Zeigen Sie sie <u>ihm</u>!	*Show it to him.*

The following table gives the nominative, dative, and accusative forms for the articles and the personal pronouns:

	MASC.		FEM.		NEUT.	
NOM.	der	er	die	sie	das	es
	ein		eine		ein	
DAT.	dem	ihm	der	ihr	dem	ihm
	einem		einer		einem	
ACC.	den	ihn	die	sie	das	es
	einen		eine		ein	

2. Prepositions with the Dative

The dative is always required by a number of prepositions. In this lesson occur **aus** (*out of*), **mit** (*with*), **von** (*of, from*):

Examples:	**mit <u>dem</u> Nachbar**	*with the neighbor*
	aus <u>der</u> Stadt	*out of the city*
	von <u>dem</u> Flugzeug	*from the airplane*

3. The Prepositions "an" and "in"

These two prepositions require the dative when the verb indicates location: **Köln liegt <u>am</u> (an + dem) Rhein. Ein Haus in <u>der</u> Stadt.**

4. Prepositional Contractions

A number of prepositions are contracted with the article: **vom Fluß (von + dem), am Ufer (an + dem), im Rhein (in + dem), beim Nachbar (bei + dem), zur Klasse (zu + der).**

5. Verbs with the Dative

Certain verbs in German always require the dative. So far you have learned **antworten, helfen, danken: Antworten Sie <u>ihm</u>! Helfen Sie <u>mir</u>! Danken Sie <u>ihr</u>!**

6. Position of "nicht"

When **nicht** negates the whole clause, it stands at the end of the
clause:

Zeigen Sie es ihm nicht!   *Don't show it to him.*

But it regularly precedes (a) a predicate adjective, (b) a predicate
noun, (c) an adverb, or (d) a prepositional phrase:

a. Die Karte ist nicht neu.   *The map is not new.*
b. Er ist nicht sein Vater.   *He is not his father.*
c. Sie sprechen nicht laut genug.   *You don't speak loud enough.*
d. Köln liegt nicht am rechten Ufer.   *Cologne does not lie on the right bank.*

When **nicht** negates a particular word, it stands immediately before
that word:

Zeigen Sie es nicht ihm, zeigen Sie es ihr!
Don't show it to him, show it to her.

III. READING

TEXT 2

Read for comprehension:

„Woher kommt das Wort Köln, Fräulein Fields?"
„Es kommt aus der römischen Zeit. Köln ist eine sehr alte Stadt am
Rhein. Das Wort Köln kommt von dem alten lateinischen Wort
‚colonia'."
5   „Liegt Köln am rechten oder linken Flußufer, Herr Brown? — Sie
sagen nichts?"
„Ich glaube, ich habe nicht die richtige Seite."
„Herr Braden, helfen Sie Herrn Brown, und zeigen Sie ihm bitte
die richtige Seite!"
10   „Köln liegt am linken Ufer."
„Richtig. Das Bild zeigt Ihnen ein großes Gebäude. Wie heißt es,
Fräulein Height?"
„Das ist der Kölner Dom."
„Gut. — Sie haben eine Frage, Herr — der Herr am Ende der
15   letzten Reihe mit dem weißen Sweater."
„Ist der Kölner Dom so hoch wie das Empire State Building?"

„Nein, kein Gebäude in Köln ist so hoch wie das Empire State Building, und kein Gebäude in New York ist so alt wie der Kölner Dom."

„Wie alt ist der Kölner Dom?" 20

„Der älteste Teil ist aus dem dreizehnten Jahrhundert; der neuste Teil ist aus dem neunzehnten Jahrhundert. Der Dom ist im gotischen Stil."

„Was ist gotischer Stil?"

„Wer versteht etwas vom gotischen Stil? — Herr Fletcher? — Gut. 25
Erklären Sie der Klasse bitte den gotischen Stil, auf englisch natürlich. — Wir danken Ihnen, Herr Fletcher."

IV. CONVERSATION AND WRITING

A. VOCABULARY

1. New Words

der **Fluß**	river	natür′lich	naturally
der **Stil**	style	neu	new
der **Teil**	part	recht-	right
die **Klasse**	class	weiß	white
die **Reihe**	row		
die **Stadt**	city, town	danken	to thank
die **Zeit**	time	erklären	to explain
das **Ende**	end	helfen (hilft)	to help
das **Gebäude**	building	aus	out of, from
das **Jahr**	year	etwas	something; a little
das **Jahrhun′dert**	century	mit	with
das **Ufer**	bank (of a river)	nichts	nothing
das **Flußufer**	riverbank	oder	or
		sehr	very
alt	old	wer	who
hoch	high		
letzt-	last	IDIOM	
link-	left	so . . . wie	as . . . as

2. Review

glauben (5)	city (1)	das **Gebäude** (6)	to believe (5)
das **Bild** (7)	no, not a (2)	**genug** (4)	building (6)
die **Stadt** (1)	page (3)	die **Seite** (3)	picture (7)
kein (2)	enough (4)		

liegen (7)	*part* (1)	**jetzt** (2)	*to show* (5)
heute (4)	*now* (2)	**zeigen** (5)	*small* (6)
der Teil (1)	*many* (3)	**viele** (3)	*to lie, be situated* (7)
klein (6)	*today* (4)		

B. PRACTICE IN STRUCTURE AND FUNCTION

1. *Identify the subject, the direct and indirect objects:*
   1. **Zeigen Sie ihm das Bild vom Rhein!** 2. **Er erklärt der Klasse das Wort Köln.** 3. **Der Professor erklärt Fräulein Fields die Frage.** 4. **Zeigen Sie es ihm nicht!** 5. **Geben Sie ihr die Karte!**

2. *Fill in the dative case endings:*
   1. aus d— Gebäude 2. aus ein— Gebäude 3. aus dies— Klasse 4. aus ein— Klasse 5. mit dies— Dampfer 6. mit ein— Dampfer 7. mit welch— Dampfer 8. von kein— Frau 9. von dies— Teil 10. von welch— Ufer

3. *Translate:*
   1. It's new. 2. It's very new. 3. Is it very old? 4. Isn't it interesting? 5. He's explaining. 6. Please explain! 7. Please explain it! 8. Please explain it to him[1]! 9. Please show the map to the class. 10. Show it to the class. 11. Please show it to him! 12. Don't show it! 13. Answer him! 14. He doesn't answer her. 15. He's coming out of the building. 16. Is she coming out of the building? 17. They are coming from the river[2]. 18. Please speak with him. 19. Please speak with her. 20. Don't speak with her. 21. Don't thank me, thank him! 22. Don't answer her! 23. Please help me!

C. PRACTICE IN CONVERSATION

Repeat until you are thoroughly familiar with the dialogue:

„In Köln ist der berühmte Dom, nicht wahr?"	"In Cologne is the famous cathedral, isn't it?"
„Ja, es ist das interessanteste Gebäude in der Stadt."	"Yes, it's the most interesting building in the city."
„Wie alt ist der Kölner Dom?"	"How old is the Cathedral of Cologne?"

---

[1] In this and the following sentences do not translate *to*.
[2] Contract the preposition with the article.

„Ich glaube, der älteste Teil ist aus dem dreizehnten Jahrhundert."

"I believe the oldest part is from the thirteenth century."

„Wissen Sie, woher das Wort Köln kommt?"

"Do you know where the word *Köln* comes from?"

„Nein, leider nicht. Wissen Sie es?"

"I'm sorry to say no. Do you know (it)?"

„Ich bin nicht sicher, aber ich glaube, es kommt von dem lateinischen Wort ‚colonia'."

"I'm not sure, but I believe it comes from the Latin word *colonia.*"

„Dann heißt es soviel wie Kolonie."

"Then it means (as much as) colony."

„Möchten Sie eine Zigarette?"

"Do you care for a cigarette?"

„Nein, danke."

"No, thank you."

„Rauchen Sie nicht?"

"Don't you smoke?"

„Doch, aber nicht jetzt. Ich rauche zuviel."

"Oh yes, I do, but not now. I smoke too much."

„Haben Sie zufällig ein Streichholz bei sich?"

"Do you happen to have a match on you?"

„Ich habe ein Feuerzeug."

"I have a lighter."

„Geht es?"

"Does it work?"

„Manchmal. Da—ich habe Glück."

"Sometimes. There—I'm lucky."

„Danke schön."

"Thank you very much."

„Bitte schön."

"Don't mention it."

Note: As you practice speaking with your classmate, don't think of "What comes next?" but of the situations described in the dialogues of this and previous lessons; for example: greeting, offering a cigarette, asking for the name of the person's hometown, its location, the name and age of his sister or brother, and so on. With each new lesson, you will be able to form new combinations and thus extend the scope of your conversation. But be sure that, for the time being, you adhere to the linguistic forms of these dialogues, so as to insure quick responses.

D. PRACTICE IN WRITING

1. Dictation.

2. Copy the first ten lines of Text 2.

3. Write ten short sentences based on Text 2. Vary them only slightly.

5

BONN

I. HEARING AND SPEAKING

A. TEXT 1

„Die Bilder zeigen zwei berühmte Gebäude der Stadt Bonn am Rhein.
Jeder Deutsche kennt Bonn als die Geburtsstadt Beethovens.

Bonn ist heute auch die neue Hauptstadt Deutschlands, d.h. (das heißt) der Bun'desrepublik' Deutschland.
Das moder'ne Gebäude ist das Bundeshaus, der Sitz der deutschen Regie'rung.
Das alte Gebäude ist das Beethovenhaus, das Geburtshaus Beethovens.
Welches große Werk des Komponi'sten kennen Sie, Herr Brown?"

„Die Neunte Symphonie'."
„Kennen Sie dieses wunderbare Werk gut?"
„Ich habe eine Platte und spiele sie manchmal zu Hause während meiner Freizeit."

"The pictures show two famous buildings of the city of Bonn on the Rhine.
Every German knows Bonn as the (city of birth) birthplace of Beethoven.

Bonn is today also the new (chief city) capital of Germany, that is, of the German Federal Republic.
The modern building is the Federal Building, the seat of the German government.
The old building is the Beethoven house, Beethoven's birthplace.
Which great work of (the) this composer do you know, Mr. Brown?"

"The Ninth Symphony."
"Do you know this wonderful work (good) well?"
"I have a record and play it sometimes at home during my (free time) leisure time."

47

„Das ist schön.—Was ist das Thema dieser Symphonie?"

"That's (beautiful) fine.—What is the theme of this symphony?"

„Das ist schwer zu sagen. Es ist vielleicht′ der Kampf eines großen Menschen, vielleicht der Menschheit, durch Nacht zum Licht."

"That's hard to say. It's perhaps the struggle of a great man, perhaps of humanity, through night (to the) toward light."

„Kennen Sie Beethovens Oper, Herr Baker?"

"Do you know Beethoven's opera, Mr. Baker?"

„Ich verstehe nicht viel von Musik′. Ich glaube, der Name der Oper ist ,The Magic Mountain'."

"I don't understand much about music. I believe the opera is called *The Magic Mountain.*"

„Nein, das ist falsch. ,Der Zauberberg' ist der berühmte Roman des Dichters Thomas Mann.

"No, that's (false) incorrect. *The Magic Mountain* is the famous novel of the (poet) writer Thomas Mann.

Die einzige Oper Beethovens heißt ,Fidelio'. Bei uns in Amerika ist der Name dieses Werkes nicht so bekannt wie in Deutschland und Österreich."

Beethoven's only opera is called *Fidelio.* (With us) Here in America the name of this work is not as well known as in Germany and Austria."

B. PRONUNCIATION

Review

1. **ng,** like *ng* in *singer*

   singen, bringen, hängen, der Hunger, der Finger, lange, der Singer

2. **w** = *v*

   wer, wie, wo, was, warum′, warm, welcher, das Wort, während, das Werk

3. **v** = *f*

   verstehen, der Vater, von, viel, vier, vor

4. **z, tz** = *ts*

   zu, die Zeit, zeigen, zwei, der Zug, zentral′

5. **ch,** as in **ach**

   nach, machen, lachen, wach; die Woche, hoch, noch, die Tochter; das Buch, suchen, das Tuch, der Kuchen; auch, der Rauch, rauchen, brauchen

6. **ch,** as in **ich**

    nicht, das Licht, südlich, sprechen, welcher, das Mädchen, das Ländchen

7. **-ig = ich**

    richtig, einzig, hungrig, der König, der Honig, wichtig

New Sounds: s̱-Sounds

From your pronunciation of English, you are prepared for the sounds for German **s**.

1. At the end of a word or syllable and in the combinations **st** and **sp** at the end of a syllable, **s** is pronounced like *s* in *sit:*

    es, was, das Haus, Hans; das Nest, westlich, die Wespe (*wasp*)

2. Before a vowel, **s** is usually pronounced like *s* in *was:*

    sie sagen, südlich, sein, die Rose, lesen

3. In the combinations **sp** and **st** at the beginning of a word or syllable, **s** has the sound of *sh* in *shy:*

    sprechen, spielen, der Sport; still, verstehen, die Stadt

4. The combination **ss** (printed **ß** after a long vowel, **Straße,** at the end of a word, **Fluß,** and before a consonant, **mußte**) is also pronounced like *s* in *sit:*

müssen	**die Straße**	**der Fluß**	**er mußte** (*he had to*)
die Klasse	**heißen**	**groß**	**er wußte** (*he knew*)
vergessen	**grüßen**	**weiß**	**er haßte** (*he hated*)

II. STRUCTURE AND FUNCTION

1. Genitive Case

Observe:		
	das Werk des Dichters	*the work of the poet*
	das Ende des Tages	*the end of the day*
	ein Bild der Stadt Köln	*a picture of the city of Cologne*
	der Name des Werkes	*the name of the work*

The genitive or possessive case denotes a relationship of possession or belonging to each other between two nouns. The genitive case is marked in German by special forms of the article. Most masculine and neuter nouns add the ending **-s**; monosyllabic nouns add **-es;** feminine nouns remain unchanged:

MASCULINE	FEMININE	NEUTER
des **Dichters** (*of the poet*)	der **Stadt** (*of the city*)	des **Werkes** (*of the work*)
eines **Dichters** (*of a poet*)	einer **Stadt** (*of a city*)	eines **Werkes** (*of a work*)

Observe: der **Komponist**	der **Mensch**	der **Herr**
des **Komponisten**	des **Menschen**	des **Herrn**

There is an important group of masculine nouns which form the genitive, in fact, all inflected cases, by adding **-en.** To this group belong masculine nouns of non-German derivation, easily recognized by the stress on the last syllable (**der Komponist′, der Student′**), and purely German nouns like **der Mensch** and **der Herr** (the latter adding only **-n,** not **-en,** in the singular).

2. **Prepositions with the Genitive**

The genitive is required after a number of prepositions; the most frequent of these is **während** (*during*):

während des Tages	*during the day*
während der Freizeit	*during (the) leisure time*
während des Jahres	*during the year*

3. **Dieser, jeder, welcher**

You may have noticed that the words **dieser** (*this*), **jeder** (*each*), and **welcher** (*which*) have endings like the definite article. They belong to a group of words called **der**-words, because their endings are almost identical with those of the definite article **der:**

	MASCULINE		FEMININE		NEUTER	
NOM.	der	dieser	die	diese	das	dieses or dies
GEN.	des	dieses	der	dieser	des	dieses
DAT.	dem	diesem	der	dieser	dem	diesem
ACC.	den	diesen	die	diese	das	dieses or dies

4. **Kein, mein, unser, Ihr**

Another group of words, of which you have so far had **kein** (*no, not any*), **mein** (*my*), **unser** (*our*), **Ihr** (*your*), are called **ein**-words, because their endings are like those of the indefinite article **ein:**

	MASCULINE		FEMININE		NEUTER	
NOM	ein	mein	eine	meine	ein	mein
GEN.	eines	meines	einer	meiner	eines	meines
DAT.	einem	meinem	einer	meiner	einem	meinem
ACC.	einen	meinen	eine	meine	ein	mein

III. READING

TEXT 2

Read for comprehension:

,,Wie heißt die alte Hauptstadt Deutschlands, Fräulein Height?''
,,Berlin.''
,,Wo liegt Berlin?''
,,Berlin liegt im östlichen Teil des alten Deutschlands.''
,,Wie heißt die neue Hauptstadt, Fräulein Fields, und wo liegt sie?''   5
,,Die neue Hauptstadt heißt Bonn. Bonn liegt am linken Ufer des
Rheins.''
,,Kennen Sie einen berühmten Komponisten aus dieser Stadt, Herr
Brown?''
,,Ich glaube, Bonn ist die Geburtsstadt Beethovens.''   10
,,Das ist richtig. Diese Bilder zeigen uns zwei Gebäude. Welches
Gebäude ist das Bundeshaus, Herr Fletcher?''
,,Das moderne Gebäude.''
,,Was ist das Bundeshaus?''
,,Es ist der Sitz der deutschen Regierung.''   15
,,Gut! Und welches Gebäude ist das Beethovenhaus?''
,,Das alte Gebäude.''
,,Kennen Sie ein Werk dieses bekannten Komponisten, Herr
Baker?''
,,Ich kenne die Oper ,Magic Flute'.''   20
,,Das ist falsch, Herr Baker. ,Die Zauberflöte' ist der Name einer
Oper von Mozart. Die einzige Oper Beethovens heißt ,Fidelio'.
Kennen Sie die Neunte Symphonie?''
,,Ich kenne sie sehr gut. Ich spiele die Platte manchmal während
meiner Freizeit.''   25
,,Was ist das Thema dieser Symphonie?''
,,Das ist schwer zu sagen. Es ist vielleicht der Kampf eines großen
Menschen, vielleicht der Menschheit, durch Nacht zum Licht.''
,,Das ist genug.''

IV. CONVERSATION AND WRITING

A. *ACTIVE VOCABULARY*

1. New Words

der **Kampf**	*struggle*	das **Licht**	*light*
der **Komponist'**	*composer*	das **Werk**	*work*
der **Mensch**	*man, human being*		
der **Name**	*name*	**bekannt**	*well-known*
der **Sitz**	*seat*	**berühmt**	*famous*
die **Freizeit**	*leisure time*	**einzig-**	*only*
die **Hauptstadt**	*capital*	**modern'**	*modern*
die **Menschheit**	*mankind*	**schwer**	*difficult*
die **Nacht**	*night*		
die **Oper**	*opera*	**kennen**	*to know*
die **Platte**	*record*	**spielen**	*to play*
die **Regie'rung**	*government*		
die **Symphonie'**	*symphony*	**durch**	*through*
das **Haus**	*house*	**manchmal**	*sometimes*
		vielleicht'	*perhaps*
		während	*during*

2. Review

der **Fluß** (4)	*to ask* (1)	**wer** (5)	*something* (1)
der **Satz** (7)	*to mean* (2)	die **Zeit** (3)	*left* (2)
klein (9)	*bank (of river)* (3)	**etwas** (1)	*time* (3)
bedeuten (2)	*river* (4)	**letzt-** (10)	*building* (4)
nichts (8)	*to see, look* (5)	**sehr** (8)	*who* (5)
fragen (1)	*city* (6)	**link-** (2)	*right* (6)
sehen (5)	*sentence* (7)	**wiederholen** (9)	*century* (7)
das **Ufer** (3)	*nothing* (8)	das **Gebäude** (4)	*very* (8)
die **Stadt** (6)	*small* (9)	das **Jahrhundert** (7)	*to repeat* (9)
so ... wie (10)	*as ... as* (10)	**recht-** (6)	*last* (10)

B. *PRACTICE IN STRUCTURE AND FUNCTION*

1. *Establish a genitive relationship between the following noun pairs (der Name — die Stadt: der Name der Stadt):*
   1. das Bild — die Stadt **2.** der älteste Teil — das Gebäude **3.** das Ende — der Tag **4.** die Regierung — dieses Land **5.** der Name — unser Dampfer **6.** ein berühmtes Werk — dieser Dichter **7.** der Vater — Ihr Student **8.** der Komponist — diese Oper **9.** ein Problem —

unser Jahrhundert 10. der Kampf — ein Mensch 11. auf dieser Seite
— Ihr Buch 12. der Nachbar — der Komponist 13. am Ende —
jede Oper 14. der Sitz — unsere Regierung 15. der Name — Ihr
Nachbar

2. *Fill in the appropriate endings:*
   1. während d— Oper 2. während mein— Freizeit 3. während dies—
   Zeit 4. während unser— Jahrhundert— 5. während d— Jahr—
   6. während d— Tag— 7. während d— Kampf—

3. *Translate:*
   1. the name of this poet 2. which symphony of the composer
   3. a map of every country 4. the problem of this century 5. no part
   of the building 6. a picture of this city 7. the name of your student
   8. the name of your town 9. which part of the lesson 10. the seat
   of our government 11. the problem of mankind 12. the struggle
   of every human being

C. PRACTICE IN CONVERSATION

Repeat until you are thoroughly familiar with the dialogue:

„Ich werde Köln und auch Bonn besuchen."
"I will visit Cologne and also Bonn."

„In Köln müssen Sie den Dom und in Bonn das Beethovenhaus besuchen."
"In Cologne you must visit the Cathedral and in Bonn Beethoven's house."

„Das tue ich bestimmt. Mir gefällt Beethovens Musik sehr gut."
"I'll certainly do that.   I like Beethoven's music very much."

„Haben Sie einen Plattenspieler?"
"Do you have a record player?"

„Ja. Ich habe einen neuen."
"Yes. I have a new one."

„Mir gefällt besonders die Neunte Symphonie."
"I like especially the Ninth Symphony."

„Haben Sie viele Platten?"
"Do you have many records?"

„Ungefähr fünfzig."
"About fifty."

„Sind das alles Platten mit klassischer Musik?"
"Are these all records with classical music?"

„Nein. Die meisten sind Tanzmusik."
"No. Most of them are dance music."

„Spielen Sie ein Instrument?"
"Do you play an instrument?"

„Etwas Klavier. Leider habe ich nicht genug Zeit zu üben.''

"Piano, a little. Unfortunately, I don't have enough time to practice."

„Ich bin ganz unmusikalisch.''

"I'm not at all musically talented."

D. PRACTICE IN WRITING

1. Dictation.

2. Copy the first ten lines of Text 2.

3. Write a short dialogue on the topic "Bonn." The following outline illustrates how you can use the material of Text 2 by varying the original slightly: "Do you know Beethoven?" "Yes. His birthplace is Bonn on the Rhine. Here is a picture of this famous city." "Do you see this old building?" "Yes, it's the Beethoven house, Beethoven's birthplace." "Which symphony of this composer do you know?" "I know the Ninth Symphony well." "Do you have a record of this work?" "Yes, I play it sometimes during my leisure time."

6

WIEDERHOLUNG UND ERGÄNZUNG

REVIEW AND SUPPLEMENT

THE lessons called **Wiederholung und Ergänzung** give you, in a systematic arrangement, the grammatical forms you have learned so far. The supplementary material offers no difficulty, since the principles have been explained previously.

I. Der-*WORDS AND* Ein-*WORDS*

der-WORDS		ein-WORDS	
der, die, das	*the*	ein, eine, ein	*a*
dieser, diese, dieses	*this*	kein, keine, kein	*no, nothing*
jeder, jede, jedes	*each*	mein, meine, mein	*my*
mancher, manche, manches	*many a*	sein, seine, sein	*his*
solcher, solche, solches	*such a*	ihr, ihre, ihr	*her*
welcher, welche, welches	*which*	sein, seine, sein	*its*
		unser, unsere, unser	*our*
		ihr, ihre, ihr	*their*
		Ihr, Ihre, Ihr	*your*

THE FOUR CASES

	MASC.	FEM.	NEUT.		MASC.	FEM.	NEUT.
NOM.	der	die	das	NOM.	ein	eine	ein
	dieser	diese	dieses		mein	meine	mein
GEN.	des	der	des	GEN.	eines	einer	eines
	dieses	dieser	dieses		meines	meiner	meines

55

| DAT. | dem | der | dem | DAT. | einem | einer | einem |
| | diesem | dieser | diesem | | meinem | meiner | meinem |

| ACC. | den | die | das | ACC. | einen | eine | ein |
| | diesen | diese | dieses | | meinen | meine | mein |

Practice A

Fill in the proper ending for the **der-** *or* **ein-***word:*

1. Jed— Student kennt ihn. **2.** Kennen Sie dies— Herrn? **3.** Dies— Karte zeigt jed— Stadt am Rhein. **4.** Er kennt kein— englischen Komponisten. **5.** Welch— Buch lesen Sie? **6.** Mit welch— Dampfer kommt er? **7.** Ist dies— Aufgabe schwer? **8.** Helfen Sie mein— Nachbar! **9.** Er kennt jed— Studenten in der Klasse. **10.** Er spielt dies— Platte während sein— Freizeit.

II. THE FOUR CASES OF THE NOUN IN THE SINGULAR

	MASCULINE		FEMININE	NEUTER
NOM.	der Dichter	der Student	die Stadt	das Land
GEN.	des Dichters	des Studenten	der Stadt	des Landes
DAT.	dem Dichter	dem Studenten	der Stadt	dem Land(e)
ACC.	den Dichter	den Studenten	die Stadt	das Land

Note: 1. Most masculine and neuter nouns end in **-s** in the genitive (**-es** in words of one syllable).
2. Feminine nouns do not have an ending.
3. Masculine and neuter nouns of one syllable may end in **-e** in the dative.
4. Certain masculine nouns of non-German derivation (**der Student′, der Komponist′, der Philosoph′**) end in **-en** in all cases except the nominative singular. This is true also of **der Mensch (des Menschen,** etc.). But observe especially the four cases of **der Herr:** NOM. **der Herr,** GEN. **des Herrn,** DAT. **dem Herrn,** ACC. **den Herrn.**

Practice B

Give the four cases of:
der Dichter, dieser Komponist, welcher Herr, mancher Student; die Nacht, keine Frage; manches Problem, unser Land, Ihr Bild

III. PERSONAL PRONOUNS

SINGULAR

NOM.	ich (*I*)	er (*he, it*)	sie (*she, it*)	es (*it*)
GEN.	(meiner)	(seiner)	(ihrer)	(seiner)
DAT.	mir ([*to*] *me*)	ihm ([*to*] *him, it*)	ihr ([*to*] *her, it*)	ihm ([*to*] *it*)
ACC.	mich (*me*)	ihn (*him, it*)	sie (*her*)	es (*it*)

	PLURAL		SINGULAR OR PLURAL
NOM.	wir (*we*)	sie (*they*)	Sie (*you*)
GEN.	(unser)	(ihrer)	(Ihrer)
DAT.	uns ([*to*] *us*)	ihnen ([*to*] *them*)	Ihnen ([*to*] *you*)
ACC.	uns (*us*)	sie (*them*)	Sie (*you*)

Note: The genitive forms are given for the sake of completeness. They are very rarely used.

Practice C

Replace the nouns by pronouns:

1. Kennen Sie diese Symphonie? **2.** Diese Antwort ist falsch. **3.** Der Zug fährt nach Bonn. **4.** Lesen Sie diesen Satz auf deutsch! **5.** Zeigen Sie der Klasse die Karte![1] **6.** Geben Sie der Frau die Platte! **7.** Zeigen Sie dem Herrn das Bild! **8.** Helfen Sie dem Herrn, bitte! **9.** Kennen Sie diesen Herrn? **10.** Wiederholen Sie die Frage!

IV. PREPOSITIONS

1. Prepositions with the Genitive

trotz	*in spite of*
während	*during*
wegen	*on account of*

2. Prepositions with the Dative

aus	*out of, from*
bei	*at, near, at the home of*
mit	*with*
nach	*after, to*
seit	*since*
von	*from, of*
zu	*to, at*

[1] Note: With two pronoun objects, the accusative precedes the dative.

3. Prepositions with the Accusative

durch	*through*
für	*for*
gegen	*against*
ohne	*without*
um	*around, at*

Practice D

Use the preposition **ohne** *with the correct form of:*
1. ich **2.** wir **3.** er **4.** sie **5.** Sie
Do the same with **mit** *and* **gegen**.

Practice E

Fill in the appropriate endings:
1. zu mein— Klasse **2.** durch jed— Fluß **3.** bei kein— Nachbar **4.** um manch— Stadt **5.** mit welch— Zug **6.** für Ihr— Antwort **7.** trotz d— Flugzeug— **8.** ohne ein—, Komponist— **9.** während d— Nacht **10.** seit dies— Zeit **11.** nach jed— Oper **12.** wegen d— Regierung **13.** aus d— Gebäude **14.** von dies— Fräulein **15.** gegen dies— Herr—

V. PRESENT TENSE

INF.	spielen	fahren	sehen	sprechen
ich spiele		fahre	sehe	spreche
er, sie, es spielt		fährt	sieht	spricht
wir spielen		fahren	sehen	sprechen
sie spielen		fahren	sehen	sprechen
Sie spielen		fahren	sehen	sprechen

Note: **sie** means either *she* or *they*. The ending of the verb offers the clue: **sie spielt Tennis** (*she is playing tennis*); **sie spielen Tennis** (*they are playing tennis*).

Practice F

Give the present tense forms for:
gehen, antworten; lesen (er liest); haben, sein[1].

---

[1] For the forms of the last two verbs, see page 18.

Form questions:

1. Er erklärt es ihm. 2. Sie fliegen nach Deutschland. 3. Sie heißt Lisa. 4. Er spricht Deutsch. 5. Seine Antwort ist richtig.

VI. WORD ORDER

Observe: **a.** *Show the gentleman the picture! Show the picture to the gentleman!*

In German, only one order is possible: **Zeigen Sie dem Herrn das Bild!** The dative noun always precedes the accusative noun.

b. *Show it to him!* **Zeigen Sie es ihm!**

German and English do not differ in the order of pronoun objects.

Practice G

Translate:

1. He plays. 2. He plays every record. 3. He plays every record during his leisure time. 4. Which record is he playing? 5. He explains. 6. He explains the lesson. 7. He explains it. 8. He explains it to the class. 9. He explains the lesson to the class. 10. He shows her a picture. 11. She shows him a picture. 12. She is showing it to him. 13. We are not going. 14. We are not going with her. 15. I know this city. 16. She doesn't know this city. 17. Do you know this city? 18. Don't you know this city? 19. I have no time. 20. I have no time for you. 21. Don't you have any time for me? 22. I see him. 23. He sees her. 24. She doesn't see it. 25. Don't you see them? 26. He speaks German. 27. Doesn't he speak German? 28. I thank you.

7

RHEIN ODER HUDSON

I. HEARING AND READING

STARTING with this lesson, meanings of new words are given in the footnotes. New words which you should commit to memory are listed under Active Vocabulary. Listen carefully to your instructor or to the tape and then read:

A. TEXT

Ein kleiner Rheindampfer fährt von Koblenz nach Bingen. An der Reling[1] des Dampfers steht[2] Herr Wilson, ein amerikanischer Student, und bewundert[3] die schöne[4] Rheinlandschaft.[5] Die Schönheit[6] des Rheins zwischen[7] Koblenz und Bingen ist weltberühmt[8]. Diese kleine Rheinreise[9] bedeutet manchem Touristen[10] den Höhepunkt[11] seiner Deutschlandreise.   5

    Herr Wilson ist nicht allein.[12] Ein deutscher Student, Herr Schröder, steht neben[13] ihm. Herr Wilson fragt den deutschen Studenten: ,,Wie heißt die alte Ruine dort[14]?''

    Herr Schröder sieht auf seine Rheinkarte und studiert[15] sie. Dann   10
sagt er: ,,Der Name der Ruine ist Sterrenberg. Es ist eine interessante[16] Ruine, nicht wahr[17]? Erlauben[18] Sie mir eine Frage! Ihre amerikanische Aussprache[19] zeigt mir, woher Sie kommen, aber Sie machen[20] keine Fehler[21], wenn Sie Deutsch sprechen.''

---

1. **die Reling** rail, railing. 2. **stehen** to stand. 3. **bewundern** to admire. 4. **schön** beautiful. 5. **die Landschaft** scenery. 6. **die Schönheit** beauty. 7. between. 8. **die Welt** world. 9. **die Reise** trip. 10. **der Tourist'** tourist. 11. **der Höhepunkt** climax. 12. alone. 13. beside. 14. there. 15. **studie'ren** to study. 16. **interessant'** interesting. 17. **nicht wahr** (not true) isn't it. 18. **erlauben** to allow, permit. 19. **die Aussprache** pronunciation. 20. **machen** to make. 21. **der Fehler** mistake.

15 Herr Wilson lächelt[22] und sagt: „Sie loben[23] mein Deutsch. Ich verdiene[24] aber das Lob nicht. Der Mädchenname[25] meiner Mutter ist Müller. Sie war meine erste[26] Lehrerin[27]."
  Die beiden Studenten schweigen[28] eine Weile[29]. Die Landschaft und das Wetter[30] sind so schön. Die Sonne[31] ist heiß[32], aber der
20 Wind ist kühl, beinahe[33] kalt.
  Nach einer Weile sagt Herr Schröder: „Haben Sie in Ihrem Land auch so einen[34] romantischen Fluß wie[35] den Rhein?"
  „Ja und nein", antwortet Herr Wilson. „Ich komme aus New York und kenne und liebe[36] unseren Hudson. Dort finden Sie kein
25 altes Schloß[37], keine alte Ruine und nicht so viele Weinberge[38] wie hier[39] am Rhein. Der Hudson ist ein amerikanischer Fluß und kein deutscher Fluß. Aber unser Hudson hat auch seine romantische Schönheit. An seinen Ufern finden Sie noch[40] manchen alten Indianerpfad[41], und die Geschichte[42] unseres Landes lebt[43] noch
30 im Namen mancher Stadt. Natürlich sind die Städte nicht so alt wie Koblenz oder Köln. Aber unsere Weltstadt New York mit ihren Wolkenkratzern[44], mit ihrer Freiheitsstatue[45] und ihrem großen Hafen[46] hat ihren eigenen[47] Zauber.[48]

B. PRONUNCIATION

Review

1. **ng,** like *ng* in *singer*

   singen, lange, der Finger, der Hunger, hungrig

2. **w = *v***

   der Wind, der Weinberg, die Weile, das Wetter, schweigen, wahr, zwischen, während

3. **v = *f***

   verdienen, vergessen, viel, vor, von, der Vater, vier

---

22. **lächeln** to smile. 23. **loben** to praise. 24. **verdienen** to deserve. 25. **das Mädchen** girl; **der Mädchenname** maiden name. 26. **erst-** first. 27. **der Lehrer** teacher; **die Lehrerin** (woman) teacher. 28. **schweigen** to be silent. 29. **eine Weile** for a while. 30. **das Wetter** weather. 31. **die Sonne** sun. 32. **heiß** hot. 33. almost. 34. **so ein** such a. 35. **as.** 36. **lieben** to love. 37. **das Schloß** castle. 38. **der Wein** wine; **der Berg** mountain; **der Weinberg** vineyard. 39. **here.** 40. still. 41. **der Pfad** path, trail. 42. **die Geschichte** history. 43. **leben** to live. 44. **der Wolkenkratzer** skyscraper. 45. **die Freiheit** freedom, liberty. 46. **der Hafen** harbor, port. 47. **eigen** own. 48. **der Zauber** magic, fascination.

4. **z, tz** = *ts*

   zwischen, die Zeit, zu, zehn, der März, jetzt

5. **ch (ach, ich)**

   machen, nach, noch, hoch, auch, der Rauch; nicht, die Geschichte, das Mädchen, lächeln, recht, wöchentlich

6. **-ig = ich**

   richtig, einzig, hungrig, wenig; but richtige, einzige, hungrige, wenige

7. **s, ss, ß,** like *s* in *sit*

   der Tourist', das Haus, was, westlich; das Schloß, lassen, vergessen

8. **s,** like *s* in *was*

   die Sonne, sehen, sagen, Sie, die Reise, lesen

9. **sp, st,** like *sh* in *shy*

   sprechen, spielen, der Sport, stehen, studie'ren, die Stadt

New Sounds: Glottal Stop

In spoken German, individual words appear as distinct units and rarely are run together as in English. With words beginning with a vowel, the air flow is stopped long enough to prevent the final consonant of the preceding word from linking with the vowel of the following word. This momentary stoppage of the air flow is produced by a brief closure of the vocal chords, or glottis; hence the name glottal stop. You can observe it by pronouncing "my Chicago office" and "Ralph Waldo Emerson" with brief pauses between the second and third words.

Practice: **Er /ist /es. Hier /ist /er. Er /ist /auch /ein /Amerikaner. Er kommt /um fünf /Uhr. Der Student /antwortet /ihr. Er hat /ein /altes / Auto.**

Word Accent

In general, the first syllable of a word bears the main accent: **ant'worten, ar'beiten, die Schön'heit, die Rhein'landschaft, un'bekannt, die Aus'sprache.** The so-called inseparable prefixes (**be-, emp-, ent-,**

er-, ge-, ver-, zer-) are not accented: **bewundern, bedeuten, erklären, erlauben, verstehen, verdienen, Geschichte.**

Most words of non-German derivation have the accent on the last syllable: **der Student′, der Komponist′, das Telephon′, die Geographie′, die Symphonie′, die Physik′.**

Verbs in **-ieren** are accented on the **ie**: **studie′ren, telephonie′ren, sich interessie′ren, photographie′ren.**

II. STRUCTURE AND FUNCTION

1. Word Order

a. Normal Order

SUBJECT	VERB	PREPOS. PHRASE	
Herr Wilson	**fragt**	**nach einer Weile:**	**„Haben Sie eine Karte?"**
Mr. Wilson	*asks*	*after a while:*	*"Do you have a map?"*

This is the common word order in English as well as in German. The sentence begins with the subject and the verb follows as the second element.

b. Inverted Order

For the sake of stylistic variety, we may start a sentence with an element other than the subject. In the following sentence, we start with the prepositional phrase:

PREPOS. PHRASE	VERB	SUBJECT	
Nach einer Weile	**sagt**	**Herr Wilson:**	**„Haben Sie eine Karte?"**
After a while,		*Mr. Wilson says:*	*"Do you have a map?"*

Note that, in English, the sequence subject-verb is not altered. In German, however, the normal sequence has become inverted (verb-subject), because in German the verb *must* be the second element in a main clause. This type of word order is called "inverted order." A sentence may start with one of several elements:

ADVERB	VERB	SUBJECT
Dann	**sagt**	**Herr Wilson: . . .**
Then	*Mr. Wilson says: . . .*	

DIRECT OBJECT	VERB	SUBJECT
Den Rhein	**kenne**	**ich.**

In English, we ordinarily do not use such word order. We say: *I know the Rhine.*

c. Normal Position after Co-ordinating Conjunction

	CO-ORDINATING CONJ.	SUBJECT	VERB	
Die Sonne scheint heiß,	**aber**	**der Wind**	**ist**	**kühl.**

The co-ordinating conjunctions **aber, und, oder** do not belong to either sentence and consequently do not change the word order.

2. Adjectives with Endings

In the text you read: **Ein deutscher Student steht neben ihm.—Er fragt den deutschen Studenten.** In other sentences the adjectives ended in **-e** or **-es.** These two examples show that the adjectives with endings stand in front of nouns and *are preceded* by an indefinite or a definite article. Instead of the definite article, we could have used a **der-**word, and instead of the indefinite article, an **ein-**word. The important point is that these adjectives are *preceded* adjectives:

> **Er fragt den deutschen Studenten.**
> **Fragen Sie diesen deutschen Studenten!**
> **Welchen deutschen Studenten kennen Sie?**
> **ein deutscher Student**
> **kein deutscher Student**
> **unser deutscher Student**

Adjective endings fall into a few simple patterns:

a. Adjective Preceded by a **der-**Word

MASC.	FEM.	NEUTER
der junge Mann	**die junge Frau**	**das alte Gebäude**

All *inflected* forms of a **der-**word require the adjective ending **-en:**

MASC.	FEM.	NEUTER
des jungen Mannes	**mit jeder jungen Frau**	**in welchem alten Gebäude**

b. Adjective Preceded by an **ein-**word

MASC.	FEM.	NEUT.
ein junger Mann	**eine junge Frau**	**ein altes Gebäude**

All other *inflected* forms of an **ein-**word require the adjective ending **-en:**

MASC.	FEM.	NEUTER

keines jung**en** Mannes   mit seiner jung**en** Frau   in unserem alt**en** Gebäude

Note: 1. Since **ein, kein, mein, dein,** etc., have no ending in the nom. masc. and in the nom. and acc. neuter, the adjective has to indicate the gender and the case of the noun; hence the endings **-er** (masc.) and **-es** (neut.): **ein jung<u>er</u> Mann, ein alt<u>es</u> Gebäude.**

2. The **-er** of **unser** is *not* an ending; the adjective, therefore, must have the ending **-er** or **-es**: **unser junger Student, unser altes Gebäude.**

3. Adjectives Without Endings

An adjective which does *not* precede a noun has no ending.

a. When the adjective is used with **sein** (*to be*) or **werden** (*to become, to get*), it is called a predicate adjective:

Das Wetter ist schön.	*The weather is beautiful.*
Es wird kühl.	*It is getting cool.*

b. When the adjective modifies a verb, it is called an adverb:

Der Student spricht laut.	*The student speaks loudly.*
Er versteht mich gut.	*He understands me well.*

Note: **laut**—*loudly;* **gut**—*well.* German has no special ending or form for an adjective used as an adverb.

III. CONVERSATION AND WRITING

A. ACTIVE VOCABULARY

1. New Words

der **Berg**	*mountain*	die **Landschaft**	*scenery*
der **Fehler**	*mistake*	die **Lehrerin**	*(woman) teacher*
der **Hafen**	*harbor*	die **Mutter**	*mother*
der **Lehrer**	*teacher*	die **Reise**	*trip, journey*
der **Wind**	*wind*	die **Sonne**	*sun*
die **Aussprache**	*pronunciation*	die **Welt**	*world*
die **Frau**	*woman; Mrs.*	das **Mädchen**	*girl*
die **Freiheit**	*freedom*	das **Wetter**	*weather*
die **Geschichte**	*history*		

erst-	*first*	studie'ren	*to study*
heiß	*hot*	verdienen	*to deserve*
interessant'	*interesting*	allein'	*alone*
kalt	*cold*	beinahe	*almost*
kühl	*cool*	dann	*then*
roman'tisch	*romantic*	dort	*there*
schön	*beautiful*	hier	*here*
		neben	*beside*
erlauben	*to allow, permit*	noch	*still*
finden	*to find*	wie	*how; as*
lächeln	*to smile*	zwischen	*between*
leben	*to live*		
lieben	*to love*	IDIOMS	
machen	*to make*	nicht wahr?	(*not true?*) *isn't it?*
stehen	*to stand*	eine Weile	*for a while*

2. Review

vielleicht (5)	*something* (1)	spielen (10)	*to believe* (1)
einzig (10)	*small* (2)	der Dampfer (4)	*perhaps* (2)
manchmal (4)	*difficult* (3)	kennen (7)	*to lie, be*
klein (2)	*sometimes* (4)		*situated* (3)
der Mensch (9)	*perhaps* (5)	glauben (1)	(*steam*)*ship* (4)
die Nacht (8)	*struggle* (6)	liegen (3)	*as . . . as* (5)
tief (7)	*deep* (7)	bedeuten (9)	*once more* (6)
etwas (1)	*night* (8)	so . . . wie (5)	*to know* (7)
der Kampf (6)	*man, human*	noch einmal (6)	*famous* (8)
	being (9)	berühmt (8)	*to mean* (9)
schwer (3)	*only* (10)	vielleicht (2)	*to play* (10)

B. PRACTICE IN STRUCTURE AND FUNCTION

1. *Begin each sentence with the underlined units and use inverted word order.*
   1. Ein amerikanischer Student steht <u>an der Reling des Dampfers</u>.
   2. Ich gehe <u>jetzt</u> in die Klasse. 3. Ein deutscher Student steht
   <u>neben ihm</u>. 4. Sie sehen <u>dort</u> eine alte Ruine. 5. Das Wetter ist <u>heute</u>
   nicht schön. 6. Ich kenne und liebe <u>unseren Hudson</u>. 7. Wir erlauben
   Ihnen <u>nur eine Frage</u>. 8. Die Geschichte unseres Landes lebt <u>im
   Namen mancher Stadt</u>. 9. Unsere Städte sind <u>natürlich</u> nicht so alt.
   10. Jeder kennt <u>die Oper des großen Komponisten Mozart „Die
   Zauberflöte"</u>. 11. Sie verstehen <u>das</u>, nicht wahr?

2. *Fill in the appropriate adjective endings:*
   1. dieser schön— Fluß 2. unser schön— Fluß 3. jeder neu— Student 4. kein neu— Student 5. das alt— Gebäude 6. kein alt— Gebäude 7. jedes deutsch— Auto 8. sein deutsch— Auto 9. während des dreizehnt— Jahrhunderts 10. wegen des kühl— Wetters 11. am link— Ufer 12. mit seiner Neunt— Symphonie 13. keine demokratisch— Regierung 14. für den bekannt— Komponisten 15. der Vater des jung— Mädchens 16. auf dem klein— Dampfer 17. während des kalt— Winters 18. in jeder klein— Stadt 19. im westlich— Teile des Landes.

3. *Translate:*
   1. This new picture is very interesting. 2. Your new picture is very interesting. 3. Please show me your new picture. 4. The small (steam)ship goes to Bonn. 5. A small (steam)ship goes to Bonn. 6. Do you see the small (steam)ship? 7. His German pronunciation is very good. 8. He is talking with the American student. 9. Now she is talking with an American student. 10. For six, his German car is not big enough. 11. There you see an American automobile. 12. This old building is very famous. 13. That every new student knows. 14. Today the weather is very cool. 15. Do you understand me well enough?

C. PRACTICE IN CONVERSATION

Repeat until you are thoroughly familiar with the dialogue:

„Heute haben wir gutes Wetter."
"Today we have good weather."

„Hoffentlich ist das Wetter gut, wenn Sie Ihre Rheinreise machen."
"I hope the weather will be good when you take your trip on the Rhine."

„Hoffentlich! Ich freue mich auf die Reise."
"I hope so. I'm looking forward to the trip."

„Sie werden sie sehr interessant finden."
"You will find it very interesting."

„Sie wird mir bestimmt gefallen."
"I'm sure I will like it."

„Sie werden manchen schönen Weinberg und manches alte Schloß sehen."
"You will see many a beautiful vineyard, and many an old castle."

„Übrigens—Sie sprechen sehr gut Deutsch."
"By the way, you speak German very well."

„Meinen Sie das wirklich?"   "Do you really mean that?"
„Ihre Aussprache ist so gut."   "Your pronunciation is so good."
„Aber ich mache noch viele Fehler."   "But I still make many mistakes."
„Wie lange lernen Sie schon   "How long have you been learning
Deutsch?"   German?"
„Seit vier Jahren. Ich habe es   "For four years. I learned it
auf der High School gelernt."   in High School."
„Sprechen Sie zu Hause Deutsch?"   "Do you speak German at home?"
„Manchmal. Wir sprechen meistens   "Sometimes. We speak mostly
Englisch."   English."

D. PRACTICE IN WRITING

1. Dictation.

2. Write a short composition comparing the Hudson with the Rhine.
   Based on the text in this lesson, your composition might begin as
   follows: The Hudson is an American river. The Rhine is a German
   river. The Hudson and the Rhine are very interesting, and so on.

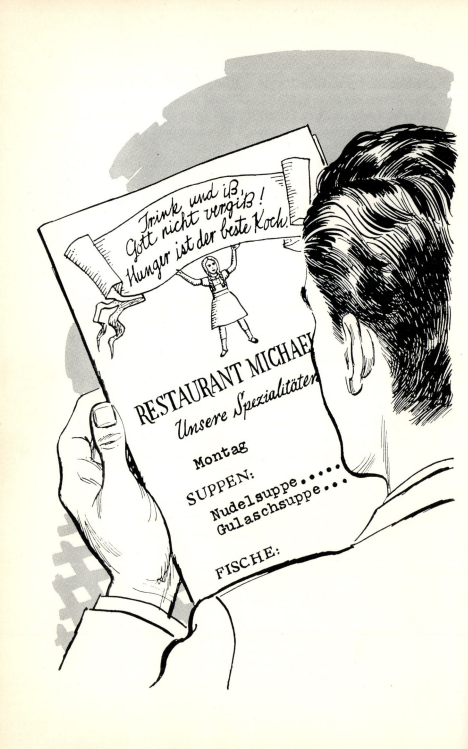

8

DIE PHILOSOPHISCHE SPEISEKARTE[1]

I. HEARING AND READING

A. TEXT

MEIN amerikanischer Freund[2] Fred und ich sitzen[3] in einem Restaurant in München. Fred nimmt[4] die Speisekarte. Er liest[5] sie sehr langsam.[6] Nach einer Weile sage ich:

„Schläfst[7] du, Fred? Ich bin sehr hungrig. Bitte bestelle[8] etwas!"
Fred versteht natürlich Deutsch, und er spricht[9] auch Deutsch. 5
Ein amerikanischer Freund in einem Schulbuch spricht, liest und versteht Deutsch immer[10] gut. Fred gibt[11] mir die Speisekarte und sagt:

„Sieh mal,[12] Werner!"
Ich sehe ein Bild auf der Speisekarte. Ein kleines Kind[13] hält[14] 10
mit beiden[15] Händen ein Band,[16] und auf diesem Band stehen[17] Sprichwörter.[18] „Dies ist eine philosophische Speisekarte", sagt Fred. „Lies die Sprichwörter!"

Ich lese: „Trink und iß[19], Gott nicht vergiß[20]!" „Hunger ist der beste Koch." Ich vergesse meinen Hunger einen Augenblick[21] 15
und antworte:

1. die Speisekarte menu.   2. der Freund friend.   3. sitzen to sit.   4. nehmen to take.
5. *inf.* lesen.   6. slowly.   7. schlafen to sleep.   8. bestellen to order.   9. *inf.* sprechen.
10. always.   11. geben to give.   12. mal, *short for* einmal once; *here* just.   13. das
Kind child.   14. halten to hold.   15. beide both.   16. das Band ribbon.   17. stehen
to stand; *here* are printed.   18. das Sprichwort proverb, saying.   19. essen to eat.
20. vergessen to forget.   21. der Augenblick moment; einen Augenblick for a moment.

„So sind die Deutschen. Sogar[22] auf einer Speisekarte werden[23] sie philosophisch. Habt ihr[24] in Amerika auch Sprichwörter auf euren[25] Speisekarten?"

20   „Sprichwörter haben wir auch", antwortet Fred, „aber du findest sie wahrscheinlich[26] nicht auf einer Speisekarte. Ich kenne zum Beispiel[27] ein kleines Restaurant in New York. Dort findest du auf kleinen Schildern[28] Produkte[29] des amerikanischen Humors[30] wie ‚When banks sell doughnuts, we'll cash checks'. In den besseren

25   Restaurants findest du aber solche Schilder nicht. Dort . . ."
Ich unterbreche[31] meinen Freund und sage: „Fred, ich bin hungrig. Ich denke,[32] es wird Zeit, daß wir etwas bestellen." Fred legt[33] die Speisekarte auf den Tisch[34], ruft[35] den Ober[36] und fragt ihn: „Herr Ober, was empfehlen[37] Sie?"

B. PRONUNCIATION

Review

1. Long and Short Umlauts

während	Hände	hören	können	über	das Stück
spät	Fälle	schön	öffnen	kühl	müssen
das Mädchen	Männer	das Öl	zwölf	berühmt	küssen

2. Diphthongs

heißen	but	hießen	das Fräulein	heute
bleiben		blieben	das Gebäude	Deutschland
deinen		dienen	er läuft	der Freund

3. l

legen	wollen	halten	viel
leben	die Schule	welcher	will
lieben	fallen	helfen	hell

4. r

rufen	wahr	trinken	warten	besser
rot	der Herr	der Freund	die Antwort	der Dampfer
das Radio	für	bringen	der März	der Ober

22. sogar' even.   23. werden to become, get.   24. Habt ihr? Do you have?   25. euer your.   26. wahrschein'lich probably.   27. das Beispiel example; zum Beispiel for example.   28. das Schild sign.   29. das Produkt' product.   30. der Humor' humor.   31. unterbre'chen to interrupt.   32. denken to think.   33. legen to lay, put.   34. der Tisch table.   35. rufen to call.   36. der Ober waiter.   37. empfehlen to recommend.

5. ng

der Hunger	der Ring	lange
langsam	bringen	hängen
der Finger	singen	der Singer

6. Glottal Stop

Er gibt /es /ihm.   Wir haben /eine /andere /Aufgabe.   Dann /antwortet /er.
Er /ißt /einen /Apfel (*apple*).   Er kennt /ihren /Onkel.

7. Words of Non-German Derivation with Accent on the Last Syllable

der Student, der Diplomat, das System, das Instrument, das Experiment, die Universität, die Person, die Musik, das Konzert, das Metall, die Elektrizität, die Industrie, die Psychologie, die Philosophie.

Note that the combination -**tion** is pronounced [tsion]: **die Nation, die Konversation, die Revolution, die Evolution, die Organisation, international.**

II. STRUCTURE AND FUNCTION

1. Forms for "you"

Observe:

Sie spielen gut Tennis, Herr Schneider.	*You play tennis well, Mr. Schneider.*
Du spielst gut Tennis, Richard.	*You play tennis well, Richard.*
Ihr spielt gut Tennis, Kinder.	*You play tennis well, children.*

The pronoun **Sie** is the conventional form of address. It is always capitalized and may be used to address one or more persons.

The pronoun **du** is the familiar form and is used only to address a member of one's family, an intimate friend, or a child up to the age of thirteen or fourteen.

The pronoun **ihr** is the plural form of **du.**

2. Present Tense

We can now give the complete pattern of the Present Tense. Here are representative verbs:

REGULAR		a BECOMES ä		e BECOMES i(ie)		
ich spiele	finde	schlafe	halte	spreche	nehme	sehe
du spielst	findest	schläfst	hältst	sprichst	nimmst	siehst
er, sie, es spielt	findet	schläft	hält	spricht	nimmt	sieht
wir spielen	finden	schlafen	halten	sprechen	nehmen	sehen
ihr spielt	findet	schlaft	haltet	sprecht	nehmt	seht
sie spielen	finden	schlafen	halten	sprechen	nehmen	sehen
Sie spielen	finden	schlafen	halten	sprechen	nehmen	sehen

Note: 1. The **du**-form of the verb ends in **-st**, the **ihr**-form in **-t**, or **-est** and **-et**, respectively, when the stem of the verb ends in **d** or **t**.

2. In the second and third persons singular, certain verbs with an **a** in the infinitive change this **a** to **ä**; certain verbs with an **e** in the infinitive change **e** to **i** or **ie**. Verbs which undergo such changes are called strong verbs, a category of verbs that will be explained later. In the vocabulary, we will indicate such changes as follows: **schlafen (schläft), sprechen (spricht).**

3. Observe especially the irregular forms **du nimmst, er nimmt (nehmen), du liest (lesen), er hält (halten).**

Be sure to know the present tense of the following three important verbs:

sein (*to be*)	haben (*to have*)	werden (*to become, get*)
ich bin	ich habe	ich werde
du bist	du hast	du wirst
er, sie, es ist	er, sie, es hat	er, sie, es wird
wir sind	wir haben	wir werden
ihr seid	ihr habt	ihr werdet
sie sind	sie haben	sie werden
Sie sind	Sie haben	Sie werden

3. Three Forms for the Imperative

The distinction between conventional and familiar forms of address also exists in the Imperative:

a. Conventional (one or more persons)

Erklären Sie es mir!	*Explain it to me.*
Schlafen Sie nicht!	*Don't sleep.*

Sprechen Sie langsam!	*Speak slowly.*
Sehen Sie!	*Look.*

b. Familiar (one person)

Erklär(e) es mir!	*Explain it to me.*
Schlaf nicht!	*Don't sleep.*
Sprich langsam!	*Speak slowly.*
Sieh!	*See.*

Note: Verbs which change **e** to **i** (**ich spreche, du sprichst**) use the changed vowel in the imperative (**sprich!**). Verbs which change **a** to **ä** (**ich schlafe, du schläfst**) keep the vowel of the infinitive (**schlaf!**).

c. Familiar (more than one person)

Erklärt es mir!	*Explain it to me.*
Schlaft nicht!	*Don't sleep.*
Sprecht langsam!	*Speak slowly.*
Seht!	*Look.*

4. Dative and Accusative for "du, ihr, Sie"

DATIVE

du: Ich gebe es <u>dir</u> morgen, Fred.
ihr: Ich gebe es <u>euch</u> morgen, Kinder.
Sie: Ich gebe es <u>Ihnen</u> morgen, Herr Meier.
    Ich gebe es <u>Ihnen</u> morgen, meine Herren.

ACCUSATIVE

du: Ich bestelle für <u>dich</u>, Fred.
ihr: Ich bestelle für <u>euch</u>, Kinder.
Sie: Ich bestelle für <u>Sie</u>, Herr Meier.
    Ich bestelle für <u>Sie</u>, meine Herren.

5. Possessive Adjectives "dein, euer, Ihr"

The form of the possessive adjective will also depend on whom you address:

Fred, dein Freund ist hier.	*Fred, your friend is here.*
Fred und Werner, euer Freund ist hier.	
Herr Brown, Ihr Freund ist hier.	

III. CONVERSATION AND WRITING

A. ACTIVE VOCABULARY

1. New Words

der **Augenblick**	moment	**legen**	to lay, put
der **Deutsche**	German (man)	**nehmen (nimmt)**	to take
der **Freund**	friend	**schlafen (schläft)**	to sleep
der **Ober**	waiter	**rufen**	to call
der **Tisch**	table	**sitzen**	to sit
die **Hand**	hand	**trinken**	to drink
die **Speisekarte**	menu	**unterbre′chen**	
das **Beispiel**	example	(**unterbricht**)	to interrupt
das **Kind**	child	**vergessen**	
das **Restaurant′**	restaurant	(**vergißt**)	to forget
das **Schulbuch**	schoolbook, textbook	**werden (wird)**	to become, get
beide	both	**immer**	always
hungrig	hungry	**langsam**	slowly
		sogar′	even
		wahrschein′lich	probably
bestellen	to order		
denken	to think	IDIOMS	
empfehlen		**einen**	
(**empfiehlt**)	to recommend	**Augenblick**	for a moment
essen (ißt)	to eat	**zum Beispiel**	
geben (gibt)	to give	(**z.B.**)	for example
halten (hält)	to hold	**mal**	just

2. Review

nichts (4)	mankind (1)	**kennen** (3)	city (1)
noch (5)	to stand (2)	**bekannt** (7)	history (2)
leben (7)	to deserve (3)	**heute** (4)	to know (3)
der Teil (9)	nothing (4)	**die Stadt** (1)	today (4)
bedeuten (10)	still (5)	**der Lehrer** (6)	first (5)
verdienen (3)	to love (6)	**glauben** (8)	teacher (6)
stehen (2)	to live (7)	**der Fehler** (9)	well-known (7)
die Regierung (8)	government (8)	**die Geschichte** (2)	to believe (8)
die Menschheit (1)	part (9)	**beinahe** (10)	error (9)
lieben (6)	to mean (10)	**erst-** (5)	almost (10)

B. PRACTICE IN STRUCTURE AND FUNCTION

1. *Fill in the present-tense forms:*

1. (denken) du _____; ihr _____; 2. (glauben) du _____; ihr _____; 3. (stehen) _____ du? _____ ihr? 4. (schlafen) _____ du? _____ ihr? 5. (fahren) du _____; ihr _____; 6. (geben) du _____; ihr _____; 7. (lesen) _____ du? _____ ihr? 8. (haben) du _____; ihr _____; 9. (sein) _____ du? _____ ihr? 10. (werden) du _____; ihr _____

2. *Give the three imperatives for the following verbs:*
   1. erklären 2. rufen 3. denken 4. bestellen 5. schlafen 6. halten 7. fahren 8. sprechen 9. vergessen 10. geben 11. lesen 12. nehmen

3. *Fill in the appropriate form of* **du** *or* **Sie**:
   1. Sie bewundert _____, Fred. 2. Ich zeige es _____ auf der Karte, Hans. 3. Ich gebe _____ einen Dollar, Werner. 4. Ich verstehe _____ nicht, Herr Brown. 5. Wir verstehen _____ nicht, Fred. 6. Fräulein Fields, ich bewundere _____. 7. Jean, er liebt _____. 8. Herr Müller, es ist für _____. 9. Hans, ich helfe _____. 10. Herr Maler, ich danke _____.

4. *Fill in the appropriate form of the possessive adjective "your":*
   1. Herr Brown, ich kenne _____ Freund nicht. 2. Fred, ich kenne _____ Freund nicht. 3. Fred und Werner, _____ Freund ist hier. 4. Wo ist _____ neuer Volkswagen, Herr Müller? 5. Robert, vergiß _____ Schulbuch nicht! 6. _____ Frage ist sehr interessant, Fräulein Height. 7. Hans, _____ Antwort ist sehr gut.

5. *Translate:*
   1. (three forms) Come. Sleep. Speak. Don't forget. Don't read. 2. Hans, come, but don't come alone; come with your friend. 3. Herr Brown, come, but don't come alone; come with your friend. 4. Paul, I don't see you. Do you understand me? Now I understand you better. 5. Jean, don't forget me. 6. Eat something, Paul. Aren't you hungry? 7. Please don't interrupt me, Max. Please don't interrupt me, Mr. Krauz. 8. (two forms) Aren't you his best friend? 9. Do you have your new textbook, Hans? 10. Chuck, your mother is calling you.

6. *Review Exercise: Review exercises are intended to give you additional practice in important language patterns taken up in previous lessons. The following exercise deals with adjective endings (pages 65-66):*
   1. der kühl— Wind 2. ein kühl— Wind 3. im kühl— Wind 4. die kalt— Nacht 5 eine kalt— Nacht 6. während der kalt— Nacht

7. das schön— Hamburg 8. unser schön— Hamburg 9. im schön— Hamburg 10. der schön— Rhein 11. unser schön— Rhein 12. am schön— Rhein 13. die letzt— Reise 14. seine letzt— Reise 15. die Geschichte seiner letzt— Reise 16. die alt— Stadt 17. der Name der alt— Stadt 18. das erst— Werk 19. sein erst— Werk 20. der Name seines letzt— Werkes 21. in seinem letzt— Werk 22. der deutsch— Komponist 23. kein deutsch— Komponist 24. für einen deutsch— Komponisten 25. der Name des deutsch— Komponisten

C. PRACTICE IN CONVERSATION

Repeat until you are thoroughly familiar with the dialogue:

„Ist es nicht Zeit zu essen? Ich bin hungrig.''	"Isn't it time to eat? I'm hungry."
„Ich auch. Wie spät ist es?''	"Me too. What time is it?"
„Es muß zwölf Uhr sein.''	"It must be twelve."
„Es ist schon Viertel nach zwölf.''	"It's already a quarter past twelve."
„Kein Wunder, daß ich hungrig bin. Nach meiner Uhr ist es schon halb eins.''	"No wonder, I'm hungry. According to my watch, it's already half past twelve."
„Ich glaube, Ihre Uhr geht vor.''	"I believe your watch is fast."
„Wahrscheinlich.''	"Probably."
„Sollen wir zusammen zu Mittag essen?''	"Shall we have lunch together?"
„Das wäre nett.''	"That would be nice."
„Sollen wir Fräulein Fields einladen?''	"Shall we invite Miss Fields?"
„Das ist mir recht. Fragen Sie sie, ob sie Lust hat.''	"That's all right with me. Ask her if she'd like to."
„Na, kommt sie mit?''	"Well, is she coming along?"
„Leider nicht. Sie hat schon eine Verabredung.''	"I'm sorry, no. She already has a date."
„Kommen Sie!''	"Let's go."

D. PRACTICE IN WRITING

1. Dictation.

2. Write a brief description of the German menu in this lesson.

9

TYPISCH[1] DEUTSCH

I. HEARING AND READING

A. TEXT

DER Ober zeigt mit dem Bleistift[2] auf eine Stelle[3] der Speise-
karte. „Ich empfehle Ihnen unseren gebackenen[4] Fisch.‟
Ich sage: „Ich esse gebackenen Fisch gern[5].‟
„Ich auch‟, ruft Fred, „aber ist es frischer Fisch?‟
„Er ist heute besonders[6] gut‟, antwortet der Ober.   5
„Schön[7]‟, sagt Fred, „aber durstig[8] sind wir auch. Bringen Sie
mir also[9] bitte ein großes Glas Wasser, aber kaltes Wasser, bitte.‟
„Und für den Herrn da[10]?‟ fragt mich der Ober.
„Bringen Sie mir bitte eine Tasse[11] heißen Kaffee!‟
Der Ober geht und bringt uns nach kurzer[12] Zeit das Wasser,   10
den Kaffee und auch den Fisch.
„Ist dieser Fisch eine Münchener Spezialität[13]?‟ fragt Fred.
„Nein‟, antwortet der Ober, „das ist Fisch Holsteiner Art[14].
Der Kaffee ist für diesen Herrn und das Wasser für Sie, nicht wahr?‟
Mit diesen Worten stellt[15] er die Tasse, das Glas und den Fisch auf   15
den Tisch und geht an einen anderen[16] Tisch. An diesem Tisch
sitzt eine junge Amerikanerin. Sie liest die Speisekarte und macht
ein trauriges[17] Gesicht.[18] Der dicke[19] Hund[20] des Restaurants
schläft unter ihrem Stuhl.[21]

1. typically. 2. der Bleistift pencil. 3. die Stelle place, spot. 4. gebacken baked.
5. ich esse gern I like to eat. 6. especially. 7. very well. 8. thirsty. 9. therefore.
10. there. 11. die Tasse cup. 12. kurz short. 13. die Spezialität′ specialty. 14. fish
à la Holstein. 15. stellen to put. 16. ander- other. 17. traurig sad. 18. das
Gesicht face. 19. dick thick, fat. 20. der Hund dog. 21. der Stuhl chair.

81

HOLSTEIN

HAMBURG

Weser

Elbe

BRAUNSCHWEIG

MÜNSTER

WESTFALEN

Oder

KÖLN

BONN

FRANKFURT

Main

BAYERN

Rhein

Donau

MÜNCHEN

„Diese junge Dame[22] versteht nicht, was sie liest", sagt Fred   20
lächelnd. „Aber ich verstehe auch etwas nicht auf dieser Speisekarte. Sieh mal, Werner: Ungarisches Gulasch, italienischer Salat,
französische[23] Suppe, und hier auf derselben[24] Speisekarte steht:
Westfälischer[25] Schinken[26], Fisch Holsteiner Art, Braunschweiger
Leberwurst[27], Frankfurter Würstchen[28] und Bayrisches[29] Bier. Die   25
Speisekarte ist international und dann wieder[30] ganz[31] regional. Ist
das typisch deutsch?"

„Das ist typisch deutsch", antworte ich.   „Der Deutsche
interessiert sich[32] mehr für das Ausland[33] als andere Völker[34] es
tun[35] und nicht nur[36] auf der Speisekarte.   In jedem deutschen   30
Theater sieht man die besten Theaterstücke[37] der Amerikaner,
Engländer, Franzosen, Italiener und Russen.   Nun besteht[38] aber
Westdeutschland aus kleinen Kulturprovinzen, und diese unterscheiden sich[39] durch die Kleidung[40] ihrer Bauern[41], durch ihre
Dialekte, durch ihre Sitten[42] und auch durch ihre Küche[43]. Solche   35
Unterschiede[44] finden wir natürlich nicht nur in der Bundesrepublik,[45]
sondern[46] auch in den anderen deutschen Gebieten.[47] In Sachsen[48]
zum Beispiel . . ."

Fred schlägt[49] mit seinem Messer[50] an den Teller[51]. Er will[52]
mich unterbrechen, aber der Ober mißversteht das. Die Deutschen   40
schlagen mit dem Messer an den Teller oder an das Glas als Signal
für den Ober. Er kommt also und fragt: „Wünschen[53] die Herren
noch etwas? Ist der Fisch nicht gut?"

„Danke, Herr Ober", sage ich, „wir wünschen nichts, und der
Fisch ist heute besonders gut. Mein Freund will eine Rede halten[54],   45
das ist alles. Bringen Sie ihm bitte noch ein[55] Glas Wasser und mir
einen Löffel!"[56]

22. die Dame lady.   23. franzö'sisch French.   24. dieselbe the same.   25. westfälisch
Westphalian.   26. der Schinken ham.   27. Braunschweiger Leberwurst (Brunswick
liver sausage).   28. Frankfurter Würstchen frankfurters.   29. bayrisch Bavarian.
30. again.   31. entirely.   32. sich interessie'ren für to be interested in (sich *is a
reflexive pronoun; German expresses* to be interested *as to interest oneself*).   33. das
Ausland foreign countries.   34. das Volk people, nation.   35. tun to do.   36. only.
37. das Stück piece; das Thea'terstück play.   38. bestehen aus to consist of.   39. sich
unterschei'den to distinguish oneself.   40. die Kleidung clothing, clothes.   41. der
Bauer peasant, farmer.   42. die Sitte custom.   43. die Küche kitchen, *here* cooking,
cuisine.   44. der Unterschied difference.   45. die Bun'desrepublik' Federal Republic.
46. but.   47. das Gebiet territory.   48. Saxony.   49. schlagen to hit.   50. das Messer
knife.   51. der Teller plate.   52. wollen (er will) to want to.   53. wünschen to wish.
54. eine Rede halten to make a speech.   55. noch ein another.   56. der Löffel spoon.

B. *PRONUNCIATION*

Review

1. **z, tz** = *ts*

   ganz, der Satz, franzö'sich, zu, die Spezialität', Fritz

2. **ach**-Sound

   nach, noch, die Sprache, hoch, das Buch, suchen, auch

3. **ich**-Sound

   sprechen, Küche, durch, recht, das Licht, durstig, traurig

4. **v** = *f*

   das Volk, der Vater, vergessen, von, viel, vor, vier

5. **w** = *v*

   wünschen, wollen, was, wahr, das Werk, schwer, wieder, wer

6. Voiceless **b, d, g**

   er gibt, er lebt, das Bild, der Freund, das Kind, der Tag, genug, zeigt, legt

7. **s** = *z*

   die Suppe, dieselbe, sein, die Sonne, sagen, die Seite, sondern, reisen, Sie

II. STRUCTURE AND FUNCTION

1. Prepositions with Dative or Accusative

A number of German prepositions take either the dative or the accusative case. All such prepositions indicate space relationships. The following examples illustrate the double function of **an:**

> **Er sitzt an einem anderen Tisch** (dat.) *He is sitting at another table.*
> **Er geht an einen anderen Tisch** (acc.) *He is going to another table.*

In the first example, **an** governs the dative because the verb **sitzen** expresses position or location. In the second example, **an** governs the accusative because the verb expresses direction, or motion from one place to another.

Now apply the same considerations to the following two examples:

| Das Glas steht auf dem Tisch (dat). | The glass is standing on the table. |
| Er stellt das Glas auf den Tisch (acc.) | He puts the glass on the table. |

Here are nine prepositions which govern either the dative or the accusative:

an	on (vertically), at, to	über	over, above
auf	on (horizontally), upon	unter	under, below
hinter	behind	vor	before, in front of
in	in, into	zwischen	between
neben	beside		

Note: 1. Remember the contractions **im** = **in dem, ins** = **in das, am** = **an dem, ans** = **an das.**

2. If you can say *into*, use the accusative with **in: Er geht ins Haus.** (*He is going into the house.*) If you can say only *in*, use the dative: **Er ist im Haus.** (*He is in the house.*)

2. Prepositions "an, auf, über" with Accusative

When **an, auf, über** are used idiomatically (that is, not in a literal sense), they govern the accusative:

Er denkt oft an ihn.	He often thinks of him.
Ich warte auf ihn.	I am waiting for him.
Er schreibt ein Buch über ihn.	He is writing a book about him.

3. Four Words for the Preposition "to" when Used with Verbs of Motion

a. In the Sense of "up to" = **an**

> **Er geht an die Tafel; ans Ufer.**
> He goes to the board; to the bank of the river.

b. Meaning *into* a Building = **in**

> **Ich gehe ins Theater, in den Laden, in die Kirche.**
> I'm going to the theater, to the store, to church.

c. With Names of Cities and Countries = **nach**

> **Er fährt nach Berlin, nach England.**
> He goes to Berlin, to England.

d. With Persons and Buildings Bearing a Person's Name = **zu**

> **Ich gehe zu meinem Bruder.**
> I'm going to my brother('s house).

Wir gehen zu Macy.
We are going to Macy's (department store).

4. Unpreceded Adjectives

In the sentence **Geben Sie mir bitte kaltes Wasser!,** the adjective is not preceded by a **der-**word or an **ein-**word. We call it, therefore, an *unpreceded* adjective. An unpreceded adjective has the same endings as **der-**words, which you already know:

MASCULINE

NOM.	dies<u>er</u> Kaffee	heiß<u>er</u> Kaffee
GEN.	dies<u>es</u> Kaffees	heiß<u>en</u> [1] Kaffees
DAT.	in dies<u>em</u> Kaffee	in heiß<u>em</u> Kaffee
ACC.	dies<u>en</u> Kaffee	heiß<u>en</u> Kaffee

FEMININE

NOM.	dies<u>e</u> Suppe	heiß<u>e</u> Suppe
GEN.	dies<u>er</u> Suppe	heiß<u>er</u> Suppe
DAT.	in dies<u>er</u> Suppe	in heiß<u>er</u> Suppe
ACC.	dies<u>e</u> Suppe	heiß<u>e</u> Suppe

NEUTER

NOM.	dies<u>es</u> Wasser	heiß<u>es</u> Wasser
GEN.	dies<u>es</u> Wassers	heiß<u>en</u> [1] Wassers
DAT.	in dies<u>em</u> Wasser	in heiß<u>em</u> Wasser
ACC.	dies<u>es</u> Wasser	heiß<u>es</u> Wasser

5. "Aber" and "sondern"

German has two words meaning *but:* **aber** and **sondern.** They cannot be used interchangeably. **Sondern** is used when the preceding statement is negative and when *but* implies or suggests "but on the contrary." Examples:

Das Wasser ist warm, aber ich trinke es.
The water is warm, but I'll drink it.
Das Wasser ist nicht kalt, aber ich trinke es.
The water is not cold, but I'll drink it.
Das Wasser ist nicht kalt, sondern es ist warm.
The water is not cold, but (on the contrary) it's warm.

Note the expression **nicht nur . . . sondern auch** (*not only . . . but also*):

---

[1] Does not follow pattern, but form is rare.

Die Suppe ist nicht nur dünn, sondern auch kalt.
The soup is not only thin, but also cold.

6. Gern

Gern is an adverb meaning *gladly*. When used with a verb, it expresses the idea of "like to."

Ich esse gern Fisch.	*I like to eat fish.*
Er schläft gern lange.	*He likes to sleep long.*

III. CONVERSATION AND WRITING

B. ACTIVE VOCABULARY

1. New Words

der **Bauer**	*farmer*	dersel′be	*the same*
der **Bleistift**	*pencil*	durstig	*thirsty*
der **Fisch**	*fish*	jung	*young*
der **Hund**	*dog*	kurz	*short*
der **Kaffee**	*coffee*	traurig	*sad*
der **Löffel**	*spoon*	typisch	*typical*
der **Stuhl**	*chair*		
der **Teller**	*plate*	bestehen aus	*to consist of*
der **Unterschied**	*difference*	bringen	*to bring*
die **Amerika′-**	*American*	sich interessie′ren	*to be interested*
nerin	(*woman*)	für	*in*
die **Bun′des-**	*Federal*	mißverstehen	*to misunderstand*
republik′	*Republic*	schlagen (schlägt)	*to hit*
die **Dame**	*lady*	stellen	*to put*
die **Kleidung**	*clothing, clothes*	tun	*to do*
die **Suppe**	*soup*	wünschen	*to wish*
die **Stelle**	*place, spot*	also	*therefore*
die **Tasse**	*cup*	besonders	*especially*
das **Gesicht**	*face*	da	*there*
das **Glas**	*glass*	ganz	*entirely*
das **Messer**	*knife*	nur	*only*
das **Stück**	*piece; play*	sondern	*but (on the*
das **Thea′ter**	*theater*		*contrary)*
das **Volk**	*people, nation*	wieder	*again*
das **Wasser**	*water*	IDIOMS	
ander-	*other*	noch ein	*another*
dick	*thick, fat*	ich esse gern	*I like to eat*

2. Review

klein (6)	*deep* (1)	legen (5)	*to become, get* (1)
immer (4)	*for example* (2)	beide (7)	*only* (2)
zum Beispiel (2)	*page* (3)	der Augenblick (10)	*once more* (3)
hoch (10)	*always* (4)	der Freund (6)	*to interrupt* (4)
tief (1)	*one, they* (5)	rufen (9)	*to lay, put* (5)
die Seite (3)	*small* (6)	die Regierung (8)	*friend* (6)
sogar (9)	*almost* (7)	werden (1)	*both, two* (7)
man (5)	*perhaps* (8)	einzig (2)	*government* (8)
beinahe (7)	*even* (9)	noch einmal (3)	*to call* (9)
vielleicht (8)	*high* (10)	unterbrechen (4)	*moment* (10)

B. *PRACTICE IN STRUCTURE AND FUNCTION*

1. *Connect the following word groups with the preposition indicated. Contract the preposition and the definite article wherever possible. (Example: der Fisch in (der Fluß)—der Fisch im Fluß. Absence of the verb implies location [the fish which is in the river], hence the preposition in German requires the dative case.):*

   1. die Suppe in (der Teller) 2. der Motor in (Ihr Auto) 3. der Herr neben (Sie) 4. das Bier in (mein Glas) 5. die Dame hinter (du) 6. der Unterschied zwischen (du und ich) 7. der Unterschied zwischen (Sie und Ihr Vater) 8. der Teller auf (dieser Tisch) 9. der Hund unter (der Stuhl)

2. *Do the same with the following word groups, introducing them each time by* **Legen Sie** (**legen** *implies direction; hence the preposition requires the accusative):*
   1. den Löffel auf (der Tisch) 2. das Messer neben (der Teller) 3. die Speisekarte auf (der andere Tisch) 4. die Hand nicht auf (die Reling) 5. die Karte in (das Auto) 6. den Bleistift nicht in (das Buch) 7. das Bild nicht auf (der Stuhl)

3. *Introduce each word group by* **Stellen Sie:**
   1. das Glas auf (mein Tisch) 2. das Glas nicht auf (der Stuhl) 3. den Stuhl an (der Tisch) 4. den Tisch vor (der Stuhl)

4. *Give the correct form for each word in parentheses:*
   1. Warten Sie auf (ich, er, der Zug, die Suppe, der Bus)? 2. Ich denke oft an (er, sie, der schöne Tag, Sie).

5. *Supply* **aber** *or* **sondern:**
1. **Wir fahren nicht nach Paris, _____ nach London. 2. Ich fahre
nicht nach Paris, _____ mein Freund fährt nach Paris. 3. Ich kenne
die Neunte Symphonie, _____ Marie kennt sie nicht. 4. Köln liegt
nicht am rechten, _____ am linken Ufer des Rheins. 5. Das ist nicht
der älteste, _____ der interessanteste Teil des Gebäudes. 6. Er
spricht nicht nur Deutsch, _____ auch Englisch. 7. Sie hat eine
amerikanische Aussprache, _____ ich verstehe sie.**

6. *Translate:*
1. He sits beside me. 2. He sits beside him. 3. He always sits beside
his friend. 4. She sits in the first row. 5. I don't sit in the first row,
but in the second row. 6. Are you going into (the) town? 7. Is he
in (the) town? 8. We are going into this restaurant. 9. I always eat
in this restaurant. 10. Your plate is not on this table. 11. The
waiter puts a knife on each table. 12. Please put another chair at
each table. 13. Don't put your book on this chair. 14. He is coming
to our table. 15. Who is standing beside her? 16. What is the difference between her and the other lady? 17. You will find a menu
on every table (use present tense). 18. On every table you will find
a menu. 19. He is not going to Chicago but to New York. 20. I like
to eat soup, but I don't like to eat cold soup. 21. Please give me
hot soup. 22. This is cold coffee. 23. I like to drink American coffee.
24. Please bring me hot coffee. 25. That is in the first lesson.
26. Come to me to the hotel. 27. He is coming to the table. 28. She
is going to the theater. 29. Are you going to Europe? 30. She is going to Woolworth's.

7. *Review exercise: vowel changes in the present tense (page 74):*
1. (sprechen) **Er _____ nur Englisch. 2. (werden) Es _____ sehr kalt.
3. (sehen) Er _____ Sie nicht. 4. (lesen) _____ sie gern? 5. (vergessen) Er _____ alles. 6. (helfen) Mein Freund _____ mir oft.
7. (nehmen) Mein Freund _____ Fisch. 8. (empfehlen) Er _____
uns dieses Restaurant. 9. (essen) _____ sie das nicht gern? 10. (geben)
Er _____ mir noch einen Teller Suppe. 11. (fahren) Er _____
jeden Tag mit dem Bus in die Stadt. 12. (schlafen) Er _____ oft in
der Klasse. 13. (halten) Er _____ die Karte für mich. 14. (schlagen)
Er _____ mit der Hand auf den Tisch. 15. (schlagen) Warum _____
du deinen Hund, Max?**

C. PRACTICE IN CONVERSATION

Repeat until you are thoroughly familiar with the dialogue:

„Dort ist noch ein Tisch frei."	"There's an unoccupied table."
„Schön. Nehmen wir Platz!"	"Good. Let's sit down."
„Hier ist die Speisekarte."	"Here's the menu."
„Was empfehlen Sie?"	"What do you recommend?"
„Ich empfehle den gebackenen Fisch."	"I recommend the baked fish."
„Ich esse Fisch gern, aber es muß frischer Fisch sein."	"I like fish, but it must be fresh fish."
„Herr Ober, bringen Sie mir bitte Tomatensuppe, gebackenen Fisch, gekochte Kartoffeln und Kaffee!"	"Waiter, please bring me tomato soup, baked fish, boiled potatoes, and coffee."
„Für mich dasselbe, aber Milch statt Kaffee."	"The same for me, but milk instead of coffee."
„Bitte bringen Sie uns zuerst zwei Glas Wasser, aber kaltes Wasser, bitte!"	"First, please bring us two glasses of water, but cold water, please."
„Würden Sie mir das Brot reichen?"	"Would you pass the bread?"
„Bitte schön."	"Here you are."
„Danke schön."	"Thank you very much."
„Bitte."	"Don't mention it."

D. PRACTICE IN WRITING

1. Dictation.

2. Write a short composition on the topic: **Das ist typisch deutsch.**

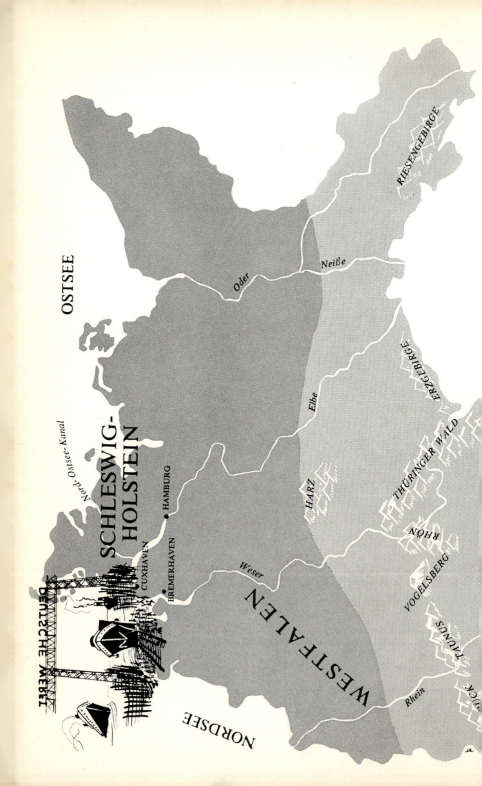

10

NORDDEUTSCHLAND

I. HEARING AND READING

A. TEXT

DEUTSCHLAND besteht geographisch aus drei Zonen: Norddeutschland, Mitteldeutschland[1] und Süddeutschland. Norddeutschland liegt zwischen den Küsten[2] der Nordsee und Ostsee[3] und den Gebirgen[4] in Mitteldeutschland. Die Nordsee ist oft wild und gefährlich[5]. Starke[6] Deiche[7] schützen[8] deshalb[9] die   5 Nordseeküste.

Das Land zwischen den zwei Meeren[10], zwischen der Nord- und Ostsee, heißt Schleswig-Holstein. Es ist Deutschlands Brücke[11] nach Nordeuropa. Zwei Kanäle durchschneiden[12] Schleswig-Holstein und verbinden[13] die beiden Meere, die Nord- und Ostsee.   10 Der größere[14] der beiden Kanäle, der Nord-Ostsee-Kanal, ist elf Meter[15] tief.

Vor der Nordseeküste liegen viele kleine Inseln[16]. Manche dieser Inseln sind „Badeinseln"[17], und jeden Sommer besuchen[18] viele Leute[19] diese Seebäder[20] während ihrer Ferien.[21]   15

Die Hafenstädte der Nordsee sind Bremerhaven, Cuxhaven und Hamburg. Bremerhaven ist nicht nur ein Hafen für Ozeandampfer, es ist auch der Hafen der deutschen Fischer. Die Deutschen essen

1. Central Germany. 2. **die Küste** coast. 3. **die Ostsee** Baltic (Sea). 4. **das Gebirge** mountain range. 5. dangerous. 6. **stark** strong. 7. **der Deich** dike. 8. **schützen** to protect. 9. therefore. 10. **das Meer** sea, ocean. 11. **die Brücke** bridge. 12. **durchschnei′den** to cut across. 13. **verbinden** to connect. 14. **größer** larger. 15. **das Meter** meter (*3.28 feet*). 16. **die Insel** island. 17. **die Badeinsel** island beach resort. 18. **besuchen** to visit. 19. **die Leute** (*pl.*) people. 20. **das Seebad** seaside resort. 21. **die Ferien** (*pl.*) vacation.

Landschaft in Schleswig-Holstein

gern Fisch. Auf der Speisekarte eines größeren Restaurants finden
Sie immer mehrere[22] Fischgerichte[23], und auch auf dem Eßtisch[24]   20
der deutschen Familie fehlt[25] der Fisch nicht.

Norddeutschland ist Deutschlands fruchtbarste[26] Zone. Wenn
Sie mit dem Zug durch Norddeutschland fahren, so sehen Sie
Kilometer[27] um Kilometer, soweit[28] das Auge[29] reicht[30], Felder[31]
und Wälder[32], kleine Dörfer[33] und einzelne[34] Bauernhäuser mit   25
Gärten. Die Bauern Norddeutschlands sprechen Plattdeutsch.[35]
In Westfalen sagt man[36] zum Beispiel: „Kannst du nich swemmen?
—Ick kann swemmen, aber dat Water is to kalt." Das heißt auf
hochdeutsch[37]: „Kannst du nicht schwimmen?—Ich kann schwim-
men, aber das Wasser ist zu kalt." Vergleichen[38] Sie die deutschen   30
Wörter in diesen Sätzen mit den englischen Formen. Plattdeutsch
steht dem Englischen näher[39] als Hochdeutsch, nicht wahr? Die
beiden Sprachen[40] sind Schwestern[41].

Sie haben eine Karte auf Seite 92. Vergessen Sie nicht, dort die
Meere, Kanäle, Häfen, Städte und Gebirge dieser Aufgabe zu   35
suchen.[42]

B. PRONUNCIATION

Review

1. Long and Short Umlauts and Unaccented e

   Häfen, Kanäle, gefährliche, Städte, Sätze; böse, schöne, Wörter, höchste,
   öfter; Kühe, für, hübsche, Küste, Brücke.

2. Glottal Stop

   Er /be /endet /eine /Aufgabe.   Sie zeigt /Interesse für /ihn.   Er /erlaubt /es /
   Ihnen nicht.   Der /Amerikaner /antwortet /ihm /immer /auf /englisch.   Der /
   Ober /empfiehlt /ihm /alles.   Hat /er /es?

Each German vowel, whether stressed or not, is distinctly pronounced. Such clarity is especially important in words of non-
German origin. Be sure, therefore, to give each vowel its full

22. **mehrere** several.   23. **das Fischgericht** fish course.   24. **der Eßtisch** dining table.
25. **fehlen** to be missing.   26. **fruchtbar** fruitful, fertile; **fruchtbarst-** most fertile.
27. **das Kilome′ter** kilometer (*0.621 mile*).   28. **soweit′** as far as.   29. **das Auge**
eye.   30. **reichen** to reach, extend.   31. **das Feld** field.   32. **der Wald** wood,
forest.   33. **das Dorf** village.   34. **einzeln** single, isolated.   35. Low German.
36. one.   37. **auf hochdeutsch** in High German.   38. **vergleichen** to compare.   39. **nahe**
near, close; **näher** closer.   40. **die Sprache** language.   41. **die Schwester** sister.
42. **suchen** to look for, try to find.

quality when pronouncing such words as: **A-me-ri-ka′-ner, U-ni-ver-si-tät′, Psy-cho-lo-gie′, Pho-to-gra-phie′, Spe-zi-a-li-tät′, Re-la-ti-vi-täts′-the-o-rie′.**

II. STRUCTURE AND FUNCTION

1. Plural of der- and ein-Words

The plural of **der-** and **ein-**words does not distinguish between the three genders as does the singular. **Der-** and **ein-**words have the same endings in the plural:

	DEF. ART.	der-WORDS	ein-WORDS
NOM.	die Leute	diese Leute	seine Leute
GEN.	der Leute	dieser Leute	seiner Leute
DAT.	den Leuten	diesen Leuten	seinen Leuten
ACC.	die Leute	diese Leute	seine Leute

2. Plural of Nouns

Plural forms like (1) *sheep*, (2) *feet*, (3) *oxen*, (4) *children* illustrate several ways of forming the plural in English, namely, by (1) no ending, (2) a vowel change, (3) the ending **-en,** and (4) a vowel change and the ending **-en.** But English has standardized its plural forms, so that today most nouns end in an [s] or [z] sound: *books, days.* If you were to study English as a foreign language, you would assume that the plural of a given noun ends in *-s,* unless the noun has one of the exceptional plural forms like *feet, oxen,* which you would have to memorize

While German has not undergone a standardization of its plural forms to the extent English has, it is possible to determine the plural of most nouns on the basis of their form and gender.

To this end, we arrange the nouns you have had so far in two groups: one for nouns of one syllable, called *monosyllabics,* the other for nouns of more than one syllable, called *polysyllabics.* This arrangement will yield one basic plural pattern for the monosyllabics, and two basic plural patterns for the polysyllabics. Nouns whose plural forms do not fit these patterns will be given as exceptional plurals.

If you know the exceptional plural forms, you will have no difficulty in forming the plural of any given noun. If the noun does not belong to the exceptional plurals, you add **-e** to a monosyllabic, **-en** or no ending to a polysyllabic, depending on its gender.

GROUP I: MONOSYLLABICS

Patterns: der **Zug**   die **Züge**
der **Schnellzug** die **Schnellzüge**   *fast train(s)*
das **Jahr**   die **Jahre**

Most monosyllabic nouns, whether used by themselves or as the last part in a compound noun, form their plural by adding **-e** to the singular. Most of the masculines also umlaut their stem vowel **a, o, u, au** to **ä, ö, ü, äu**. The feminines always take the umlaut; neuters never. Examples:

MASCULINES

der **Berg**	die **Berge**	*mountain(s)*
der **Freund**	die **Freunde**	*friend(s)*
der **Teil**	die **Teile**	*part(s)*
der **Tisch**	die **Tische**	*table(s)*
der **Fluß**	die **Flüsse**	*river(s)*
der **Satz**	die **Sätze**	*sentence(s)*
der **Stuhl**	die **Stühle**	*chair(s)*
der **Zug**	die **Züge**	*train(s)*

Without Umlaut

der **Hund**	die **Hunde**	*dog(s)*
der **Tag**	die **Tage**	*day(s)*
der **Sonntag**	die **Sonntage**	*Sunday(s)*

FEMININES

die **Hand**	die **Hände**	*hand(s)*
die **Nacht**	die **Nächte**	*night(s)*
die **Stadt**	die **Städte**	*town(s)*
die **Hafenstadt**	die **Hafenstädte**	*seaport town(s)*

NEUTERS

das **Meer**	die **Meere**	*ocean(s)*
das **Stück**	die **Stücke**	*piece(s)*
das **Werk**	die **Werke**	*work(s)*
das **Gedicht**[1]	die **Gedichte**	*poem(s)*

[1] Nouns of two syllables of which the first is an inseparable prefix (**Be-, Emp-, Ent-, Er-, Ge-, Ver-, Zer-**) are considered monosyllabics.

EXCEPTIONAL MONOSYLLABICS

der Herr	die Herren	*gentleman (-men)*
der Mensch	die Menschen	*man (people)*
der Wald	die Wälder	*forest(s)*
die Frau	die Frauen	*woman (women)*
die Hausfrau	die Hausfrauen	*housewife(-ves)*
die Zeit	die Zeiten	*time(s)*
das Bild	die Bilder	*picture(s)*
das Buch	die Bücher	*book(s)*
das Dorf	die Dörfer	*village(s)*
das Feld	die Felder	*field(s)*
das Haus	die Häuser	*house(s)*
das Kind	die Kinder	*child(ren)*

GROUP II: POLYSYLLABICS

MASCULINES

Patterns:

1.	der Amerikaner	die Amerikaner	*American(s)*
	der Garten	die Gärten	*garden(s)*
2.	der Deutsche	die Deutschen	*German(s)*
3.	der Student	die Studenten	*student(s)*

1. Masculines ending in **-er, -en, -el** add no ending; some take umlaut.
2. Masculines ending in **-e** add **-n** to the singular.
3. Masculines of non-German origin, with the accent on the last syllable or ending in **-or**, add **-en**.

Note: Polysyllabic masculines not belonging to any of the three categories add **-e** to the singular, unless the last component is an exceptional monosyllabic.

Examples:

With Umlaut

1.	der Bruder	die Brüder	*brother(s)*
	der Vater	die Väter	*father(s)*
	der Garten	die Gärten	*garden(s)*
	der Hafen	die Häfen	*harbor(s)*

Without Umlaut

der Dampfer	die Dampfer	*steamer(s)*
der Fehler	die Fehler	*mistake(s)*
der Lehrer	die Lehrer	*teacher(s)*
der Ober	die Ober	*waiter(s)*
der Sommer	die Sommer	*summer(s)*
der Teller	die Teller	*plate(s)*
der Wagen	die Wagen	*car(s)*
der Löffel	die Löffel	*spoon(s)*

2.	der Junge	die Jungen	*boy(s)*
	der Deutsche	die Deutschen	*German(s)*
	der Franzo'se	die Franzosen	*Frenchman (-men)*
	der Russe	die Russen	*Russian(s)*

3.	der Komponist'	die Komponisten	*composer(s)*
	der Student'	die Studenten	*student(s)*
	der Tourist'	die Touristen	*tourist(s)*
	der Profes'sor	die Professo'ren	*professor(s)*

FEMININES

Patterns:	die Karte	die Karten	*map(s)*
	die Antwort	die Antworten	*answer(s)*
	die Lehrerin	die Lehrerinnen	*(woman) teacher(s)*

Feminine nouns of more than one syllable form the plural by adding
-n or **-en** to the singular; nouns ending in **-e** add **-n,** others add **-en.**
However, nouns ending in **-in** add **-nen.**

Examples:

die Aufgabe	die Aufgaben	*lesson(s)*
die Brücke	die Brücken	*bridge(s)*
die Dame	die Damen	*lady(-ies)*
die Frage	die Fragen	*question(s)*
die Geschichte	die Geschichten	*history, story(-ies)*
die Karte	die Karten	*map(s)*
die Klasse	die Klassen	*class(es)*
die Linie	die Linien	*line(s)*
die Platte	die Platten	*record(s)*
die Reihe	die Reihen	*row(s)*
die Reise	die Reisen	*trip(s)*
die Seite	die Seiten	*page(s)*
die Sprache	die Sprachen	*language(s)*

die Stelle	die Stellen	*place(s)*
die Symphonie'	die Symphonien	*symphony(-ies)*
die Tasse	die Tassen	*cup(s)*
die Zone	die Zonen	*zone(s)*
die Antwort	die Antworten	*answer(s)*
die Landschaft	die Landschaften	*landscape(s)*
die Regie'rung	die Regierungen	*government(s)*
die Amerika'nerin	die Amerikanerinnen	*American woman(-men)*
die Studen'tin	die Studentinnen	*(girl) student(s)*

Exceptional Feminine Polysyllabics

| die Mutter | die Mütter | *mother(s)* |
| die Tochter | die Töchter | *daughter(s)* |

NEUTERS

Pattern: **das Messer die Messer** *knife(-ves)*

Neuters ending in **-er, -en, -el, -chen, -lein** add no ending.

Examples:

das Messer	die Messer	*knife(-ves)*
das Meter	die Meter	*meter(s)*
das Thea'ter	die Theater	*theater(s)*
das Ufer	die Ufer	*river bank(s)*
das Fräulein	die Fräulein	*young lady (ladies)*
das Mädchen	die Mädchen	*girl(s)*

Exceptional Neuter Polysyllabics

das Gebäude	die Gebäude	*building(s)*
das Gebirge	die Gebirge	*mountain(s)*
das Auge	die Augen	*eye(s)*

3. Four Cases in the Plural

	MASC.	FEM.	NEUTER
NOM.	die Züge (*trains*)	die Fragen (*questions*)	die Kinder (*children*)
GEN.	der Züge	der Fragen	der Kinder
DAT.	den Zügen	den Fragen	den Kindern
ACC.	die Züge	die Fragen	die Kinder

The form of the nominative plural recurs in the remaining cases; **-n** is added in the dative to forms which do not already end in **-n** (**Fragen**).

III. CONVERSATION AND WRITING

A. ACTIVE VOCABULARY

1. New Words

Plural forms are shown for convenience as follows: **-e, -n,** etc., indicate that the plural is formed by adding these letters; ⸗ indicates that the root vowel is modified (umlaut); - indicates that there is no change).

GROUP I			
das **Meer, -e**	sea, ocean	die **Ostsee**	Baltic (Sea)
		das **Hochdeutsch**	High German
Exceptional		(das) **Mittel-**	Central
der **Wald, ⸗er**	wood, forest	**deutschland**	Germany
das **Dorf, ⸗er**	village	(das) **Nord-**	North
das **Feld, -er**	field	**deutschland**	Germany
		die **Ferien** (*pl.*)	vacation
GROUP II		die **Leute** (*pl.*)	people
der **Fischer, -**	fisherman		
der **Sommer, -**	summer	**einzeln**	single, isolated
der **Garten, ⸗**	garden	**fruchtbar**	fruitful, fertile
der **Kanal', ⸗e**	canal	**gefährlich**	dangerous
die **Brücke, -n**	bridge	**mehrere**	several
die **Fami'lie, -n**	family	**stark**	strong
die **Küste, -n**	coast	**besuchen**	to visit
die **Sprache, -n**	language	**fehlen**	to be missing
die **Zone, -n**	zone	**reichen**	to reach, extend
die **Insel, -n**	island	**schwimmen**	to swim
die **Schwester,**		**suchen**	to look for, try
-n [1]	sister		to find
das **Kilome'ter, -**	kilometer	**verbinden**	to connect
das **Meter, -**	meter	**vergleichen**	to compare
		deshalb	therefore
Exceptional		**man**	one
das **Gebirge, -**	mountain range	**oft**	often
die **Nordsee** [2]	North Sea	**soweit'**	as far as

---

[1] Observe that the plural ends in **-n** instead of **-en**.
[2] Nouns for which no plural ending is indicated generally have no plural.

2. Review

heute (7)	*light* (1)	wünschen (9)	*place* (1)
nehmen (8)	*only* (2)	noch ein (5)	*sad* (2)
also (6)	*even* (3)	das Stück (6)	*how, as, like* (3)
derselbe (9)	*entirely* (4)	das Gesicht (10)	*pencil* (4)
das Licht (1)	*other* (5)	die Stelle (1)	*another* (5)
besonders (10)	*therefore* (6)	der Unterschied (8)	*piece* (6)
nur (2)	*today* (7)	wie (3)	*to consist of* (7)
sogar (3)	*to take* (8)	der Bleistift (4)	*difference* (8)
ganz (4)	*the same* (9)	bestehen aus (7)	*to wish* (9)
ander- (5)	*especially* (10)	traurig (2)	*face* (10)

B. *PRACTICE IN STRUCTURE AND FUNCTION*

1. *Give the plural for the following nouns:*

   a. der Freund, der Stuhl, der Teil, der Tisch; der Hafen, der Teller, der Vater, der Dampfer; der Herr, der Mensch, der Student, der Tourist.

   b. die Dame, die Schwester, die Reise, die Stelle, die Frau, die Zeit; die Hand, die Nacht, die Stadt.

   c. das Werk, das Stück, das Beispiel; das Fräulein, das Mädchen, das Messer, das Gebäude, das Gebirge; das Buch, das Haus, das Feld.

2. *Change the underlined words to the plural. Change the verb to the plural where necessary:*

   1. Welche Stadt liegt am Meer? 2. Kennen Sie diese Sprache? 3. Meine Schwester fährt diesen Sommer nach Europa. 4. Dieser Herr spricht auch Plattdeutsch. 5. Wiederholen Sie diesen Satz! 6. Dieses Dorf liegt in der Bundesrepublik. 7. Das Gebirge ist für Flugzeuge sehr gefährlich. 8. Er kennt diese Oper nicht. 9. Für große Dampfer ist der Fluß nicht tief genug. 10. Die Antwort ist nicht richtig.

3. *Change all plural forms to the singular. Add the indefinite article where necessary:*

   1. Zeigen Sie mir die Städte auf der Karte! 2. Westlich von der Küste liegen Inseln. 3. Wie heißen die Hafenstädte an der Nordseeküste?

4. Die Kanäle sind nicht tief genug für diese Dampfer. **5.** Welche Teile dieses Landes kennen Sie gut? **6.** Die Sprachen dieser Völker sind bekannt. **7.** Ich kenne diese Damen nicht. **8.** Wir brauchen noch Teller, Tassen, Löffel und Messer. **9.** Kennen Sie die Namen der Komponisten? **10.** Die Schiffe sind in den Häfen.

4. *Translate:*

1. These buildings are very old and dangerous. 2. I have two sisters, but only one brother. 3. He doesn't make any mistakes. 4. Does he know only Americans? 5. Show me your books and pictures. 6. He always compares his mistakes with my mistakes. 7. Here you see fields, rivers, and villages. 8. Such mountains are dangerous for planes. 9. His symphonies are very famous. 10. We like to go with our friends to this restaurant.

5. *Review exercise: word order (pages 64-65); start the sentences with the underlined word or words:*

1. Du besuchst mich <u>endlich</u> einmal. **2.** Er schläft <u>jede Nacht</u> acht Stunden. **3.** Es besteht <u>wahrscheinlich</u> aus mehreren Stücken. **4.** Ich bin <u>heute</u> den ganzen Tag allein. **5.** Er versteht <u>diese Leute</u> nicht. **6.** Sie interessieren sich also nicht <u>für dieses Problem</u>. **7.** Zwei Kanäle verbinden <u>die Nordsee und die Ostsee</u>. **8.** Unsere Fischer kennen <u>diese Küsten</u> sehr gut. **9.** Er ist ein gefährlicher Mensch <u>in meinen Augen</u>. **10.** Wir finden <u>in dieser Zone</u> keine Wälder.

Start the sentences with the subject:
1. In der österreichischen Stadt Salzburg ist das Geburtshaus Mozarts. **2.** Auf englisch sagt man das nicht so. **3.** Auf der deutschen Speisekarte fehlt Fisch nie. **4.** Natürlich sind unsere Städte nicht so alt. **5.** Gut ist Ihre Antwort nicht. **6.** Auch am Hudson finden Sie viele Weinberge. **7.** Diesen Sommer fahren wir nicht nach Europa. **8.** Heute fehlen mehrere Studenten. **9.** In Düsseldorf, einer Stadt am Rhein, steht das Geburtshaus des deutschen Dichters Heinrich Heine. **10.** Diese Insel besuchen viele Leute während ihrer Ferien.

C. PRACTICE IN CONVERSATION

Repeat until you are thoroughly familiar with the dialogue:

„Da ist Peter Baker aus Chicago."   "There is Peter Baker from Chicago."

„Ist er Student?"   "Is he a student?"

„Ja. Wenn ich mich recht erinnere, ist sein Hauptfach Geschichte."   "Yes. If I remember correctly, his major is history."

„Was für ein Zufall!"   "What a coincidence!"

„Er fährt auch nach Hamburg."   "He's going to Hamburg, too."

„Wie interessant! Ich möchte ihn kennenlernen."   "How interesting! I would like to meet him."

„Ich stelle Sie gern vor."   "I'll be glad to introduce you."

„Er kommt gerade auf uns zu."   "He's just coming toward us."

„Entschuldigen Sie, Herr Baker."   "Excuse me, Mr. Baker."

„Guten Tag, Herr Brown. Was gibt's Neues?"   "Hello, Mr. Brown. What's new?"

„Nichts Besonderes. Aber ich möchte Ihnen gern meinen Freund vorstellen."   "Nothing special. But I would like to introduce my friend to you."

„Bitte schön."   "Please do."

„Darf ich bekannt machen? Herr Müller, Herr Baker."   "May I introduce? Mr. Müller, Mr. Baker."

„Freut mich sehr."   "Glad to know you."

„Ganz meinerseits."   "The pleasure is all mine."

D. PRACTICE IN WRITING

1. Dictation.

2. Write a short description of North Germany.

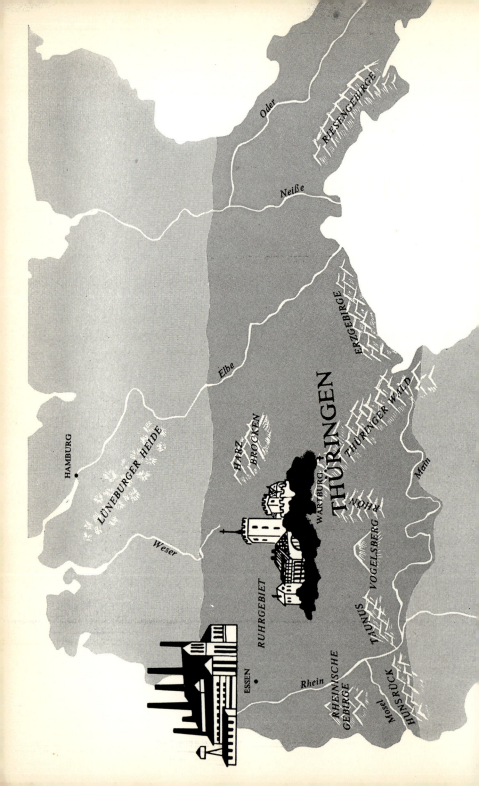

HAMBURG

LÜNEBURGER HEIDE

Oder

Neiße

RIESENGEBIRGE

ERZGEBIRGE

Elbe

HARZ
BROCKEN

THÜRINGER WALD

THÜRINGEN

Weser

WARTBURG

RHÖN

VOGELSBERG

Main

RUHRGEBIET

ESSEN

TAUNUS

Rhein

RHEINISCHE
GEBIRGE

HUNSRÜCK

Mosel

11

MITTELDEUTSCHLAND

I. HEARING AND READING

A. TEXT

VIELE Leute nehmen ihr eigenes[1] Auto nach Europa mit[2] oder kaufen sich eins[3] in Europa. Ein kleiner Volkswagen z.B.[4] ist nicht sehr teuer.[5] Wenn Sie nicht allein reisen,[6] ist so eine Reise sogar sehr billig.[7]

Sie beginnen Ihre Reise in Hamburg. Sie haben herrliches[8]   5
Wetter. Sie können sich[9] kein besseres Wetter wünschen. Stunden-lang[10] fahren Sie in Ihrem kleinen Wagen in südlicher Richtung[11] durch die schöne Lüneburger Heide.[12] Endlich[13] erscheint[14] das erste Gebirge, der Harz.[15]

Sein höchster Berg, der Brocken, ist berühmt in deutschen Sagen[16]   10
und in der deutschen Literatur. Einmal[17] im Jahr, in der Nacht vom dreißigsten April zum ersten Mai, kommen—so erzählt[18] die Sage—Hexen[19] und Geister[20] auf den Brocken und feiern[21] die berühmte Walpurgisnacht.[22]

1. **eigen** own.   2. **mit-nehmen*** to take along.   3. **sie kaufen sich eins** they buy one (for themselves).   4. **z.B.** = **zum Beispiel.**   5. expensive.   6. **reisen** to travel.   7. cheap, inexpensive.   8. **herrlich** wonderful.   9. yourself.   10. **die Stunde** hour; **stundenlang** for hours.   11. **die Richtung** direction.   12. Lüneburg Heath.   13. finally, at last. 14. **erscheinen** to appear.   15. Harz Mountains.   16. **die Sage** legend.   17. once. 18. **erzählen** to tell.   19. **die Hexe** witch.   20. **der Geist** ghost.   21. **feiern** to celebrate. 22. Walpurgis Night (*Walpurgis was the name of an English missionary in Germany who died in A.D. 780*).

  * A hyphen indicates a separable prefix; under certain circumstances a separable prefix comes last in the clause. You will learn more about separable prefixes in Lesson 18.

Landschaft in Thüringen

Sie halten[23] jetzt und studieren einen Reiseführer.[24] Sie lesen   15
das Folgende:[25] Die Gebirge Mitteldeutschlands reichen von der
Mosel und dem Rhein im Westen bis[26] zur Neiße im Osten. Große
Wälder bedecken[27] noch heute diese Gebirge. Wie ist es möglich,[28]
daß Deutschland noch heute so viele schöne Wälder hat? Eine
Antwort auf diese Frage ist: Die Deutschen lieben ihre Wälder.   20
Das Rauschen[29] der Bäume[30] hört[31] man im deutschen Märchen,[32]
im deutschen Volkslied,[33] in deutschen Gedichten[34] und Sagen.

Das schönste Land Mitteldeutschlands ist Thüringen, „das grüne
Herz[35] Deutschlands". Tief im Thüringer Wald liegt die berühmte
Wartburg. Es gibt[36] viele berühmte Burgen[37] in Deutschland, doch[38]   25
keine ist so berühmt wie die Wartburg. Von ihr erzählen wir Ihnen
später[39] mehr. Im Westen Mitteldeutschlands liegen die Rhei-
nischen[40] Gebirge. Die Berge auf beiden Ufern des Rheins und die
grünen Weinberge geben diesem Fluß seine große Schönheit.

Das Ruhrgebiet[41] im Nordwesten Mitteldeutschlands ist das   30
Industriezentrum Deutschlands. Es verdankt[42] diese Stellung[43] den
schwarzen[44] Diamanten. Die Stadt Essen im Ruhrgebiet ist das
deutsche Pittsburgh.

B. PRONUNCIATION

Learn the German alphabet. From now on use the German names
of letters when called upon to spell a German word.

A a (ah)	J j (yot)	S s (ess)
B b (bay)	K k (kah)	T t (tay)
C c (tsay)	L l (el)	U u (oo)
D d (day)	M m (em)	V v (fow)
E e (ay)	N n (en)	W w (vay)
F f (ef)	O o (oh)	X x (iks)
G g (gay)	P p (pay)	Y y (üpsilon)
H h (hah)	Q q (koo)	Z z (tset)
I i (ee)	R r (air)	

23. **halten (hält)** to stop. 24. **der Reiseführer** guidebook. 25. the following.
26. up to, until. 27. **bedecken** to cover. 28. possible. 29. rustle. 30. **der Baum** tree.
31. **hören** to hear. 32. **das Märchen** fairy tale. 33. **das Lied** song. 34. **das Gedicht**
poem. 35. **das Herz** heart. 36. **es gibt** there is, there are. 37. **die Burg** stronghold,
castle. 38. yet, however. 39. later. 40. **Rheinisch** Rhenish. 41. **Ruhr** district.
42. **verdanken** to owe. 43. **die Stellung** position. 44. **schwarz** black.

Combined Letters

         ck (tsay-kah)   **ß** (ess-tset)

Letters with Umlaut

         ä (ah-umlaut)   **ü** (oo-umlaut)
         äu (ah-umlaut-oo)   **ö** (oh-umlaut)

Spell in German:

Horizont, Wolke, Brücke, Märchen, Hexe, Jahr, dreißig, möglich, Häuser, Industriestadt; and your name.

II. STRUCTURE AND FUNCTION

1. Adjective Endings in the Plural

a. Adjective Preceded by **der-** or **ein-**Word

In the plural, all adjectives preceded by a **der-** or **ein-**word take the same ending in all four cases, **-en**:

NOM.	**meine beiden Schwestern**
GEN.	**das Leben der amerikanischen Studenten**
DAT.	**in den großen Städten**
ACC.	**Er kennt unsere schönen, alten Lieder.**

b. Unpreceded Adjectives

In the plural, unpreceded adjectives take the endings of the **der-**word:

NOM.	(diese)	schöne Lieder
GEN.	(dieser)	schöner Lieder
DAT.	(diesen)	schönen Liedern
ACC.	(diese)	schöne Lieder

2. Numerical Adjectives

A group of adjectives, called numerical adjectives, always have plural meaning:

alle	*all*		**viele**	*many*
einige	*some*		**wenige**	*few*
mehrere	*several*			

Numerical adjectives usually serve as unpreceded adjectives and hence take the endings of the **der-**word:

NOM.	(dies**e**)	all**e** Lieder
GEN.	(dies**er**)	einig**er** Lieder
DAT.	(dies**en**)	viel**en** Liedern
ACC.	(dies**e**)	wenig**e** Lieder

Numerical adjectives, when followed by a descriptive adjective, function like other descriptive adjectives; only **alle** retains the function of a **der**-word:

	AFTER **einige, mehrere, viele, wenige**	AFTER **alle**
NOM.	viel**e** schön**e** Lieder	all**e** schön**en** Lieder
GEN.	viel**er** schön**er** Lieder	all**er** schön**en** Lieder
DAT.	viel**en** schön**en** Liedern	all**en** schön**en** Liedern
ACC.	viel**e** schön**e** Lieder	all**e** schön**en** Lieder

3. Ein-Words Used as Pronouns

When an **ein**-word is used without a noun, that is, when it functions as a pronoun, it takes the ending of the **der**-word:

Das ist mein Wagen. Das ist meiner.
That is my car. That is mine.
Es gibt manches schöne Lied vom deutschen Wald, aber kein(e)s ist so berühmt wie dieses.
There is many a beautiful song about the German forest, but none is so famous as this one.
Ich habe mein Auto hier, aber wo ist seins?
I have my car here, but where is his?

III. CONVERSATION AND WRITING

A. *ACTIVE VOCABULARY*

1. New Words

GROUP I

der **Baum**, ⸗e	*tree*
das **Gedicht**, -e	*poem*

Exceptional

das **Lied**, -er	*song*
das **Volkslied**, -er	*folksong*
das **Herz**, -en	*heart*

GROUP II

der **Reiseführer**, -	*guidebook*
der **Osten**	*east*
der **Westen**	*west*
das **Märchen**, -	*fairy tale*
die **Sage**, -n	*legend*
die **Stunde**, -n	*hour*
die **Literatur'**, -en	*literature*

die	**Richtung, -en**	*direction*	**halten (hält)**	*to hold; to stop*
die	**Stellung, -en**	*position*	**hören**	*to hear*
			kaufen	*to buy*
	billig	*cheap,*	**reisen**	*to travel*
		inexpensive	**verdanken**	*to owe*
	eigen	*own*		
	grün	*green*	**doch**	*yet, however*
	herrlich	*wonderful*	**bis**	*up to, until*
	schwarz	*black*	**einmal**	*once*
	teuer	*expensive*	**endlich**	*at last, finally*
			spät	*late*
	bedecken	*to cover*	IDIOMS	
	beginnen	*to begin*	**es gibt**	*there is,*
	erscheinen	*to appear*		*there are*
	erzählen	*to tell*	**stundenlang**	*for hours*

2. Review

genug (4)	*again* (1)	**vielleicht** (3)	*once more* (1)
beinahe (5)	*only* (2)	**etwas** (5)	*especially* (2)
wie (8)	*always* (3)	**doch** (9)	*perhaps* (3)
wer (7)	*enough* (4)	**ganz** (6)	*up to, until* (4)
jetzt (9)	*almost* (5)	**sogar** (8)	*something* (5)
wieder (1)	*nothing* (6)	**noch einmal** (1)	*entirely* (6)
also (10)	*who* (7)	**besonders** (2)	*at last, finally* (7)
nichts (6)	*how, as, like* (8)	**endlich** (7)	*even* (8)
nur (2)	*now* (9)	**noch ein** (10)	*yet, however* (9)
immer (3)	*therefore* (10)	**bis** (4)	*another* (10)

B. *PRACTICE IN STRUCTURE AND FUNCTION*

1. *Change the nouns in the singular to the plural (Example:* **Sehen Sie das blaue Licht?—Sehen Sie die blauen Lichter?**):
   1. Die Deutschen lieben ihren grünen Wald. 2. Fragen Sie diesen jungen Studenten! 3. Hier im Süden des Landes gibt es ein großes Gebirge. 4. Die Karte zeigt Ihnen südlich von hier ein kleines Dorf. 5. Das ist eine gute Antwort auf eine schwere Frage. 6. Hier hören Sie noch manchmal ein altes Volkslied. 7. Dieser kleine Rheindampfer fährt von Mainz bis Koblenz. 8. Kennen Sie diese alte deutsche Sage? 9. Ein neuer Wagen ist nicht billig. 10. Das verdanke ich meinem amerikanischen Freund.

2. *Supply the proper plural endings:*
1. An unserer Universität studieren viel— amerikanisch— Studenten.
2. Einig— klein— Dampfer erscheinen im Hafen. 3. Für dieses
Problem interessieren sich mehrer— deutsch— Professoren. 4. In
dieser Aufgabe finden Sie nur wenig— schwer— Sätze. 5. Nicht alle
deutsch— Komponisten sind so bekannt wie Beethoven und Wagner.
6. In welch— modern— Gedichten finden Sie dieses Motiv? 7.
Während der kalt— Wintertage fährt er nach Florida. 8. Singen Sie
manchmal deutsch— Lieder in der Klasse? 9. Zeigen Sie mir drei
deutsch— Hafenstädte auf der Karte! 10. Neu— Wagen sind nicht
billig.

3. *Fill in the endings for the **ein**-words used as pronouns:*
1. Ich habe keinen Stuhl. Hier ist ein—. 2. Kennen Sie ein Gedicht
von Heine? Ja, ich kenne ein—. 3. Ich habe kein Buch. Ich habe
auch kein—. 4. Das ist Ihr Kaffee. Wo ist mein—? 5. Das ist ein
schönes Haus. Ist das Ihr—? 6. Ist das Ihr Auto? Nein, ich habe
kein—. 7. Sie finden das im Reiseführer. Nicht in mein—. 8. Spielen
Sie diese Platte! Sie ist besser als mein—. 9. Die Fletchers haben
vier Kinder. Wir haben nur ein—. 10. Mein Vater sagt das. Ihr—
auch?

4. *Translate:*
1. I have many new pictures. 2. Show me all (the) new pictures.
3. In my class are several German students. 4. There are not many
German students in this town. 5. Small villages are especially
interesting. 6. Even these small villages are known. 7. He likes to
read modern poems. 8. Do you know these modern poems? 9. I
know only one. 10. Do you have a map? — I have one, but it's old.

5. *Review exercise: give the plurals of the following nouns. We called
them exceptional nouns because they do not form their plural like
nouns in the two large groups which you can identify by form and
gender (pages 96-100):*
1. der Herr **2.** der Mensch **3.** der Wald **4.** die Frau **5.** die Zeit
6. die Mutter **7.** die Tochter **8.** das Kind **9.** das Feld **10.** das
Dorf **11.** das Bild **12.** das Buch **13.** das Haus **14.** das Gebäude
15. das Gebirge

C. PRACTICE IN CONVERSATION

Repeat until you are thoroughly familiar with the dialogue:

„Sie sprechen sehr gut Deutsch, Herr Baker. Ich beneide Sie."
"You speak German very well, Mr. Baker. I envy you."

„Ich fürchte, ich bin ein Deutschverderber."
"I'm afraid I'm murdering German."

„Sie haben kaum einen Akzent."
"You have hardly any accent."

„Es ist nett von Ihnen, daß Sie das sagen."
"It's nice of you to say that."

„Waren Sie schon einmal in Deutschland?"
"Have you been in Germany before?"

„Nein. Dies ist mein erster Besuch."
"No.   This is my first visit."

„Ich bin sicher, daß es Ihnen gefallen wird."
"I'm sure, you will like it."

„Ich muß mich aber jetzt leider verabschieden."
"I'm sorry, but I have to say good-by now."

„Haben Sie es eilig?"
"Are you in a hurry?"

„Nein, aber ich fühle mich nicht wohl.'
"No, but I don't feel well."

„Was ist los?"
"What's the matter?"

„Ich fürchte, ich habe mich erkältet."
"I'm afraid I caught a cold.'

„Gute Besserung."
"Hope you will feel better."

„Danke schön."
"Thank you very much."

D. PRACTICE IN WRITING

1. Dictation.

2. Write a short description of Thüringen.

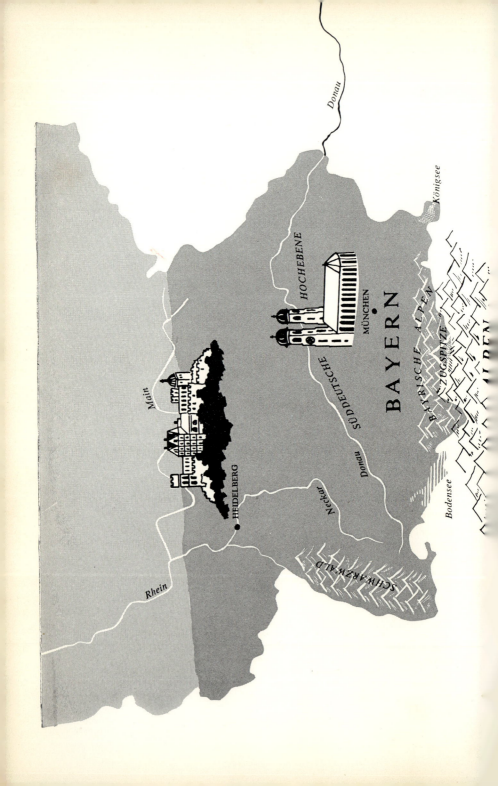

12

SÜDDEUTSCHLAND

I. HEARING AND READING

A. TEXT

WO ist es in Deutschland am schönsten?[1] Diese Frage können[2] Sie immer wieder in deutschen Reisebüros hören. Was soll[3] der arme[4] Angestellte[5] dem Reisenden[6] antworten? Darf[7] er sagen: „Das weiß[8] ich nicht? Mir persönlich gefällt[9] Hamburg am besten, denn[10] ich bin Hamburger.'' So eine Antwort dürfen die Angestellten in den Reisebüros natürlich nicht geben. Ein Angestellter muß[11] eine diplomatische Antwort geben. Er sagt also: „Amerikaner mögen[12] München und Südbayern[13] am liebsten[14], und, wie Sie vielleicht wissen, die meisten amerikanischen Studenten wollen in München studieren.''

Bayern ist wirklich ein sehr schönes Land. Man kann aber sagen, ganz Süddeutschland ist so schön wie Bayern. Wenn man Süddeutschland beschreibt[15], muß man Superlative gebrauchen.[16] Wir beginnen mit den bayrischen Alpen, dem südlichsten Teil Deutschlands. Die Westgrenze[17] der bayrischen Alpen ist der größte See[18] Deutschlands, der Bodensee, und ihre Ostgrenze ist der schönste See Deutschlands, der Königsee. Der höchste Berg Deutschlands, die Zugspitze, liegt in den bayrischen Alpen. Von den Alpen bis

1. **am schönsten** most beautiful. 2. **können (kann)** can, be able. 3. **sollen (soll)** to be supposed to. 4. **arm** poor. 5. **der Angestellte** employee. 6. **der Reisende** traveler. 7. **dürfen (darf)** to be permitted. 8. **wissen (weiß)** to know. 9. **gefallen** to like; mir **gefällt** I like. 10. **denn** for, because. 11. **müssen (muß)** must, to have to. 12. **möge**n to like. 13. **(das) Südbayern** Southern Bavaria. 14. **am liebsten** best of all. 15. **beschreiben** to describe. 16. to use. 17. **die Grenze** border, boundary. 18. **der See** lake.

Landschaft in den Bayrischen Alpen

zur Donau[19] reicht die süddeutsche Hochebene.[20]   Sie ist im
Durchschnitt[21] 500 Meter hoch und höher als die meisten   20
Hochebenen Europas.   Die Donau ist ihre Nordgrenze.   Sie ist
übrigens[22] viel länger als der Rhein; sie ist der längste Fluß Europas.
In der Südwestecke[23] liegt der Schwarzwald[24], das berühmteste
deutsche Gebirge.   Nordöstlich vom Schwarzwald liegt Heidelberg
am Neckar, die älteste und bekannteste deutsche Universitätsstadt.   25
Ein romantisches Drama aus dem Jahr 1901, „Alt Heidelberg",
ist für den Ruhm[25] dieser Universität verantwortlicher[26] als ihre
Professoren und wissenschaftlichen[27] Institute.[28]   Dieses Drama
heißt in englischer Übersetzung „The Student Prince" und zieht[29]
heute noch viele amerikanische Studenten nach dem schönen   30
Städtchen.

Sie wollen wahrscheinlich noch mehr über Heidelberg wissen,
aber leider[30] müssen wir jetzt aufhören[31], sonst[32] wird diese Aufgabe
länger als die anderen.   (Vergessen Sie nicht: Sie müssen alle
geographischen Namen auf der Karte suchen!)   35

II. STRUCTURE AND FUNCTION

1. Modal Auxiliaries

In German, as well as in English, we use a group of verbs which
express the manner (mode) in which an action takes place, rather
than the action itself.   For example, the statement "I must work
late today" implies necessity.   "We may visit the patient" implies
permission.

German has six verbs of this type, called *modal auxiliaries:*

a. können   *can, to be able to; may* (expressing ability and possibility)

Ich kann diese Frage nicht beantworten.   *I cannot answer this question.*
Das kann sein.   *That may be.*

b. mögen   *to like to* (expressing liking or preference)

Er mag München am liebsten.   *He likes Munich best.*

---

19. **die Donau** Danube. 20. **die Hochebene** plateau. 21. **der Durchschnitt** average.
22. by the way. 23. **die Ecke** corner. 24. Black Forest. 25. **der Ruhm** fame, renown.
26. **verantwortlich** responsible. 27. **wissenschaftlich** scientific. 28. **das Institut'**
institute. 29. **ziehen** to draw. 30. unfortunately. 31. to stop. 32. otherwise.

c. dürfen   *to be permitted to, may* (expressing permission)

Darf ich es mitnehmen?   *May I take it along?*

d. müssen   *to have to, must* (expressing necessity, compulsion)

Er muß eine diplomatische Antwort   *He must give a diplomatic*
geben.   *answer.*

e. sollen   *to be supposed to* (expressing obligation)

Was soll er antworten?   *What is he supposed to answer?*

f. wollen   *to want to* (expressing desire and wish)

Er will in Deutschland studieren.   *He wants to study in Germany.*

2. Position of the Infinitive

Observe: **Ich kann Ihnen eine gute Karte von Deutschland geben.**
           I can give you a good map of Germany.

These two sentences show a basic difference in word order in German and English: The German infinitive stands always at the end of the clause.

3. Present Tense of the Modals

	können	mögen	müssen	dürfen	wollen	sollen
ich	kann	mag	muß	darf	will	soll
du	kannst	magst	mußt	darfst	willst	sollst
er, sie, es	kann	mag	muß	darf	will	soll
wir	können	mögen	müssen	dürfen	wollen	sollen
ihr	könnt	mögt	müßt	dürft	wollt	sollt
sie	können	mögen	müssen	dürfen	wollen	sollen
Sie	können	mögen	müssen	dürfen	wollen	sollen

Note: The modal auxiliaries have no endings in the first and third persons singular.

4. Wissen

The verb **wissen** (*to know*) is not a modal auxiliary verb but is conjugated like one.

ich weiß
du weißt
er, sie, es weiß

wir wissen
ihr wißt
sie wissen
Sie wissen

5. Three Verbs for "to know"

a. *to know* (to be acquainted with) persons, books, places, etc. = **kennen**

Ich kenne ihn nicht.	*I don't know him.*
Ich kenne Manns „Zauberberg".	*I know Mann's "Magic Mountain."*

b. *to know*, followed by a dependent clause = **wissen**

Wissen Sie, wo er ist?	*Do you know where he is?*
Ich weiß nicht, was er will.	*I don't know what he wants.*

Observe also the following expressions:

Ich weiß nicht.	*I don't know.*
Er weiß alles.	*He knows everything.*
Er weiß das.	*He knows that.*
Er weiß nichts.	*He knows nothing.*

c. *to know* how to do something and *to know* a language = **können**

Können Sie schwimmen?	*Do you know how to swim?*
Er kann Deutsch.	*He knows German.*

6. Comparison of Adjectives

English forms the comparative and superlative either by adding *-er* and *-est* (*smaller, smallest*) or, in the case of longer adjectives, by using *more* and *most* (*more interesting, most interesting*).

German uses only **-er** to form the comparative and **-(e)st** to form the superlative, regardless of the length of the adjective:

klein	**kleiner**	**kleinst**
interessant	**interessanter**	**interessantest-**

a. Many adjectives of one syllable add an umlaut:

kalt	**kälter**	**kältest-**	*cold*
jung	**jünger**	**jüngst-**	*young*
kurz	**kürzer**	**kürzest-**	*short*
alt	**älter**	**ältest-**	*old*

warm	wärmer	wärmst-	*warm*
arm	ärmer	ärmst-	*poor*
lang	länger	längst-	*long*

b. A few adjectives have irregular comparatives and superlatives:

groß	größer	größt-	*large*
hoch	höher	höchst-	*high*
nahe	näher	nächst-	*near*
gut	besser	best-	*good*
viel	mehr	meist-	*much*

c. Uses of the Comparative:

1. before a noun:

   The comparative form of an adjective has the usual adjective ending:

   > **Das kleinere Auto.**
   > **Mein älterer Bruder.**

2. by itself:

   Like any adjective not preceding a noun, the comparative form of the adjective has no ending.

   > **Unser Auto ist kleiner.**
   > **Sein Bruder ist älter.**

d. Uses of the Superlative:

1. before a noun:

   The superlative form of an adjective has the usual adjective ending:

   > **Das kleinste Auto.**
   > **Mein ältester Bruder.**

2. by itself:

   When not preceding a noun, the superlative form of the adjective appears as follows:

   > **Wo ist es in Deutschland am schönsten?**

Note: Observe the following expressions of comparison:

Hier ist es <u>so</u> schön <u>wie</u> in Deutschland.
Here it is as beautiful as in Germany.
Hier ist es schöner <u>als</u> in Deutschland.
Here it is more beautiful than in Germany.

7. Four Verbs for "to like"

a. *to like* followed by an object (*he likes her, he likes classical music*)*:*

mögen or
haben + gern (comparative **lieber**; superlative **am liebsten**)

Er mag sie.	
Er hat sie gern.	*He likes her.*
Er mag klassische Musik lieber.	*He (likes better) prefers classical*
Er hat klassische Musik lieber.	*music.*
Er mag moderne Musik am liebsten.	
Er hat moderne Musik am liebsten.	*He likes modern music best.*

b. *to like* followed by an infinitive (*She likes to dance*)*:* verb + **gern**

Sie tanzt gern.	*She likes to dance.*
Er liest lieber.	*He prefers to read.*
Er spielt am liebsten Golf.	*He likes to play golf best of all.*

c. *to like* in the sense of "to have pleasure in" (*I like this picture,* that is, *this picture pleases me*)*:*

Dieses Bild gefällt mir.

Note: The object in English is the subject in German; the subject in English is in the dative case in German.

> **Hamburg gefällt ihm besser.**
> *He likes Hamburg better.*
> **Diese zwei Geschichten gefallen ihr am besten.**
> *She likes these two stories best.*

Note: I would like = **Ich möchte:**

> **Ich möchte es sehen.** *I would like to see it.*

8. Adjectives Used as Nouns

In the expression *the poor and the rich*, the word *people* is understood. The adjectives function as nouns. In German, adjectives may be used as nouns with a singular as well as a plural meaning. The article shows whether we talk about a man, a woman, or people. Such adjectives are capitalized, but their endings are those of *preceded* adjectives. For example: NOM. **der Deutsche,** GEN. **des Deutschen,** DAT. **dem Deutschen,** ACC. **den Deutschen.**

MASCULINE	FEMININE	PLURAL
der Deutsche	die Deutsche	die Deutschen
ein Deutscher	eine Deutsche	Deutsche
der Reisende	die Reisende	die Reisenden
ein Reisender	eine Reisende	Reisende
der Angestellte	die Angestellte	die Angestellten
ein Angestellter	eine Angestellte	Angestellte

III. CONVERSATION AND WRITING

A. *ACTIVE VOCABULARY*

1. New Words

GROUP I
der **Sonntag,** -e   *Sunday*

Exceptional
der **See, die Seen**   *lake*

GROUP II
der **Angestellte,** -n   *employee*
der **Reisende,** -n   *traveler*
die **Ecke,** -n   *corner*
die **Grenze,** -n   *border, boundary*
die **Überset'zung,** -en   *translation*

UNCLASSIFIED
das **Drama, Dramen**   *drama*
das **Institut',** -e   *institute*
das **Rei'sebüro',** -s   *travel agency*

arm   *poor*
diploma'tisch   *diplomatic*
lang   *long*
meist-   *most*
persön'lich   *personally*

verantwortlich   *responsible*
wissenschaftlich   *scientific*

auf-hören   *to stop*
beschreiben   *to describe*
gebrauchen   *to use*
gefallen (gefällt)   *to like*
ziehen   *to draw*

können (kann)   *can, be able*
mögen (mag)   *may, like to*
dürfen (darf)   *to be permitted*
müssen (muß)   *must, have to*
sollen (soll)   *to be supposed to*
wollen (will)   *to want to*
wissen (weiß)   *to know*

denn   *for, because*
leider   *unfortunately*
sonst   *otherwise*
übrigens   *by the way*

2. Review

erscheinen (3)	*to connect* (1)	spät (3)	*to take* (1)
billig (5)	*to recommend* (2)	kaufen (2)	*to buy* (2)
das Gedicht (7)	*to appear* (3)	die Geschichte (7)	*late* (3)
empfehlen (2)	*to be missing* (4)	bedecken (9)	*possible* (4)
fehlen (4)	*inexpensive* (5)	nehmen (1)	*to tell* (5)
verbinden (1)	*to interrupt* (6)	bestellen (6)	*to order* (6)
vergleichen (9)	*poem* (7)	rufen (10)	*history; story* (7)
besuchen (8)	*to visit* (8)	möglich (4)	*there is, there are* (8)
unterbrechen (6)	*to compare* (9)	es gibt (8)	*to cover* (9)
herrlich (10)	*wonderful* (10)	erzählen (5)	*to call* (10)

B. PRACTICE IN STRUCTURE AND FUNCTION

1. *Change the modal auxiliaries to the* **Sie**-*form:*
   1. Will sie das nicht? 2. Ich kann das nicht erlauben. 3. Magst du ihn nicht? 4. Mußt du gehen? 5. Er darf ihn nicht unterbrechen. 6. Sie soll uns den Unterschied erklären.

2. *Change the modal auxiliaries to the* **er**-*form:*
   1. Wir können das nicht sagen. 2. Sie mögen ihn nicht. 3. Wohin wollen Sie gehen? 4. Sie müssen langsamer sprechen. 5. Dürfen wir eine Übersetzung gebrauchen? 6. Sie sollen etwas bestellen.

3. *Supply* kennen, wissen, *or* können:
   1. _____ Sie, was er will? 2. _____ Sie die Geschichte nicht? 3. _____ Sie, wie er heißt? 4. _____ Sie Englisch? 5. _____ Sie den jungen Herrn mit dem grünen Sweater? 6. Nein, ich _____ ihn nicht, aber ich _____, daß er Amerikaner ist.

4. *Supply the comparative forms of the adjectives in parentheses:*
   1. Dieses Auto ist (billig), aber nicht (gut) als Ihres. 2. Er liest (viel) als ich. 3. Das Essen ist (gut) in diesem Restaurant. 4. Ich fahre (gern) mit dem Zug als mit einem Bus. 5. Kommen Sie bitte (nahe)! 6. Ich höre jetzt (gut). 7. Er ist (groß) als du. 8. Hier ist es zu kalt. Kommen Sie ins Haus, da ist es (warm)! 9. Haben Sie keine (groß) Karte von Amerika? 10. Ich kann Ihnen ein (gut) Restaurant empfehlen. 11. Sie wollen ein (groß) Auto? 12. Die Elbe ist ein (lang) Fluß als die Weser. 13. Welcher ist der (tief)? 14. Dieses Auto ist zu teuer. Haben Sie kein (billig)? 15. Dieses Kleid ist zu klein. Zeigen Sie mir ein (groß)!

5. *Supply the superlative forms of the adjectives in parentheses:*
1. Ich fliege (gern). 2. Im Sommer ist es am Hudson (schön). 3. Vom Flugzeug sieht man (viel). 4. Wie heißt der (hoch) Berg der Alpen? 5. Dies ist das (alt) Gebäude in unserer Stadt, aber nicht das (schön). 6. Ich bin das (alt) Kind in der Familie. 7. Die (viel) Amerikaner wollen München sehen. 8. Wo ist das (gut) Restaurant? 9. Einstein ist einer der (bekannt) Männer in unserem Jahrhundert. 10. In Heidelberg ist die (alt) Universität Deutschlands (1386) und in Mainz die (jung) (1946).

6. *Translate (use only modal auxiliaries):*
1. What do you want? 2. She wants to go now. 3. You must read that. 4. He does not like it. 5. We do not like that. 6. Can you describe him? 7. It is supposed to be very inexpensive. 8. May I use your car? 9. May we visit him? 10. You must speak more slowly. 11. He can never give a diplomatic answer. 12. She knows German better than I. 13. Can you tell me where he is? 14. Must you go already? 15. I like him better than his brother.

7. *Translate (use the correct equivalent of "to know"):*
1. Do you know where he is? 2. Do you know what he wants? 3. Do you know this gentleman? 4. Do you know Goethe's drama *Egmont*? 5. I know him, but I don't know where he is. 6. Does he know German? 7. Do you know how to write such a letter? 8. We know Mr. Baker. 9. He knows English. 10. I know him personally.

8. *Translate (use the correct equivalent of "to like"):*
1. She likes to drink coffee. 2. I don't like this picture. 3. I like you. 4. He likes Hamburg best. 5. Do you like (to eat) fish? 6. I prefer (to drink) water. 7. I prefer modern music. 8. I like to be here. 9. He likes to play tennis best of all. 10. How do you like America? 11. Don't you like her? 12. What do you like best to drink? 13. She does not like Cologne. 14. She doesn't like fish. 15. How do you like my friend? 16. I like him best. 17. I like it better here than in Frankfurt. 18. Why doesn't she like it? 19. Do you like it here? 20. We like that.

9. *Review exercise: adjective endings (pages 65-66, 86):*
1. Geben Sie mir bitte heiß— Wasser! 2. Es ist ein wissenschaftlich— Buch. 3. Die meist— Leute kennen ihn. 4. Mein lieb— Freund! 5. Unser arm— Junge! 6. Das ist ein sehr lang— Gedicht. 7. Helfen

Sie dem alt— Mann! 8. Sie hilft der alt— Frau. 9. Der Bus hält an der nächst— Ecke. 10. Er ist der neu— Direktor in unserem Büro.

C. PRACTICE IN CONVERSATION

Repeat until you are thoroughly familiar with the dialogue:

„Ich habe gehört, daß wir morgen früh gegen 10 Uhr landen."	"I heard that we'll land tomorrow morning around 10 o'clock."
„Dann wird es Zeit, daß ich anfange zu packen."	"Then it's time for me to pack."
„Haben Sie so viel zu packen? Bei mir dauert das höchstens zehn Minuten."	"Do you have that much to pack? It will take me ten minutes at the most."
„Hoffentlich macht mir der Zollbeamte keine Schwierigkeiten."	"I hope the customs inspector won't make any difficulties for me."
„Ich habe nichts zu verzollen."	"I have nothing to declare."
„Wie ist es denn mit Zigaretten?"	"What about cigarettes?"
„Ich habe nur noch ein paar Päckchen übrig."	"I have only a few packs left."
„Ich will noch schnell eine Postkarte schreiben, damit meine Eltern wissen, daß ich gut angekommen bin."	"I'm going to write a postcard quickly, so that my parents know (that) I arrived safely."
„Brauchen Sie eine Briefmarke?"	"Do you need a stamp?"
„Haben Sie zufällig eine Luftpostmarke?"	"Do you happen to have an airmail stamp?"
„Ja, ich habe sie bei mir."	"Yes, I have one with me."
„Ich schulde Ihnen vierzig Pfennig —hier ist eine Mark."	"I owe you forty Pfennigs —here is one Mark."
„Ich habe kein Kleingeld. Lassen Sie es nur! Das eilt nicht. Sie können mir das ein andermal bezahlen."	"I don't have any change. Never mind. There's no hurry. You can pay me some other time."

D. PRACTICE IN WRITING

1. Dictation.

2. Write a short description of Süddeutschland. Begin: **Süddeutschland ist sehr schön. Man kann es nur in Superlativen beschreiben. . . .**

13

WIEDERHOLUNG
UND ERGÄNZUNG

I. **Der-***WORDS AND* **Ein-***WORDS*

1. Der-Words

der, die, das	*the*
dieser, diese, dieses	*this*
jeder, jede, jedes	*every, each*
jener, [1] **jene, jenes**	*yonder, that*
mancher, manche, manches; PLURAL: **manche**	*many a; many, some*
solcher, solche, solches [2]	*such a*
welcher, welche, welches	*which, what*

THE FOUR CASES

SINGULAR

	MASCULINE	FEMININE	NEUTER
NOM.	(der) **dieser Freund**	(die) **jede Stadt**	(das) **manches Land**
GEN.	(des) **dieses Freundes**	(der) **jeder Stadt**	(des) **manches Landes**
DAT.	(dem) **diesem Freund(e)**	(der) **jeder Stadt**	(dem) **manchem Land(e)**
ACC.	(den) **diesen Freund**	(die) **jede Stadt**	(das) **manches Land**

PLURAL: ALL GENDERS

NOM.	(die)	**solche Freunde**
GEN.	(der)	**solcher Freunde**
DAT.	(den)	**solchen Freunden**
ACC.	(die)	**solche Freunde**

---

[1] **Jener,** listed here for the sake of completeness, is rarely used. When you wish to express *that* in German, use the definite article with or without **da.** Example: **Ich kenne den Mann (da) nicht.** *I don't know that man.*

[2] The singular is rarely used; **so ein** usually takes its place. Example: **So einen Reiseführer gibt es nicht.** *There isn't such a guidebook.*

128

Practice A

Translate:
1. Mit welchem Dampfer fahren Sie? 2. Sie finden das in mancher Sage. 3. Sie finden das in jedem modernen Hotel. 4. Geben Sie mir bitte das Buch da! 5. Manche Leute verstehen das nicht. 6. Geben Sie mir bitte auch so eine Karte! 7. Solche kleinen Dörfer haben wir in Amerika nicht. 8. Kennen Sie den Namen dieses Studenten? 9. Sehen Sie den Dampfer da am Horizont? 10. Das Restaurant kann ich Ihnen nicht empfehlen.

Practice B

Translate:
1. You find that in every guidebook. 2. Every century has its problem. 3. Don't you know that man? 4. Some of his answers are very good. 5. Which mountain range is that? 6. I don't know those people. 7. Such a trip is very interesting.

2. Ein-Words

ein, eine, ein	*a*	ihr, ihre, ihr	*her*
kein, keine, kein	*no, not any*	sein, seine, sein	*its*
mein, meine, mein	*my*	unser, unsere, unser	*our*
dein, deine, dein	*your*	euer, euere, euer	*your*
sein, seine, sein	*his*	ihr, ihre, ihr	*their*
		Ihr, Ihre, Ihr	*your*

Note: There are three forms for *your*: **dein, euer** (familiar forms), **Ihr** (conventional form).

THE FOUR CASES

SINGULAR

	MASCULINE			FEMININE		
NOM.	(ein)	kein	Student	(eine)	meine	Hand
GEN.	(eines)	keines	Studenten	(einer)	meiner	Hand
DAT.	(einem)	keinem	Studenten	(einer)	meiner	Hand
ACC.	(einen)	keinen	Studenten	(eine)	meine	Hand

NEUTER

NOM.	(ein)	unser	Haus
GEN.	(eines)	unseres	Hauses
DAT.	(einem)	unserem	Haus(e)
ACC.	(ein)	unser	Haus

	PLURAL: ALL GENDERS
NOM.	(keine) Ihre Freunde
GEN.	(keiner) Ihrer Freunde
DAT.	(keinen) Ihren Freunden
ACC.	(keine) Ihre Freunde

Practice C

Translate:

1. Dies ist für Ihre Schwester. 2. Geben Sie das bitte ihrer Schwester! 3. Haben Sie Ihren Reiseführer? 4. Einige unserer Professoren kommen auch. 5. Habt ihr das in euerem Hotel auch? 6. Zeig mir sein Bild! 7. Hast du deinen Volkswagen hier? 8. Ihre Freunde sind auch meine Freunde, Herr Baker. 9. Unsere Regierung tut nichts. 10. Der kleine Junge und das Mädchen sind ohne ihre Mutter hier.

Practice D

Translate:

1. Don't forget your mother, Hilde. 2. I have no time. 3. He has no friends. 4. Many of our professors eat here. 5. Do you know our house? 6. We are traveling in his Volkswagen. 7. Show me your new car.

II. GENDER OF NOUNS

The gender of English nouns can usually be determined by their meaning (*boy — he, girl — she, table — it*). German differs in one important respect: Objects can have either masculine, feminine, or neuter gender (**der Teller — er, die Tasse — sie, das Messer — es**). We cannot, therefore, give you rules by which you can determine the gender of all nouns. However, the gender of a large number of nouns can be determined by their meaning or ending.

1. Masculine gender have:

a. Male beings: **der Mann, der Bruder, der Hund.**

b. Nouns which denote an occupation, activity, profession, and the like, with which we normally associate a man: **der Fischer, der Ober, der Soldat, der Doktor, der Philosoph, der Demokrat.**

c. Names of seasons, months, and days: **der Sommer, der Januar, der Montag.**

2. Feminine gender have:

a. Female beings: **die Frau, die Schwester, die Kuh** (*cow*).

b. Nouns ending in **-in** (in most cases the female counterpart of masculine words mentioned under 1b, above): **die Fischerin, die Doktorin, die Philosophin.**

c. Most nouns ending in **-e: die Karte, die Reise.**

d. All nouns ending in **-ung, -heit, -keit, -schaft: die Richtung, die Menschheit, die Möglichkeit** (*possibility*), **die Landschaft.**

e. All nouns ending in **-ie, -ion, -tät: die Philosophie, die Nation, die Universität.**

3. Neuter gender have:

a. All nouns ending in **-chen** and **-lein: das Mädchen, das Fräulein, das Städtchen** (*small town*).

b. Infinitives when used as nouns: **das Essen** (*eating, food, meal*).

c. Names of continents, countries, and cities[1]: **das Amerika, das Europa, das Deutschland, das Berlin.** Exceptions[2]: **die Schweiz, die Türkei, die Tschechoslowakei.**

Practice E

Determine the gender of the following nouns by the gender rules you have learned. Explain your choices:
1. _____ Seite 2. _____ Vater 3. _____ Herr 4. _____ Nachbar
5. _____ Nachbarin 6. _____ Freund 7. _____ Freundin 8. _____
Passagier 9. _____ Sonntag 10. _____ Symphonie 11. _____
Rußland 12. _____ Sommer 13. _____ Städtchen 14. _____ Klasse
15. _____ Freiheit

Do the same with the following nouns, none of which have been used in this book before:
1. _____ Rose (*rose*) 2. _____ Löwe (*lion*) 3. _____ Kunde
(*customer*) 4. _____ Kundin (*lady customer*) 5. _____ Tanzen
(*dancing*) 6. _____ Tänzer (*dancer*) 7. _____ Tänzerin 8. _____

---

[1] Words belonging to this category do not normally use the article, unless they are modified: **in Europa, im alten Europa; in Berlin, im modernen Berlin.**
[2] Words in this category are used with the article: **in der Türkei.**

Fakultät (*faculty*)   **9.** _____ **Legion** (*legion*)   **10.** _____ **Afrika**
11. _____ **Herbst** (*autumn*) **12.** _____ **Samstag** (*Saturday*) **13.** _____
Hausfrau   **14.** _____ **Zauberer** (*sorcerer*)   **15.** _____ **Arbeiter**
(*worker*)   **16.** _____ **Geologie**   **17.** _____ **Prophet**   **18.** _____
Dunkelheit (*darkness*)   **19.** _____ **Tapferkeit** (*courage*)   **20.** _____
Übung (*practice*)

III. PLURAL OF NOUNS

To determine the plural of a given noun, you need to know the following rules of identification:

1. Most nouns of one syllable (monosyllabics), whether used by themselves or as the last part in a compound noun, add **-e.** Most masculines also umlaut the stem vowel; feminines always take the umlaut; neuters never. Examples: **der Baum, die Bäume; die Stadt, die Städte; das Stück, die Stücke; der Bleistift, die Bleistifte.**

2. Most nouns of more than one syllable (polysyllabics), form the plural as follows:

a. Masculines and neuters ending in **-er, -en, -el,** and neuters in **-chen, lein,** add no ending. Some masculines umlaut the stem vowel, neuters do not. Examples: **der Garten, die Gärten; das Ufer, die Ufer.**

Mutter   Tochter

b. Masculines and neuters ending in **-e** add **-n.** Example: **der Deutsche, die Deutschen; das Auge, die Augen.**

c. Masculines of non-German derivation with accent on the last syllable, and nouns ending in **-or,** add **-en.** Examples: **der Student, die Studenten; der Professor, die Professoren.**

d. All feminines of more than one syllable add **-(e)n.** Nouns ending in **-in** add **-nen.** Examples: **die Frage, die Fragen; die Schwester, die Schwestern; die Antwort, die Antworten; die Stellung, die Stellungen; die Amerikanerin, die Amerikanerinnen.**

Note: Polysyllabic masculine and neuter nouns not belonging to the above categories add **-e,** unless their last component is one of the exceptional nouns listed below.

Practice F

Give the plural of the following nouns and indicate why each noun has a particular plural ending:
1. der Baum 2. die Nacht 3. die Hauptstadt 4. das Werk 5. die Antwort 6. die Platte 7. die Landschaft 8. das Auge 9. der Dampfer 10. die Stellung 11. der Wagen 12. der Professor 13. der Komponist 14. die Insel 15. die Schwester 16. der Reiseführer 17. die Amerikanerin 18. das Problem 19. die Regierung 20. der Teller 21. der Löffel 22. das Märchen 23. der Student 24. die Studentin

Do the same with the following nouns, which have not yet been used in this book as active vocabulary:
1. die Mannschaft (*team*) 2. die Region (*region*) 3. die Ansprache (*speech*) 4. der Feiertag (*holiday*) 5. der Prophet 6. der Löwe (*lion*) 7. das Dreieck (*triangle*) 8. der Flugzeugmotor 9. der Vogel (*bird*) 10. der Handschuh (*glove*) 11. der Ofen (*stove*) 12. der Diener (*servant*) 13. der Spaziergang (*walk*) 14. der Wintermantel 15. die Gelegenheit (*opportunity*)

3. Exceptional Nouns

Monosyllabic masculines, feminines, and neuters forming the plural in **-en:**

der Herr, die Herren	*gentlemen*
der Mensch, die Menschen	*man, people*
die Frau, die Frauen	*woman*
*die Tür, die Türen	*door*
*die Uhr, die Uhren	*watch*
*die Zahl, die Zahlen	*number*
die Zeit, die Zeiten	*time*
*das Bett, die Betten	*bed*
*das Ohr, die Ohren	*ear*
*das Hemd, die Hemden	*shirt*
das Herz, die Herzen	*heart*

Monosyllabic masculines and neuters forming their plural in **⸗er:**

der Mann, die Männer	*man*
der Wald, die Wälder	*forest*
das Bild, die Bilder	*picture*
das Buch, die Bücher	*book*
das Dorf, die Dörfer	*village*
*das Ei, die Eier	*egg*
das Feld, die Felder	*field*
das Glas, die Gläser	*glass*
das Haus, die Häuser	*house*
das Kind, die Kinder	*child*
*das Kleid, die Kleider	*dress*
das Land, die Länder	*country*
das Licht, die Lichter	*light*
das Lied, die Lieder	*song*
das Schloß, die Schlösser	*castle*
das Volk, die Völker	*people*
das Wort, die Wörter	*word*

* Word occurs here for the first time.

Polysyllabics:

der Nachbar, die Nachbarn	*neighbor*
der Name, die Namen	*name*
die Mutter, die Mütter	*mother*
die Tochter, die Töchter	*daughter*
das Gebäude, die Gebäude	*building*
das Gebirge, die Gebirge	*mountain range*

Practice G

Give the plural of the following exceptional nouns:
1. die Frau 2. das Buch 3. der Herr 4. die Zeit 5. die Tochter
6. das Gebäude 7. der Nachbar 8. das Licht 9. das Lied 10. das
Gebirge

IV. DECLENSION OF NOUNS

	MASCULINE	FEMININE	NEUTER
	SINGULAR		
NOM.	der Bruder	die Stadt	das Land
GEN.	des Bruders	der Stadt	des Landes
DAT.	dem Bruder	der Stadt	dem Land(e)
ACC.	den Bruder	die Stadt	das Land
	PLURAL		
NOM.	die Brüder	die Städte	die Länder
GEN.	der Brüder	der Städte	der Länder
DAT.	den Brüdern	den Städten	den Ländern
ACC.	die Brüder	die Städte	die Länder

Note the two mandatory case endings:

1. In the genitive singular, masculine and neuter nouns add **-s** (**-es**
   when the noun consists of one syllable).
2. In the dative plural, all nouns end in **-n,** unless the nominative
   plural already ends in **-n** (**die Häfen, die Frauen**).

In the dative singular, masculine and neuter nouns sometimes end
in **-e.** This ending is not mandatory.

Special Group A

NOM.	der	Mensch	der	Junge
GEN.	des	Menschen	des	Jungen
DAT.	dem	Menschen	dem	Jungen
ACC.	den	Menschen	den	Jungen
NOM.	die	Menschen	die	Jungen
GEN.	der	Menschen	der	Jungen
DAT.	den	Menschen	den	Jungen
ACC.	die	Menschen	die	Jungen

The above examples illustrate the declensional pattern of a fairly large group of masculine nouns, namely, those whose plurals end in **-(e)n.** You must use the inflected form of such nouns in every case except in the nominative singular.

Observe that the word **Herr** has **-n** only in the inflected forms of the singular: **der Herr, des Herrn, dem Herrn, den Herrn;** but the plural is **die Herren,** etc.

Special Group B

The following common nouns add **-s** in the genitive singular and **-(e)n** in the plural:

NOM.	GEN.	PLURAL
der Bauer	des Bauers	die Bauern
der Nachbar	des Nachbars	die Nachbarn
das Auge	des Auges	die Augen
das Bett	des Bettes	die Betten
das Hemd	des Hemdes	die Hemden
das Ohr	des Ohres	die Ohren

To this group belong also all masculines ending in **-or: der Doktor, des Doktors, die Doktoren; der Professor, des Professors, die Professoren; der Motor, des Motors, die Motoren.**

Special Group C

The following three nouns are irregular in the singular:

der Gedanke, des Gedankens, dem Gedanken, den Gedanken; die Gedanken, etc.
der Name, des Namens, dem Namen, den Namen; die Namen, etc.
das Herz, des Herzens, dem Herz, das Herz; die Herzen, etc.

Special Group D

Many words of non-German origin (mostly English and French words) retain their original plural **-s.** In the singular, such words add **-s** in the genitive; in the plural, all forms end in **-s.** Examples: **das Auto, die Autos; das Café, die Cafés; das Hotel, die Hotels; das Restaurant, die Restaurants; das Reisebüro, die Reisebüros.**

Practice H

Translate:

1. The name of this gentleman is Baker. 2. The passengers of this Volkswagen are sitting at that table. 3. Do you know the name of this village? 4. This is the oldest tree in the forest. 5. I don't know the name of this city. 6. Who is the composer of this song? 7. This is for Mr. Maurer. 8. Give the gentlemen a menu. 9. Please give me the name of some hotels. 10. This is my neighbor's car.

V. ADJECTIVE DECLENSION

In Lesson 7, you studied the endings of adjectives preceded by a **der-** or **ein-**word. Here we will summarize and simplify the system of adjective inflection. Memorize the following patterns:

	MASCULINE		FEMININE
NOM.	der junge Mann	NOM. & ACC.	die junge Frau
	ein junger Mann		eine junge Frau

	NEUTER
NOM. & ACC.	das kleine Kind
	ein kleines Kind

In the remaining cases of the singular (acc. masc. and all genitives and datives) and in all cases of the plural, adjectives end in **-en** when preceded by a **der-** or **ein-**word.

Practice I

Fill in the proper adjective ending:

1. ein jung— Amerikaner. 2. ein jung— Mädchen 3. ein heiß— Sommer 4. ein klein— Dorf 5. kein berühmt— Gebäude 6. kein amerikanisch— Flugzeug 7. mein neu— Wagen. 8. mein neu— Schulbuch 9. ihr schön— Kleid 10. Ihr schön— Haus. 11. eine groß—

Familie   12. die groß— Familie   13. seine bekannt— Symphonie
14. welche bekannt— Symphonie? 15. das neu— Wort 16. ein neu—
Wort 17. der kalt— Wind 18. dieser neu— Wagen 19. in diesem
neu— Wagen 20. wegen des kalt— Windes 21. mit seiner groß—
Familie 22. aus einem klein— Dorf 23. mit meinen neu— Schul-
büchern 24. während der kalt— Nächte 25. für die amerikanisch—
Soldaten

VI. PRESENT TENSE OF IRREGULAR VERBS

a BECOMES ä   e BECOMES i(e)

schlafen (*to sleep*)   sprechen (*to speak*)   sehen (*to see*)

ich schlafe	ich spreche	ich sehe
du schläfst	du sprichst	du siehst
er, sie, es schläft	er, sie, es spricht	er, sie, es sieht
wir schlafen	wir sprechen	wir sehen
ihr schlaft	ihr sprecht	ihr seht
sie schlafen	sie sprechen	sie sehen
Sie schlafen	Sie sprechen	Sie sehen

Note: 1. When the stem ends in **s,** only **t** is added in the second
person singular (**verlassen: du verläßt; vergessen: du
vergißt).**

2. Observe the irregular forms: **halten: er hält; nehmen: du
nimmst, er nimmt.**

Practice J

Give the third person singular of:
fahren, schlagen, halten; (**e** becomes **i**) **essen, geben, vergessen,
nehmen;** (**e** becomes **ie**) **lesen, empfehlen.**

Give the singular familiar imperative of the verbs in parentheses:
1. (fahren) Bitte _____ mich zum Theater! **2.** (essen) _____ mehr!
3. (vergessen) _____ das nicht! **4.** (schlafen) _____ nicht in deiner
Deutschstunde! **5.** (sprechen) _____ lauter! **6.** (lesen) _____ es
noch einmal! **7.** (halten) Bitte _____ mein Buch! **8.** (geben) Bitte
_____ mir ein Glas Wasser!

VII. MODAL AUXILIARIES (For forms and meanings, see Lesson 12, pages 119-120)

Practice K

Translate:
1. Müssen Sie schon gehen? 2. Das will sie nicht. 3. Er will es morgen tun. 4. Du darfst ihn nicht immer unterbrechen. 5. Ich soll ihm ein gutes Restaurant empfehlen. 6. Sie mag ihn nicht. 7. Er soll sehr arm sein. 8. Kann ich hier einen Sweater kaufen? 9. Sie will diesen Winter nach Florida fahren. 10. Ich muß ihm eine Antwort geben.

VIII. COMPARATIVE AND SUPERLATIVE (See pages 121-123)

Practice L

Supply the comparative forms of the adjectives. (Remember the adjective ending when the adjective stands before a noun):
1. Amerika hat eine (jung) Kultur als Europa. 2. Die Elbe ist (tief) als die Weser. 3. Ich trinke Tee (gern) als Kaffee. 4. Russisch ist (schwer) als Deutsch. 5. Der Hamburger Hafen ist (klein) als der Hafen von New York. 6. Sie gibt mir immer das (groß) Stück. 7. Warum willst du ein (teuer) Auto kaufen?

Practice M

Supply the superlative forms of the adjectives in parentheses:
1. Der (hoch) Berg Deutschlands ist die Zugspitze. 2. Der Zauberberg ist das (bekannt) Werk Thomas Manns. 3. Der Rhein ist der (groß) Fluß Deutschlands. 4. Rothenburg ist die (berühmt) alte Stadt Deutschlands. 5. Süddeutschland ist vielleicht der (schön) Teil Deutschlands.

Practice N

Supply the superlative forms of the adverbs:
1. Wo können wir ein Auto (billig) kaufen? 2. Wo ist es in Deutschland im Sommer (warm) und im Winter (kalt)? 3. In diesem Hotel ißt man (gut). 4. Er weiß (viel). 5. Ich trinke Milch (gern). 6. Mir gefällt es am Rhein (gut).

IM FLUGZEUG NACH FRANKFURT

*Read for comprehension this passage, which is based on lessons 1-12,
and answer the questions in complete sentences:*

Hoch über dem Atlantischen Ozean blinken zwei Lichter in der
Nacht. Das ist ein Flugzeug der Lufthansa. Es fliegt nach Frankfurt
am Main. Der Pilot und der Copilot sitzen vor den Instrumenten.
  „Ist alles in Ordnung?" fragt der Copilot.
  „Ja", antwortet der Pilot, „wir landen pünktlich um sieben Uhr   5
zehn, wenn alles gut geht. Sieh mal!" Er zeigt mit dem Finger
auf ein Licht tief unten auf dem Meer. „Das ist die ‚United States'.
Sie ist noch zwölfhundert Meilen von Southampton entfernt."
  Die Stewardeß kommt und fragt: „Was wünschen die Herren,
Tee oder Kaffee?"   10
  „Tee für mich", sagt der Pilot, „und für den jungen Mann hier
eine Tasse Kaffee."
  „Und der junge Mann möchte (*would like*) einen starken
schwarzen Kaffee", sagt der Copilot. „Bevor Sie gehen! Sehen
Sie das Licht da unten? Das ist die ‚United States'."   15
  Die Stewardeß lächelt. „Es muß schön sein, da unten in einem
Bett in der Kabine zu schlafen. Am Morgen geht man zum
Frühstück (*breakfast*). Dann kommt der Tischsteward und fragt:
‚Was wünscht die Dame zum Frühstück, Tee oder Kaffee?' Später
setzt der Decksteward einen Deckstuhl in die Sonne und fragt: 20
‚Möchen Sie heute wieder Ping Pong spielen?' Dann kommt der
erste Offizier und sagt: ‚Schönes Wetter heute, nicht wahr? Der

---

1. Wie kann man Flugzeuge sehen, wenn es Nacht ist?
2. Wohin fliegt das Flugzeug?
3. Wann soll das Flugzeug in Frankfurt sein?
4. Wo sieht der Pilot ein Licht?
5. Wo ist die „United States" jetzt?
6. Wer will Kaffee haben und wer Tee?
7. Wie trinkt der Copilot seinen Kaffee?
8. Wer bringt den Passagieren eines Dampfers das Essen?
9. Für welchen Decksport interessiert sich die Stewardeß?

Kapitän gibt morgen einen Ball. Können Sie kommen?' So schön
kann das Leben sein.''

25   Die Piloten lächeln, und der Copilot sagt: ,,Mein Nachbar hier
ist der Kapitän dieses Schiffes. Vielleicht gibt er auch einen Ball.
Dann bin ich der erste Offizier und führe (*take*) Sie zum Tanz.''

Im blauen Licht der Kabine schlafen die Passagiere. Nur ein
alter Herr hat das kleine elektrische Licht an und liest eine deutsche
30   Zeitschrift (*magazine*).

,,Wünschen Sie etwas?'' fragt ihn die Stewardeß. ,,Ja'', sagt
der alte Herr, ,,ich möchte schlafen, aber ich kann nicht, wenn ich
nicht in meinem Bett liege.''

Tief unten fährt die ,,United States'' über den Atlantischen Ozean.
35   Zwei junge Leute stehen an der Reling. Das Meer ist ruhig (*calm*),
und das Mondlicht glitzert auf dem Wasser. Sie ist ein junges
Mädchen aus Brooklyn und er ein junger Mann aus New Jersey.
Sie will nach England fahren, dann eine Deutschlandreise machen
und auch ihre Großmutter in der deutschen Schweiz besuchen. Der
40   junge Mann reist für seine Firma nach London. Er sagt: ,,Bei dem
guten Wetter sind wir am Montag in Southampton. Es sind nur
noch zwölfhundert Meilen.''

,,Sehen Sie die Lichter da oben (*above*)?'' fragt das Mädchen,
,,das muß ein Flugzeug sein.''

45   ,,Ja'', sagt der junge Mann, ,,es fliegt nach Europa. Wenn wir
in Southampton landen, ist es schon wieder in New York. Mit dem
Flugzeug geht es schneller (*more quickly*). Man kann aber im
Flugzeug nicht an der Reling stehen und aufs Meer sehen.''

Die Sonne kommt über den Horizont, und in der Flugzeugkabine

---

10. Was gefällt der Stewardeß besonders?
11. Schlafen alle Passagiere?
12. Warum hat der alte Herr das Licht an?
13. Warum kann der alte Herr nicht schlafen?
14. Warum ist es eine schöne Nacht?
15. Warum will das Mädchen die deutsche Schweiz besuchen?
16. Warum fährt der junge Mann nach London?
17. In welchem Hafen landet die ,,United States''?
18. Wo ist das Flugzeug am Montag?

wird es hell (*light*). Charles, ein junger Amerikaner, wacht auf. 50
„Good morning", sagt der alte Herr neben ihm.

Charles sieht die deutsche Zeitschrift in der Hand seines Nachbars und sagt: „Guten Morgen! Sie können mit mir Deutsch sprechen. Ich lerne Deutsch im College, und meine Großmutter ist aus Deutschland." Er gibt dem Herrn die Hand. „Meine Name ist 55 Bauerman, Charles Bauerman, mit e i n e m N."

Der alte Herr lächelt: „Mit e i n e m N also!—Ich heiße Schröder, mit o-Umlaut. Das ist schön, Herr Bauerman, daß Sie Deutsch sprechen. Sie können auch gut schlafen."

„Ja", sagt Charles, „ich schlafe gut, aber nicht genug. Ich habe 60 Acht-Uhr-Klassen, jedes Semester habe ich Acht-Uhr-Klassen. Jetzt will ich aber nicht schlafen, es ist hell, und ich möchte Europa sehen. Wo sind wir jetzt, Herr Schröder?"

„Wir sind über der Nordsee, aber Sie können nichts sehen. Wir fliegen über den Wolken (*clouds*)." 65

Charles sieht aus dem Fenster. Sie fliegen über ein Meer von weißen Wolken. Das Flugzeug scheint in der Luft zu hängen. „Wie schnell fliegen wir jetzt?" fragt er.

„Ungefähr 600 Kilometer die Stunde, also 360 Meilen. Ist Ihnen das schnell genug, Herr Bauerman?" 70

„Nein, ich will Deutschland sehen, und da kann es mir nicht schnell genug gehen."

„Nun", antwortet Herr Schröder, „wir fliegen südlich von Koblenz und nördlich von Bingen über den Rhein. Wenn wir Glück haben, fliegen wir bald (*soon*) tiefer. Dann können wir den schönen 75 Fluß und seine Gebirge sehen. Wollen Sie ein Reise durch Deutschland machen, oder wollen Sie dort studieren?"

---

19. Warum wacht Charles auf?
20. Wie kann Charles wissen, daß der alte Herr Deutsch spricht?
21. Wer ist Charles älteste Deutschlehrerin?
22. Wie schreibt der alte Herr seinen Namen?
23. Warum kann Charles zu Hause in Amerika nicht genug schlafen?
24. Warum will Charles nicht mehr schlafen?
25. Welche zwei „Meere" liegen unter dem Flugzeug?
26. Wieviele Meilen sind 1200 Kilometer?
27. Was kann man zwischen Koblenz und Bingen vom Flugzeug aus sehen?

mean

„Ich möchte während des nächsten Jahres—ich meine natürlich das nächste akademische Jahr, mein ‚junior year',—in München
80   studieren. Natürlich möchte ich mehr von Deutschland sehen als nur München oder Bayern. Auch nach Wien möchte ich fahren und—"

Die Stewardeß kommt und fragt: „Was wünschen die Herren zum Frühstück: Eier, Toast mit Marmelade, Kaffee, Tee oder
85   Schokolade?"

Herr Schröder sagt: „Bringen Sie mir bitte nur eine Tasse Tee und etwas Toast."

„Und der junge Herr?" fragt die Stewardeß wieder.

„Dies ist meine erste Reise", sagt Charles, „und ich weiß nicht,
90   wie groß ein Frühstück in einem Flugzeug ist. Ich möchte gern ein richtiges Frühstück, ein ganzes Frühstück, und Kaffee, schwarzen, starken Kaffee!"

Herr Schröder lächelt. „Sie haben guten Appetit. Es ist gut, daß Sie nach München fahren. Dort ißt man viel und gut. Eine
95   Münchener Speisekarte liest man nicht, man studiert sie. Da finden Sie bayrische Spezialitäten, aber auch Fisch Holsteiner Art, französische Suppe, russische Eier, italienischen Salat und dann die Münchener Spezialität, das wunderbare—"

„Ist das nicht der Rhein?" ruft Charles plötzlich (*suddenly*).
100   Herr Schröder sieht aus dem Fenster und sagt: „Ja, das ist der Rhein, der schöne alte Rhein. Sie haben Glück. Wir haben keine Wolken mehr. Sehen Sie die römische Legion dort unten auf dem linken Ufer? Sie marschiert nach der Stadt Colonia Agrippina. Wie die Legionäre marschieren! Das ist römische Disziplin.—Und
105   nun sehen Sie keine Römer mehr. Die Reiter auf dem rechten und linken Ufer sind deutsche Ritter (*knights*). Ihre Panzer (*armor*)

---

28. Ist Charles ein „freshman"?
29. Welche Reisepläne hat Charles?
30. Hat der alte Herr guten Appetit?
31. Was trinken Charles und der Copilot gern?
32. Welche osteuropäische Spezialität kann man auf einer Münchener Speisekarte finden?
33. Warum unterbricht Charles Herrn Schröder?
34. Auf welchem Ufer des Rheins liegt Köln?

glitzern in der Sonne. Sie leben in den Burgen zu beiden Seiten des Rheins. Wohin reiten sie? nach Italien? nach Palästina?—Sehen Sie den kleinen Mann auf dem weißen Pferd (*horse*)? Das ist
110   Napoleon. Er reitet mit seinen französischen Grenadieren und seinen Kanonen nach Osten. Armes Europa, armes Deutschland! Kriegsjahre (*years of war*) kommen.—Und sehen Sie die Brücke dort? Amerikanische Panzer rollen über die Brücke, aber diese Panzer glitzern nicht in der Sonne. Soldaten marschieren hinter
115   den Tanks.—Sehen Sie den kleinen Dampfer dort unten? Amerikanische Touristen stehen an der Reling und photographieren die schönen Ufer des Rheins, seine Weinberge, seine alten Burgen und Städtchen.''

Beide schweigen. Dann sagt Charles: ,,Das waren zweitausend
120   Jahre Geschichte in einer Minute. Ich danke Ihnen.''

Das Flugzeug fliegt wieder durch Wolken, und von Zeit zu Zeit fällt es plötzlich, oder es bockt (*rears; bumps*) wie ein wildes Pferd. Charles fühlt, daß auch sein Frühstück fällt und macht die Augen zu. Nach einer Weile sagt Herr Schröder:
125   ,,Jetzt sind wir nicht mehr weit von Frankfurt. Bleiben (*stay*) Sie ein paar Tage in Frankfurt, oder fahren Sie heute noch nach München?''

,,Ich bleibe zwei Tage. Ich studiere deutsche Literatur und möchte natürlich das Goethehaus besuchen.''
130   ,,Fliegen Sie nach München, oder wollen Sie den Zug nehmen?''

,,Ich fahre im Auto. Ich habe einen amerikanischen Freund in Frankfurt. Er hat ein Auto und will mit mir nach München fahren.''

,,Das ist schön. Da fahren Sie durch den schönsten Teil Süd-
135   deutschlands. Haben Sie noch etwas Zeit in München, oder beginnt das Semester schon?''

---

35. Beschreiben Sie die Reiter!
36. Wie nennt man die Soldaten Napoleons?
37. Geben Sie zwei Übersetzungen des deutschen Wortes Panzer.
38. Was tun Touristen gerne?
39. Warum kann Charles nichts mehr sehen?
40. Wo steht Goethes Geburtshaus?
41. Wie reist Charles von Frankfurt nach München?

„Wir haben noch etwas Zeit. Wir wollen in die Alpen fahren und
nach Salzburg. Dort möchte ich ‚Die Zauberflöte' sehen."

„Vergessen Sie nicht, Mozarts Geburtshaus zu besuchen, wenn
Sie in Salzburg sind. Sie können dort vieles sehen: alte Musikin-
strumente und interessante Bilder der Familie Mozart, Theater-   140
programme und andere Dokumente aus dem 18. Jahrhundert. In
Salzburg ißt man auch sehr gut. Die österreichische Küche ist
weltberühmt. Sie müssen—"

Der Pilot unterbricht Herrn Schröder. Er sagt über den Lautsprecher: „In fünf Minuten landen wir. Bitte—"   145

Charles hört ihn nicht mehr. Das Flugzeug fliegt tief. Jetzt sieht
er Bäume, Häuser, kleine deutsche Autos und Leute auf den
Straßen, dann den Flughafen, und plötzlich fühlt er einen kleinen
Stoß (*jolt*). Das Flugzeug rollt eine Weile, die Motoren donnern
(*roar*), und dann fährt der Pilot das Flugzeug langsam vor das große   150
Gebäude am Ende des Flughafens. Die Stewardeß macht die
Kabinentür auf—Frankfurt am Main.

---

42. Wie heißt der Komponist der „Zauberflöte"?
43. Beschreiben Sie die Landung!

14

NÜTZLICHE' ZAHLEN

I. HEARING AND READING

TEXT

IN Deutschland, wie in Europa, gebraucht man das Dezimalsystem.
Anstatt[2] „inch," „yard" und „mile" gebraucht man Zentimeter, Meter und Kilometer. Man sagt also, dieser Mann ist 1,82 m
(ein Meter zweiundachtzig) groß anstatt sechs Fuß[3]. Der müde[4]
amerikanische Autoreisende[5] liest auf dem Kilometerstein[6]: 60 km   5
(sechzig Kilometer) bis München. Nun will er natürlich wissen, ob[7]
er bald[8] sein Bad nehmen und zu Abend essen[9] kann, wieviele[10]
Meilen er also noch fahren muß. Eine praktische Methode, so eine
Entfernung[11] auszurechnen[12], ist die folgende: Multiplizieren Sie
die Kilometerzahl mit sechs, und lassen Sie die letzte Stelle[13] weg![14]   10
Sechzig Kilometer sind also ungefähr[15] 36 Meilen.

Auch für Gewichte[16] gebraucht der Deutsche das Dezimalsystem.
Sie hören in einem deutschen Laden[17]: Geben Sie mir bitte ein
Kilo(gramm) Zucker[18], zweihundertfünfzig Gramm (250 gr) Leberwurst und hundertfünfundzwanzig Gramm Butter! Man kann aber   15
auch sagen: Wieviel kosten zwei Pfund[19] Zucker, ein halbes Pfund
Leberwurst und ein Viertel[20] Pfund Butter. Von einem Schwergewichtler[21] sagt man auf deutsch: Er wiegt[22] zweihundert Pfund,

1. **nützlich** useful. 2. instead of. 3. **der Fuß** foot. 4. tired. 5. **der Autoreisende** motorist. 6. **der Stein** stone. 7. if. 8. soon. 9. **der Abend** evening; **zu Abend essen** to eat
dinner. 10. **wievie'le** how many. 11. **die Entfernung** distance. 12. **aus-rechnen** to
calculate. 13. **die Stelle** place, position; *here* digit. 14. **weg-lassen** to drop, omit.
15. approximately. 16. **das Gewicht** weight. 17. **der Laden** store. 18. **der Zucker**
sugar. 19. **das Pfund** pound. 20. **das Viertel** quarter. 21. **der Schwergewichtler**
heavyweight boxer. 22. **wiegen** to weigh.

ABSENDER: Walter Kremer
Berlin
Danzigerstrasse 57
STRASSE, HAUSNUMMER

Postkarte

Berlin, den 1. Sept.

Lieber Alter![39]
Ich brauche Geld![40]   (   )

Dein Walter

Herrn

Oskar Kremer

Frankfurt am Main

Goethestrasse 29
STRASSE, HAUSNUMMER

ABSENDER: Oskar Kremer
Frankfurt am Main
Bahnhofstrasse 29
STRASSE, HAUSNUMMER

Postkarte

d. 4. 9.

Lieber Walter!

Ich auch !!!   (   )

Dein Alter

Herrn

Walter Kremer

Berlin

Danzigerstrasse 57
STRASSE, HAUSNUMMER

oder er wiegt 100 Kilogramm (kg). Das ist schwerer,[23] als es klingt[24]. Das amerikanische Pfund ist leichter als das deutsche Pfund: ein amerikanisches Pfund ist **454 gr** (vierhundertvierundfünfzig Gramm). Das deutsche Pfund ist so viel wie ein halbes Kilogramm, also fünfhundert Gramm. Man kann sich aber leicht ausrechnen, wieviel der Boxer in amerikanischen Pfund wiegt. Sie brauchen[25] nur zehn Prozent zu addieren. In Amerika wiegt der Mann also 220 Pfund. Wenn eine Frau 120 amerikanische Pfund wiegt, dann wiegt sie in Deutschland nur hundertacht Pfund. Sie müssen in diesem Fall[26] zehn Prozent abziehen[27].

In Deutschland gebraucht man mehr und mehr die Zahlen 13 bis 24 für die Nachmittagsstunden[28]. Im täglichen[29] Leben[30] sagt man allerdings[31] noch: ,,Kommen Sie heute nachmittag[32] um vier Uhr[33] ins Hotel!'' anstatt um sechzehn Uhr. ,,Nächsten Freitag arbeite[34] ich nur bis ein Uhr im Büro[35]'' anstatt dreizehn Uhr. Auf Fahrplänen[36], Theaterprogrammen und an Briefkästen[37] lesen Sie aber nur 14^{02} (vierzehn Uhr zwei), 20^{30} (zwanzig Uhr dreißig) usw[38]. Wissen Sie jetzt, was 14^{02} und 20^{30} bedeuten?

Nun müssen Sie noch lernen, wie man im Deutschen das Datum schreibt. Die Korrespondenz zwischen Vater und Sohn auf Seite 148 kann Ihnen das zeigen.

Oben[41] auf der Postkarte sehen Sie den Namen des Absenders. Dann kommt das Datum. Das müssen Sie so lesen: den ersten September; den vierten neunten, oder den vierten September.[42]

Wir schreiben die Hausnummer vor den Namen der Straße. In Deutschland steht die Hausnummer auf einem Brief oder einer Postkarte immer hinter dem Straßennamen. Dann gibt es noch einen Unterschied. In Deutschland schreibt man den Namen der Stadt nicht unter, sondern über den Straßennamen und die Hausnummer.

Auf der Briefmarke sehen Sie das Bild des ersten Präsidenten der Bundesrepublik Deutschland, Theodor Heuss.

---

23. **schwer** heavy. 24. **klingen** to sound. 25. **brauchen** to need. 26. **der Fall** case. 27. **ab-ziehen** to subtract. 28. **der Nachmittag** afternoon. 29. **täglich** daily. 30. **das Leben** life. 31. to be sure. 32. **heute nachmittag** this afternoon. 33. o'clock. 34. **arbeiten** to work. 35. **das Büro** office. 36. **der Fahrplan** timetable. 37. **der Brief** letter; **der Briefkasten** mailbox. 38. **und so weiter** and so on. 39. **Lieber Alter!** Dear old man! Dear Father! 40. **das Geld** money. 41. on top, above. 42. (*Note that Germans put the day before the month.*)

II. STRUCTURE AND FUNCTION

1. Numbers

null
0

eins	elf		einundzwanzig	der erste	
1	11		21	the 1st	
zwei	zwölf	zwanzig	zweiundzwanzig	der zweite	der zwanzigste
2	12	20	22	the 2nd	the 20th
drei	dreizehn	dreißig	dreiunddreißig	der dritte	der dreißigste
3	13	30	33	the 3rd	the 30th
vier	vierzehn	vierzig	vierundvierzig	der vierte	der vierzigste
4	14	40	44	the 4th	the 40th
fünf	fünfzehn	fünfzig	fünfundfünfzig	der fünfte	der fünfzigste
5	15	50	55	the 5th	the 50th
sechs	sechzehn	sechzig	sechsundsechzig	der sechste	der sechzigste
6	16	60	66	the 6th	the 60th
sieben	siebzehn	siebzig	siebenundsiebzig	der siebte	der siebzigste
7	17	70	77	the 7th	the 70th
acht	achtzehn	achtzig	achtundachtzig	der achte	der achtzigste
8	18	80	88	the 8th	the 80th
neun	neunzehn	neunzig	neunundneunzig	der neunte	der neunzigste
9	19	90	99	the 9th	the 90th
zehn					
10					

100	hundert
105	hundertfünf
287	zweihundertsiebenundachtzig
1000	tausend
1939	eintausendneunhundertneununddreißig

as a date read: **neunzehnhundertneununddreißig**
(Do not omit **hundert** as you may do in English.)

der, die, das erste	*the first*
der, die, das zweite	*the second*
der, die, das dritte	*the third*
der, die, das vierte	*the fourth*

Note: Add **-te** to the cardinal numbers 4 to 19 to form ordinals; add **-ste** from 20 on: **der neunzehnte, der zwanzigste, der einunddreißigste.**

2. Expressing Dates

Ordinal numbers are adjectives; they take the same endings as the preceded adjectives:

Der wievielte ist heute? (*What is today's date?*)
Heute ist der fünfte November. or **Heute haben wir den fünften November.**
Wann haben Sie Geburtstag? (*When is your birthday?*)
Am einundzwanzigsten August.

3. Names of Days

(der) **Sonntag**	**Donnerstag**
Montag	**Freitag**
Dienstag	**Sonnabend (Samstag)**
Mittwoch	

4. Names of Months

(der) **Januar**	**Juli**
Februar	**August'**
März	**Septem'ber**
April'	**Okto'ber**
Mai	**Novem'ber**
Juni	**Dezem'ber**

5. Telling Time

Wie spät ist es? or **Wieviel Uhr ist es?**   *What time is it?*
1:00 **es ist eins** or **es ist ein Uhr**
9:00 **es ist neun (Uhr)**
9:15 **es ist Viertel nach neun** or **es ist (ein) Viertel zehn** (that is, a quarter of the tenth hour has passed)
9:30 **es ist halb zehn** (that is, half of the tenth hour has passed)
9:45 **es ist Viertel vor zehn** or **es ist dreiviertel zehn**

9:05 **es ist fünf (Minuten) nach neun**
9:25 **es ist fünf (Minuten) vor halb zehn**
9:35 **es ist fünf (Minuten) nach halb zehn**
9:50 **es ist zehn (Minuten) vor zehn**

6. Expressions of Time

a. The genitive is used to denote indefinite time:

eines Tages   *one day*

b. The accusative is used to express duration and definite time:

jed__en__ Tag	every day	d__en__ ganz__en__ Tag	all day
jed__e__ Woche	every week	d__ie__ ganz__e__ Woche	all week
jed__es__ Jahr	every year	d__as__ ganz__e__ Jahr	the whole year

nächst__en__ Montag	next Monday
nächst__e__ Woche	next week
nächst__es__ Jahr	next year

c. Prepositions which take either the dative or the accusative are used with the dative in expressions of time.

am Sonntag[1]	on Sunday	in zwei Tagen	in two days
am Morgen[1]	in the morning	vor drei Jahren	three years ago
im Frühling[1]	in spring		

7. Word Order

Observe: **Kommen Sie um vier Uhr ins Hotel!**
Come to the hotel at four o'clock.

Contrary to English, an expression of time precedes one of place in German.

III. CONVERSATION AND WRITING

A. *ACTIVE VOCABULARY*

1. New Words

GROUP I			GROUP II		
der **Brief,** -e		*letter*	der **Absender,** -		*sender*
der **Fahrplan,** ⸗e		*timetable*	der **Briefkasten,** ⸗		*mailbox*
der **Fall,** ⸗e		*case*	der **Laden,** ⸗		*store*
der **Fuß,** ⸗e		*foot*	das **Leben,** -		*life*
der **Geburtstag,** -e		*birthday*	das **Viertel,** -		*quarter*
der **Nachmittag,** -e		*afternoon*	das **Zentimeter,** -		*centimeter*
der **Sohn,** ⸗e		*son*	die **Adres'se,** -n		*address*
das **Gewicht,** -e		*weight*	die **Meile,** -n		*mile*
			die **Metho'de,** -n		*method*
Exceptional			die **Minu'te,** -n		*minute*
das **Bad,** ⸗er		*bath*	die **Postkarte,** -n		*post card*

[1] Note that German, contrary to English, uses the definite article with names of days, parts of days, months, and seasons.

die **Straße, -n** *street*
die **Woche, -n** *week*
die **Entfernung, -en** *distance*
die **Hausnummer, -n** *street number*

UNCLASSIFIED

das **Büro', -s** *office*
die **Butter** *butter*
das **Geld** *money*
das **Kilogramm** *kilogram*
das **Pfund** *pound*
der **Zucker** *sugar*

der **Frühling, -e** *spring*
das **Prozent', -e** *percent*
das **Datum, Daten** *date*

leicht *light; easy*
müde *tired*
praktisch *practical*
schwer *heavy; difficult*
täglich *daily*

ab-ziehen *to subtract*
addie'ren *to add*

arbeiten *to work*
aus-rechnen *to calculate*
brauchen *to need*
folgen *to follow*
kosten *to cost*
lernen *to learn*
multiplizie'ren *to multiply*
wiegen *to weigh*

allerdings' *to be sure*
anstatt *instead of*
bald *soon*
halb *half*
ob *if, whether*
oben *on top, above*
ungefähr *approximately*

usw. (und so weiter) *and so on*
wieviel' *how much*
wievie'le *how many*

IDIOMS

heute nachmittag *this afternoon*
zu Abend essen *to eat dinner*

2. Review

das Gesicht (3) *own* (1)
gebrauchen (8) *piece* (2)
also (6) *face* (3)
das Stück (2) *to visit* (4)
eigen (1) *hot* (5)
heiß (5) *therefore* (6)
helfen (10) *another* (7)
besuchen (4) *to use* (8)
noch ein (7) *especially* (9)
besonders (9) *to help* (10)

wieder (6) *for, because* (1)
vielleicht (10) *to stop* (2)
arm (8) *entirely* (3)
denn (1) *to recommend* (4)
aufhören (2) *short* (5)
sonst (9) *again* (6)
ganz (3) *dangerous* (7)
gefährlich (7) *poor* (8)
empfehlen (4) *otherwise* (9)
kurz (5) *perhaps* (10)

B. *PRACTICE IN STRUCTURE AND FUNCTION*

1. *Read aloud:*

1. **Die höchsten Berge Europas sind: in Italien der Montblanc, 4810 m; in der Schweiz das Matterhorn, 4505 m; in Deutschland die**

Zugspitze, 2963 m; in Griechenland (*Greece*) der Olymp, 2911 m.
2. Der größte See in Europa ist der Ladogasee in der Sowjetunion,
18 180 Quadratkilometer (qkm). 3. Der größte See Deutschlands
ist der Bodensee, 539 qkm. 4. Der größte See in den Vereinigten
Staaten (*United States*) ist der Michigansee, rund 60 000 qkm.
5. Der Rhein ist 1320 km lang. 6. Der Mississippi-Missouri, einer
der längsten Flüsse der Welt, ist 6051 km lang. 7. Die Bundesrepublik
Deutschland ist 248 000 qkm groß, hat 52 158 000 Einwohner (*inhabi-
tants*), und auf jeden Quadratkilometer der Bundesrepublik kommen
210 Einwohner. Diese Zahlen sind für das Jahr 1958. 8. Die UdSSR
ist 22 400 000 qkm groß, hat 209 000 000 Einwohner, und auf jeden
qkm kommen 9 Einwohner. Diese Zahlen sind für das Jahr 1959.
9. Die Vereinigten Staaten sind 9 335 000 qkm groß und haben
180 000 000 Einwohner, und auf jeden qkm kommen 20 Einwohner.
Diese Zahlen sind für das Jahr 1960.

2. *You pay for the following items with a 5-Mark note. How much
change do you get back in each case? The mark has 100 Pfennig.
(Note that the decimal is set off by a comma in German, not by a
period.)*

1. **2 DM (zwei Deutsche Mark)**   5. **87 Pfennig**
2. **2,30 DM (zwei Mark dreißig)**   6. **1,45 DM**
3. **4,10 DM**   7. **4,93 DM**
4. **15 Pfennig**

3. *Give the following clock times in German according to the 24-hour
system:*
1. 5 P.M.   2. 7 P.M.   3. 7:30 P.M.   4. 12 midnight.   5. 3:20 P.M.

4. *Read the following clock times according to the 12-hour system:*
1. 16^{25} 2. 20^{30} 3. 13^{00} 4. 14^{03} 5. 24^{00}

5. *Read the following dates in German. (Example:* **21. 3. 1908**—am
einundzwanzigsten März neunzehnhundertacht):
1. 7. 1915   30. 1. 1904   28. 8. 1749   7. 12. 1938   2. 2. 1959

6. *Read in German the years when the following universities were
founded:*
**Heidelberg (im Jahre) 1386; Leipzig 1409; Freiburg 1457; Berlin
1809 (seit 1948 Freie Universität West-Berlin); Bonn 1818; München
1826; Hamburg 1919.**

7. *Answer the following questions in German:*
1. Wieviel Uhr ist es? 2. Wann haben Sie Geburtstag? 3. Der wievielte ist heute? 4. Welcher Wochentag ist heute? 5. Wann beginnen die Ferien? 6. Wann ist Washingtons Geburtstag? 7. In welchem Jahrhundert leben wir?

8. *Translate:*
1. He works all day. 2. He sleeps all afternoon. 3. He works in his office every Saturday. 4. He is in his office now. 5. He goes to his office at 8 o'clock. 6. We go to Florida every year.

9. *Review exercise: give the plurals of the following nouns (pages 96-100):*
1. das Kleid 2. der Garten 3. das Ohr 4. das Hemd 5. die Zahl 6. das Lied 7. der Fuß 8. der Sohn 9. das Haus 10. der Baum 11. der Nachbar 12. die Studentin 13. die Woche 14. der Wald 15. die Tür 16. das Bett 17. das Gedicht 18. die Stunde 19. der Wagen 20. das Auge

C. PRACTICE IN CONVERSATION

„Ist das Ihr Gepäck?"	"Is this your baggage?"
„Dieser Handkoffer hier."	"This suitcase here."
„Haben Sie nur einen?"	"Do you have only one?"
„Mehr habe ich nicht."	"That's all I have."
„Bitte öffnen Sie ihn!"	"Please open it."
„Gerne."	"Gladly."
„Haben Sie Branntwein, Nylonstrümpfe, Parfüm . . . "	"Do you have liquor, nylons, perfume . . . "
„Nein, nein. Ich bin Student. Solche Sachen habe ich nicht."	"No, no. I'm a student. I don't have such things."
„Zigaretten?"	"Cigarettes?"
„Nur drei Päckchen. Muß ich die verzollen?"	"Only three packs. Do I have to pay duty on those?"
„Nein, das ist schon gut. Sie können Ihren Koffer schließen."	"No, that's all right. You may close your bag."
„Kann ich gehen?"	"May I leave?"
„Ja, bitte. Alles ist in Ordnung."	"Please do. Everything is all right."

D. PRACTICE IN WRITING

Schreiben Sie eine Postkarte an Ihren Freund! Erklären Sie ihm, mit einigen Beispielen, wie Sie Kilometer in Meilen umrechnen; wieviel deutsche Pfund Sie wiegen; wo man das 24-Stundensystem gebraucht!

15

ANDERE LÄNDER, ANDERE SITTEN[1]

I. HEARING AND READING

TEXT

EIN junger Amerikaner—er heißt Larry— steht in seinem Hotelzimmer[2] in einer deutschen Stadt und will sich waschen und rasieren.[3] Er sieht die Handtücher[4] mit dem Namen des Hotels darauf[5], aber keine Seife.[6] Larry macht ein langes Gesicht, aber dann sagt er sich[7]: „Ärgere dich[8] nicht darüber.[9] Hier erwartet[10] 5 man, daß der Gast seine eigene Seife gebraucht. Andere Länder, *uses* andere Sitten. Ich muß mir erst Seife kaufen und mich dann später[11] waschen. Er geht also zur nächsten[12] Drogerie[13] und kauft sich ein Stück Seife.

Es ist ein heißer Sommernachmittag, und er will etwas Kühles 10 trinken. Er fragt den Drogisten: „Entschuldigung[14], kann ich hier ein Glas Eistee bekommen[15]?"

Der Drogist antwortet lächelnd[16]: „In Deutschland verkaufen[17] die Drogerien nur Aspirintabletten, Rasierseife, Zahnbürsten[18] und dergleichen.[19] Eistee bekommt man in einer Konditorei.[20]" 15

„Eine Konditorei?" fragt Larry, „das ist ein neues Wort für mich."

---

1. **die Sitte** custom. 2. **das Zimmer** room. 3. **sich rasie′ren** to shave. 4. **das Handtuch** towel. 5. on them. 6. **die Seife** soap. 7. to himself. 8. **sich ärgern** to be angry. 9. about it. 10. **erwarten** to expect. 11. **spät** late. 12. **nächst-** next, nearest. 13. **die Drogerie′** drugstore. 14. **die Entschuldigung** excuse; **Entschuldigung!** Excuse me! 15. **bekommen** to get. 16. smiling. 17. **verkaufen** to sell. 18. **die Zahnbürste** toothbrush. 19. the like. 20. **die Konditorei′** confectioner's shop, café.

„Warum gehen Sie nicht in eine Konditorei?" sagt der Drogist,
„dann ist Konditorei nicht nur ein Wort für Sie, sondern auch ein
20   Erlebnis.[21] Kommen Sie, ich helfe Ihnen." Er geht mit Larry an
die offene Ladentür. „Das Haus da mit dem großen Schaufenster[22]
und dem flackernden[23] Neonlicht darüber, das ist eine Konditorei.
Guten Appetit![24] Aber essen Sie nicht zuviel!"

Larry geht in die Konditorei, und jetzt versteht er, warum er
25   nicht zuviel essen soll. Da sieht er die schönsten Kuchen[25] und
Torten[26]. Er sieht kleine runde Tische; auf einigen liegen
Zeitungen[27] oder illustrierte Zeitschriften.[28] Ein Klavierspieler[29]
spielt einen Wiener Walzer. Alles scheint[30] zu sagen: Setz dich[31],
iß und trink, mach dir keine Sorgen[32] und bleibe[33] eine Weile hier!

30   Larry hat aber wenig[34] Zeit, denn er will ein Museum besuchen,
und das Museum ist nur bis vier Uhr geöffnet[35]. Er fragt sich: Soll
ich mich wirklich[36] beeilen[37]? Aber dann denkt er sich: Ich bin
hier viertausend Meilen von meiner Heimat[38] Chicago, um[39]
andere Sitten kennenzulernen.[40] Er setzt sich an einen Tisch am
35   Fenster[41] und bestellt sich einen Eistee, eine Portion Schokoladeneis und ein Stück Torte mit Schlagsahne[42]. Auch liest er die
Frankfurter Illustrierte und interessiert sich besonders für die
Bilder darin.[43]

Eine Stunde später ist er wieder in seinem Hotelzimmer. Er
40   wäscht sich und denkt sich: Die Konditorei—ja, das Wort ist
weiblich.[44] Ich kann es deklinieren: die Konditorei, der Konditorei,
der Konditorei, die Konditorei, usw. Aber wichtiger[45] ist, die Konditorei war ein Erlebnis für mich.

II. STRUCTURE AND FUNCTION

1. Reflexive Pronouns

Observe: **Er fragt ihn.**   *He is asking him.*
Er fragt sich.   *He is asking himself.*

21. **das Erlebnis** experience. 22. **das Schaufenster** show window. 23. **flackernd**
flickering. 24. Good appetite! *that is,* I hope you will enjoy the food. 25. **der Kuchen**
cake. 26. **die Torte** (*fancy*) cake. 27. **die Zeitung** newspaper. 28. **die Zeitschrift**
magazine. 29. **das Klavier'** piano; **der Klavier'spieler** pianist. 30. **scheinen** to seem.
31. **sich setzen** to sit down. 32. **die Sorge** worry; **mach dir keine Sorgen** don't worry.
33. **bleiben** to stay, remain. 34. not much. 35. **öffnen** to open; **geöffnet** open.
36. really. 37. **sich beeilen** to hurry. 38. **die Heimat** home, hometown. 39. **um . . . zu**
in order to. 40. **kennen-lernen** to get to know. 41. **das Fenster** window. 42. **die**
Schlagsahne whipped cream. 43. **darin'** in it. 44. feminine. 45. **wichtig** important.

In both examples, the verb is used with a direct object, but, while the action in the first sentence is directed toward another person (*him*), the action in the second sentence refers back to the subject. English expresses this situation by using distinct pronouns, such as *myself, yourself, himself,* and so on, called reflexive pronouns. In German, the reflexive pronouns are identical with the personal pronouns (**mich, dich,** etc.) except in the third person singular and plural, where the distinct form **sich** is used.

ich frage <u>mich</u>	*I ask myself*
du fragst <u>dich</u>	*you ask yourself*
er, sie fragt <u>sich</u>	*he asks himself, she asks herself*
wir fragen <u>uns</u>	*we ask ourselves*
ihr fragt <u>euch</u>	*you ask yourself*
sie fragen <u>sich</u>	*they ask themselves*
Sie fragen <u>sich</u>	*you ask yourself (yourselves)*

The reflexive pronoun may also be used as the indirect object:

Er kauft sich ein Stück Seife.   *He buys (for) himself a piece of soap.*

Here are the dative forms of the reflexive pronoun:

Ich kaufe <u>mir</u> ein Stück Seife.	*I buy myself a piece of soap.*
Du kaufst <u>dir</u> ein Stück Seife.	*You buy yourself etc.*
Er (sie) kauft <u>sich</u> ein Stück Seife.	*He (she) buys himself (herself) etc.*
Wir kaufen <u>uns</u> ein Stück Seife.	*We buy ourselves etc.*
Ihr kauft <u>euch</u> ein Stück Seife.	*You buy yourselves etc.*
Sie kaufen <u>sich</u> ein Stück Seife.	*They buy themselves etc.*
Sie kaufen <u>sich</u> ein Stück Seife.	*You buy yourself (yourselves) etc.*

2. Reflexive Verbs

There are a number of German verbs which are always used with a reflexive pronoun, for example: **er beeilt sich** (*he hurries*)*;* **er setzt sich** (*he sits down*)*;* **er interessiert sich** (*he is interested*). Such reflexive verbs are identified in our vocabulary by **sich** in front of the infinitive: **sich ärgern** (*to be angry*).

3. Da-Compounds

> *Observe:* **ein Schaufenster mit dem Neonlicht darüber**
> *a show window with the neon light (there above) above it*

A personal pronoun is frequently used with a preposition: **mit ihm** (*with him*), **für sie** (*for her*), **nach ihnen** (*after them*). In these examples, the pronoun refers to one or more persons. But when it refers to one or more objects or ideas, German replaces the pronoun by **da-** (**dar-** before a vowel) and combines it with the preposition: **damit** (*with it, with them*), **dafür** (*for it, for them*).

> **Ich sehe das Neonlicht über dem Schaufenster.**
> **Ich sehe das Neonlicht darüber** (*above it*).
> **Geben Sie mir diese drei!**
> **Ich gebe Ihnen drei Mark dafür** (*for them*).
> **Er ist sehr arm, aber wir sprechen nie davon.**
> *He is very poor, but we never* (*speak thereof*) *mention that.*

4. Present Participle

The present participle is formed by adding **-d** to the infinitive: **flackernd, lächelnd.** It may be used as an adjective or as an adverb:

> **Ich sehe das Schaufenster und das flackernde Neonlicht.**
> *I see the show window and the flickering neon light.*
> **Der Drogist sagt lächelnd . . .**
> *The druggist says smiling . . .*

III. CONVERSATION AND WRITING

A. *ACTIVE VOCABULARY*

1. New Words

GROUP I

der **Gast,** ⸗e	*guest*
das **Eis**	*ice; ice cream*
das **Schokola′deneis**	*chocolate ice cream*

Exceptional

die **Zeitschrift, -en**	*magazine*
das **Handtuch,** ⸗er	*towel*

GROUP II

das **Fenster, -**	*window*
das **Schaufenster, -**	*show window*
das **Zimmer, -**	*room*
der **Kuchen, -**	*cake*
der **Drogist′, -en**	*druggist*

die **Drogerie′, -n**	*drugstore*
die **Konditorei′, -en**	*confectioner's shop, café*
die **Portion′, -en**	*portion, order*
die **Schlagsahne**	*whipped cream*
die **Seife**	*soap*
die **Sitte, -n**	*custom*
die **Zahnbürste, -n**	*toothbrush*
die **Zeitung, -en**	*newspaper*

UNCLASSIFIED

das **Klavier′, -e**	*piano*
das **Muse′um, die Muse′en**	*museum*

flackernd	*flickering*
illustriert'	*illustrated*
lächelnd	*smiling*
offen	*open*
rund	*round; approximately*
spät	*late*
wichtig	*important*
sich ärgern	*to be angry*
sich beeilen	*to hurry*
bekommen	*to get, receive*
bleiben	*to stay, remain*
erwarten	*to expect*
kennen-lernen	*to get to know*

sich rasie'ren	*to shave*
scheinen	*to seem*
sich setzen	*to sit down*
verkaufen	*to sell*
sich waschen	*to wash*
dergleichen	*the like*
um . . . zu	*in order to*
wenig	*not much*
wirklich	*really*

IDIOMS
Entschuldigung! *Excuse me!*
Guten Appetit'! *I hope you'll enjoy the food!*

2. Review

erzählen (5)	*to live* (1)
lieben (9)	*century* (2)
leben (1)	*part* (3)
berühmt (8)	*to need* (4)
das Jahrhundert (2)	*to tell* (5)
die Sage (10)	*perhaps* (6)
vielleicht (6)	*to use* (7)
der Teil (3)	*famous* (8)
brauchen (4)	*to love* (9)
gebrauchen (7)	*legend* (10)

gegen (10)	*to describe* (1)
werden (6)	*then* (2)
beschreiben (1)	*once* (3)
denn (9)	*to visit* (4)
dann (2)	*to work* (5)
einmal (3)	*to become, get* (6)
suchen (8)	*unfortunately* (7)
besuchen (4)	*to look for* (8)
arbeiten (5)	*for, because* (9)
leider (7)	*against* (10)

B. PRACTICE IN STRUCTURE AND FUNCTION

1. *Tell (a) Max and (b) Mr. Schneider to do the following (Example:* to hurry up: (a) **Beeile dich, Max!** (b) **Beeilen Sie sich, Herr Schneider!**): 1. to sit down 2. not to be angry 3. to buy a new car 4. to order himself a plate (of) soup 5. to shave 6. to wash

2. *Fill in the proper reflexive pronoun:* 1. **Jeder hilft _____, wie er kann.** 2. **Können Sie _____ nicht beeilen?** 3. **Ich muß _____ eine neue Zahnbürste kaufen.** 4. **Sie ärgert _____ oft über ihn.** 5. **Sie scheinen _____ nicht für meine Arbeit zu interessieren.** 6. **Der Mensch muß _____ zu helfen wissen.** 7. **Ich bestelle _____ eine Tasse Tee.** 8. **Sie fragt _____ oft, wie**

sie anderen Menschen helfen kann. 9. Du kannst _____ leicht ausrechnen, wieviele Meilen das sind. 10. Du weißt, wenn du _____ ärgerst, vergißt du _____ leicht.

3. *Fill in the da-compound:*
1. Hier ist ein wichtiges Dokument. Schreiben Sie ihren Namen _____ (unter). 2. Dort ist das Hotel. Die Konditorei ist _____ (neben). 3. Interessieren Sie sich nicht _____ (für)? 4. Hier ist ein Messer. Können Sie es _____ (mit) öffnen? 5. Sehen Sie den Laden dort? Wir wohnen direkt _____ (über). 6. Gib mir die Postkarten! Ich schreibe die Adressen _____ (auf). 7. _____ (über) ärgere ich mich nicht. 8. Geben Sie mir bitte Schokoladeneis mit ein wenig Schlagsahne _____ (auf)! 9. Zehn Mark? _____ (für) verkaufe ich so ein Bild nicht. 10. Der kleine See ist schön, es sind aber fast keine Fische _____ (in).

4. *Form the present participles of the verbs in parentheses and add the proper adjective endings:*
1. Sie legt das (schlafen) Kind ins Bett. 2. Der (fliegen) Holländer ist der Titel einer Oper Wagners. 3. Ich kann in einem (fahren) Zug nicht lesen. 4. Ein (denken) Mensch sagt das nicht. 5. Er sucht das (fehlen) Geld. 6. So ein Buch interessiert das (lesen) Publikum. 7. Beantworten Sie die (folgen) Fragen! 8. Dieses Bild zeigt (marschieren) Legionen auf dem linken Rheinufer? 9. Ich sehe noch sein (lächeln) Gesicht. 10. Das ist unsere Arbeit fürs (kommen) Jahr.

5. *Translate:*
1. Where is my newspaper?—You are sitting on it. 2. Here is a magazine; the pictures in it are very good. 3. Aren't you interested in it? 4. I have five marks. What can I buy with them? 5. Can't you write with it? 6. What can you give me for it? 7. Don't you want to sell your car? I'll give you 2,000 marks for it. 8. She is not interested in him, and he is not interested in her. 9. Hurry! 10. Order something for yourself! 11. He doesn't shave often enough. 12. Please sit down. 13. Don't be angry. 14. He always takes the biggest piece for himself. 15. She buys nothing for herself.

6. *Review exercise: add the proper endings to the adjectives (pages 110-111, 136):*
1. Erzählen Sie mir eine (ander) Geschichte. 2. Sie liebt ihr (klein) Häuschen. 3. Wir leben in einer (schwer) Zeit. 4. In Hamburg und

München studieren viele (jung) Amerikaner. 5. Unser (amerikanisch) Freund kann Deutsch. 6. Nicht alle (amerikanisch) Touristen können so gut Deutsch wie er. 7. Ein (groß) Teil des (alt) Deutschlands ist unter (russisch) Kontrolle. 8. Wir müssen einen (neu) Motor für unseren (alt) Wagen kaufen. 9. Sie finden hier einige (deutsch) (illustriert) Zeitschriften. 10. Nicht alle (jung) Leute lieben diese Musik.

C. PRACTICE IN CONVERSATION

„Guten Tag. Womit kann ich dienen?"

"Good afternoon. May I help you?"

„Ich möchte ein Stück Seife."

"I would like to have a bar of soap."

„Eine besondere Marke?"

"Any special brand?"

„Nein, geben Sie mir nur ein Stück gute Seife!"

"No, just give me a bar of good soap."

„Bitte schön. Sonst noch was?"

"Here you are. Anything else?"

„Ich brauche etwas Schreibpapier."

"I need some writing paper."

„Tut mir leid, das führen wir nicht."

"Sorry, we don't carry that."

„Wo kann ich es bekommen?"

"Where can I get it?"

„Nebenan ist die Buchhandlung. Ist das alles dann?"

"Nextdoor in the bookstore. Is this all then?"

„Ja. Wieviel schulde ich Ihnen?"

"Yes. How much do I owe you?"

„75 Pfennig."

"75 pfennigs."

„O, ja! Können Sie mir eine gute Konditorei empfehlen?"

"Oh, yes. Can you recommend a good café?"

„Ja. Konditorei Maier. Sie ist nicht weit von hier. Gehen Sie bis an die nächste Ecke! Dann sehen Sie schon das Neonlicht."

"Yes. Café Maier. It isn't far from here. Go to the next corner. Then you'll see the neon light."

D. PRACTICE IN WRITING

Beschreiben Sie ein kurzes Gespräch mit einem Drogisten! Sie kaufen sich eine Zahnbürste; fragen Sie, wieviel sie kostet, bezahlen Sie; fragen Sie, wo Sie eine Tasse Kaffee und ein Stück Torte bekommen können. Der Drogist zeigt Ihnen eine Konditorei, usw.

16

ZWEI DEUTSCHE KULTURZENTREN

I. HEARING AND READING

TEXT

WIR versprachen[1] Ihnen in einer der vorigen[2] Aufgaben, Ihnen
mehr von der Wartburg zu erzählen. Schön, wir halten unser *very well*
Versprechen.[3]

Heute liegt die Wartburg an der Westgrenze der Ostzone, aber
in vergangenen[4] Jahren lag[5] sie mitten in[6] Deutschland und hatte   5
große kulturelle Bedeutung.[7]

Um 1200 regierte[8] dort der Fürst[9] Hermann von Thüringen.
Hermann liebte die Dichtkunst,[10] und die berühmten Dichter[11] der
Zeit waren oft seine Gäste. So entstand[12] im 13. Jahrhundert die
Sage vom Sängerkrieg[13] auf der Wartburg. Der Sängerkrieg war   10
ein Wettkampf[14] zwischen den großen Dichtern der Zeit. Richard
Wagner[15] gebrauchte das Motiv vom Sängerkrieg in seiner Oper
Tannhäuser. Vielleicht kennen Sie diese Oper. Man hört oft die
Ouvertüre im Rundfunk.[16]

Dreihundert Jahre nach Hermann regierte wieder ein sehr   15
berühmter Fürst in diesem Teile Deutschlands: Friedrich der

1. **wir versprachen** we promised; *past tense of* **versprechen.**   2. **vorig** previous.   3. **ein
Versprechen halten** to keep a promise.   4. **vergangen** past.   5. *inf.* **liegen.**   6. **mitten in**
in the center of.   7. **die Bedeutung** meaning, significance.   8. **regie′ren** to rule, reign.
9. **der Fürst** prince, sovereign.   10. **die Kunst** art; **die Dichtkunst** poetry, poetic art.
11. **der Dichter** poet.   12. **entstehen** to originate.   13. **der Sängerkrieg** minnesingers'
contest.   14. **der Wettkampf** contest.   15. (*German composer, 1813-1883.*)   16. **der
Rundfunk** radio.

Weise,[17] ein guter Freund Luthers.[18]   Luther brauchte Freunde.
Viele waren gegen eine Reformation der Kirche,[19] und der
Reformator war zu dieser Zeit in großer Gefahr.[20]   Da gab ihm
20   Friedrich der Weise Asyl.   Seine Soldaten „überfielen"[21] Luther und
brachten[22] ihn auf die Wartburg.   Zwei Jahre mußte[23] er nun auf
der Wartburg leben (von 1521 bis 1522), und während dieser Zeit
arbeitete er an der Übersetzung der Bibel.   Luthers deutsche Bibel
wurde[24] zum wichtigsten Buch der deutschen Literatur.   Zu Luthers
25   Zeit gab es noch keine gemeinsame[25] deutsche Sprache.   Es gab nur
deutsche Dialekte.   Nun konnten[26] die Deutschen Luthers Bibel
lesen, und so wurde seine Übersetzung sehr wichtig für die Entstehung[27] der gemeinsamen deutschen Sprache.

Nicht weit[28] von der Wartburg liegt das Städtchen Weimar.   Im
30   18. Jahrhundert wurde es zum wichtigsten Kulturzentrum Deutschlands, denn der große Dichter Johann Wolfgang von Goethe[29] lebte
dort.   Bedeutende[30] und unbedeutende Reisende aus allen Teilen
der Welt besuchten den großen Dichter.   Der erste Amerikaner
unter[31] diesen Besuchern war der Dichter und Journalist George
35   Calvert.[32]   Er schrieb[33] über seinen Besuch bei[34] Goethe in sein
Tagebuch:[35]   „Als[36] ich ins Zimmer trat,[37] sah mich Goethe mit
forschenden[38] Augen an,[39] wie ein Wissenschaftler,[40] denn ich war
für ihn ein transatlantisches Phänomen."

In Erinnerung[41] an Weimars goldene Zeit verlegten[42] die
40   Deutschen 1919 den Sitz der Regierung von Berlin nach Weimar
und nannten[43] ihre Republik die Weimarer Republik.

II. STRUCTURE AND FUNCTION

1. Past Tense

In German, as in English, most verbs fall into two groups in accordance with the manner in which they form their past tenses.

17. **weise** wise, prudent. 18. (*Martin Luther, 1483-1546, leader of the German Reformation.*) 19. **die Kirche** church. 20. **die Gefahr** danger. 21. **überfal'len** to attack. 22. *inf.*
bringen to bring; *here* to take. 23. *inf.* **müssen.** 24. *inf.* **werden.** 25. **gemeinsam**
common. 26. *inf.* **können.** 27. **die Entstehung** origin, formation. 28. *far.* 29. (*1749-
1832.*) 30. **bedeutend** important. 31. *here* among. 32. (*Born Baltimore, Md., 1803,
died Newport, R.I., 1889.*) 33. *inf.* **schreiben.** 34. *here* with, at the home of. 35. **das
Tagebuch** diary. 36. when. 37. **treten** to step. 38. **forschen** to search; **forschend**
searching. 39. **an-sehen** to look at. 40. **der Wissenschaftler** scientist. 41. **die
Erinnerung** memory. 42. **verlegen** to move. 43. **nennen** to name, call.

a. Weak Verbs

> **besuchen: Viele Reisende besuchten ihn.**   *Many travelers visited him.*
> **arbeiten: Er arbeitete an der Übersetzung.**   *He worked on the translation.*

Observe: Weak verbs are characterized by the past-tense sign **-t-** in German (*-ed* in English).

b. Strong Verbs

> **schreiben: Er schrieb in sein Tagebuch.**   *He wrote in his diary.*

Observe: As in English, strong verbs in German do not add an ending to the stem, but indicate the past tense by a change of their stem vowel. The following examples will introduce you to the various vowel changes which occur in German. We give you the *infinitive* and the *past* (the **ich** and **er** forms) of some familiar strong verbs. Memorize them:

1. bleiben, blieb	12. essen, aß
2. schreiben, schrieb	13. geben, gab
3. fliegen, flog	14. lesen, las
4. finden, fand	15. sehen, sah
5. trinken, trank	16. liegen, lag
6. beginnen, begann	17. sitzen, saß
7. schwimmen, schwamm	18. fahren, fuhr
8. helfen, half	19. heißen, hieß
9. nehmen, nahm	20. gefallen, gefiel
10. sprechen, sprach	21. schlafen, schlief
11. kommen, kam	22. gehen, ging

2. Past-Tense Endings of Weak and Strong Verbs

1 person = 3rd person sing + plural

Observe the personal endings of weak and strong verbs:

	WEAK VERBS	STRONG VERB
besuchen	**arbeiten**	**schreiben**
ich besuchte (*I visited*)	**arbeitete** (*I worked*)	**schrieb** (*I wrote*)
du besuchtest	**arbeitetest**	**schriebst**
er, sie, es besuchte	**arbeitete**	**schrieb**
wir besuchten	**arbeiteten**	**schrieben**
ihr besuchtet	**arbeitetet**	**schriebt**
sie besuchten	**arbeiteten**	**schrieben**
Sie besuchten	**arbeiteten**	**schrieben**

Note: 1. Weak verbs form their past tense by adding the following personal endings to the stem: **besuch -te, -test, -te, -ten, -tet, -ten.** The vowel **-e-** is inserted between a final **-t** of the stem and the tense sign **-t-** for the sake of pronunciation: **ich arbeit-e-te, du arbeit-e-test,** etc.

2. Before you can express the past tense of a strong verb, you must know what its stem vowel is, just as a person who learns English must know that the past of *to write* is *wrote,* and of *to sing, sang.* You will learn more about vowel changes of German strong verbs in the following lessons.

3. Meanings of Past-Tense Forms

Depending on the context, the past tense, such as **er schrieb,** may mean either *he wrote* or *he was writing.* *he did write*

4. Past of "kennen, nennen, denken, bringen" *rennen (run)*

A few verbs change their stem vowel to **a** and add the tense sign **-t-** to form the past tense. They take the personal endings of the weak verbs:

kennen	**nennen**
ich kannte (*I knew*)	ich nannte (*I named*)
er kannte	er nannte
denken	**bringen**
ich dachte (*I thought*)	ich brachte (*I brought*)
er dachte	er brachte

5. Past of "haben, sein, werden"

Because these irregular verbs are used so frequently, we give here all their past-tense forms. Memorize them:

haben	sein	werden
ich hatte (*I had*)	war (*I was*)	wurde (*I became, got*)
du hattest	warst	wurdest
er, sie, es hatte	war	wurde
wir hatten	waren	wurden
ihr hattet	wart	wurdet
sie hatten	waren	wurden
Sie hatten	waren	wurden

memorize

6. Past of Modal Auxiliaries

The past tense of modals is formed like the past tense of weak verbs. Drop the umlaut and add the tense sign **-t-** and the personal endings to the stem:

können:	**ich konnte**	*I was able to*
mögen:	**ich mochte**	*I liked to*
dürfen:	**ich durfte**	*I was permitted to*
müssen:	**ich mußte**	*I had to*
sollen:	**ich sollte**	*I was supposed to, I was to*
wollen:	**ich wollte**	*I wanted to*

7. Past of "wissen"

The verb **wissen** forms its past tense in a way similar to that of the modal auxiliaries:

ich wußte	**wir wußten**
du wußtest	**ihr wußtet**
er, sie, es wußte	**sie wußten**
	Sie wußten

III. CONVERSATION AND WRITING

A. *ACTIVE VOCABULARY*

1. New Words

GROUP I

der **Rundfunk**	*radio*
die **Kunst, ⸗e**	*art*

Exceptional

der **Fürst, -en**	*prince, sovereign*
das **Tagebuch, ⸗er**	*diary*

GROUP II

der **Dichter, -**	*poet*
der **Wissen-**	
schaftler, -	*scientist*
der **Reforma′tor,**	
Reforma-	
to′ren	*reformer*
die **Kirche, -n**	*church*

die **Ostzone**	*eastern zone*
die **Republik′, -en**	*republic*
die **Bedeutung, -en**	*meaning*
die **Entstehung**	*origin*
die **Bibel**	*Bible*
die **Gefahr, -en**	*danger*
die **Reformation′**	*Reformation*

UNCLASSIFIED

das **Kultur′zentrum,**	*cultural*
-zentren	*center*
bedeutend	*important*
kulturell′	*cultural*
unbedeutend	*unimportant*
vergangen	*past*
vorig-	*previous*

weit	*far*	entstehen	*to originate,*
weise	*wise, prudent*	(entstand)	*come into being*
		nennen (nannte)	*to name, call*
WEAK VERB		treten (trat)	*to step*
regie′ren	*to rule*	versprechen	
		(versprach)	*to promise*
STRONG VERBS		IDIOM	
an-sehen (sah		mitten in	*in the center*
an)	*to look at*		*of*

2. Review

ungefähr (5)	*now* (1)	einzig (4)	*position* (1)
bis (8)	*newspaper* (2)	allerdings (9)	*otherwise* (2)
jetzt (1)	*direction* (3)	die Stellung (1)	*to stop* (3)
die Bedeutung (10)	*to seem* (4)	sonst (2)	*only* (4)
die Zeitung (2)	*approximately* (5)	beschreiben (10)	*to get* (5)
das Geld (9)	*even* (6)	bleiben (8)	*entirely; all of* (6)
sogar (6)	*to appear* (7)	aufhören (3)	*soon* (7)
die Richtung (3)	*up to, until* (8)	bald (7)	*to remain, stay* (8)
scheinen (4)	*money* (9)	bekommen (5)	*to be sure* (9)
erscheinen (7)	*meaning* (10)	ganz (6)	*to describe* (10)

B. PRACTICE IN STRUCTURE AND FUNCTION

1. *Fill in the past-tense forms of the verbs in parentheses:*

a. *Weak verbs:*

1. Sie (erzählen) uns von ihrem Besuch in Weimar. 2. Der Dichter Tannhäuser (leben) im 13. Jahrhundert. 3. Wir (brauchen) das Geld. 4. Der Dichter August Wilhelm Schlegel (übersetzen) viele Dramen Shakespeares ins Deutsche. 5. Im 19. Jahrhundert (studieren) viele Amerikaner auf deutschen Universitäten. 6. Wir (besuchen) ihn jeden Tag. 7. Er (arbeiten) in unserem Büro. 8. Er (bestellen) zwei Glas Wasser. 9. Wir (wünschen) ihm guten Appetit. 10. Er (lieben) sie sein ganzes Leben lang.

b. *Strong verbs:*

1. Er (lesen) die Zeitung. 2. Er (schreiben) seiner Mutter eine Postkarte. 3. Wir (versprechen) ihm, ihn bald wieder zu besuchen.

4. Das Bild (gefallen) mir nicht. **5.** Er (schlafen) bis zehn Uhr. **6.** Wir (bleiben) drei Wochen in Berlin. **7.** Er (fahren) zu langsam. **8.** Er (lesen) immer viel. **9.** Er (liegen) noch im Bett und (schlafen). **10.** Er (geben) alles den armen Leuten. **11.** Er (bekommen) nicht viel Geld. Er (fliegen) also nicht; er (fahren) mit dem Zug. **12.** In der Römerzeit (heißen) die Stadt Koblenz Confluentes. **13.** Als Kind (lesen) er in Deutschland Mark Twains Huckleberry Finn. **14.** In der Schule (schwimmen) er besser als ich; jetzt bin ich der bessere Schwimmer. **15.** Nichts (helfen) ihm.

c. *Irregular verbs:*

1. Im 18. Jahrhundert (kennen) man Goethe fast nicht in Amerika. **2.** In Erinnerung an Goethe (nennen) die Chicagoer eine Straße Goethestraße. **3.** Er (bringen) mir jeden Morgen die Zeitung. **4.** Wir (haben) keine Zeit. **5.** Friedrich der Weise (sein) ein guter Freund Luthers. **6.** Sein Kaffee (werden) kalt. **7.** Wir (bringen) ihn ins Hotel, denn wir (denken): ,,Alleine findet er das Hotel nicht.'' **8.** Er (wissen) immer mehr als ich. **9.** (sein) sie noch im Hotel? **10.** (Wissen) Sie das nicht?

d. *Modals:*

1. Er (können) uns in den ersten Jahren nicht helfen. **2.** Warum (müssen) Hilde so schwer arbeiten? **3.** Was (wollen) sie von ihm? **4.** Der Junge (dürfen) nicht mit anderen Kindern spielen. **5.** Ich (müssen) den Satz noch einmal übersetzen. **6.** Als Kind (mögen) ich keinen Fisch essen. **7.** Er (nehmen) zuviel auf den Teller und (können) natürlich nicht alles essen. **8.** Sie (sollen) um neun Uhr hier sein, jetzt ist es beinah zehn. **9.** Er liebte Marie, aber sie (mögen) ihn nicht. **10.** (müssen) das sein?

2. *Translate:*

1. Many travelers visited Goethe in Weimar. **2.** Who reigned in Thüringen at that time? **3.** They brought us something to eat. **4.** We did not know him well. **5.** Luther translated the Bible on the Wartburg. **6.** He lived there from 1521 to 1522. **7.** We read the newspaper and drank a cup of coffee. **8.** I was there until nine o'clock. **9.** He liked the picture. **10.** The church was very old. **11.** We were unable to help him. **12.** I wanted to go with him. **13.** I had to read the Bible every day. **14.** We were supposed to tell him everything. **15.** It was getting cold.

3. *Review exercise: personal pronouns and prepositions (pages 57-58, 84-85); translate:*
1. He works with us. 2. He is sleeping in the car. 3. Put it into the car. 4. Are you for us or against us? 5. We can't go without you (three forms). 6. They want to go with you (three forms). 7. The car is in front of our hotel. 8. Drive the car in front of the hotel. 9. He is coming out of the hotel. 10. Go without her. 11. I can't go without him. 12. That is better for her and for him. 13. This is for you, Max. 14. We know you, Mr. Sneller. 15. She doesn't know me.

C. PRACTICE IN CONVERSATION

„Haben Sie schon ein Zimmer gefunden?"
"Have you found a room?"

„Nein, ich suche immer noch."
"No, I'm still looking."

„Wohnen Sie noch im Hotel? Sie Plutokrat!"
"Are you still living in the hotel? You plutocrat!"

„Nein, nein. In einer Pension. Ich habe einfach bis jetzt noch nichts Passendes finden können."
"No, no. In a boardinghouse. I simply haven't been able to find anything suitable so far."

„Was wollen Sie denn, fließend heißes und kaltes Wasser, Zentralheizung, Kühlschrank und . . . ?"
"What do you want? Running hot and cold water, central heating, refrigerator, and . . . ?"

„Ich habe gar nicht gewußt, daß es so schwer ist, ein Zimmer in der Nähe der Universität zu finden."
"I didn't know (that) it was so difficult to find a room in the vicinity of the university."

„Sie können schon eins finden, aber es wird sehr teuer sein."
"You can find one all right, but it'll be very expensive."

„Wo wohnt man denn hier?"
"Where does one live here?"

„Meine Bude ist ungefähr fünf Kilometer von hier."
"My room is about five kilometers from here."

„Wissen Sie zufällig, ob da ein Zimmer zu vermieten ist?"
"Do you happen to know if there's a room for rent?"

„Wo ich wohne, ist, glaube ich, noch eins frei."
"I believe there is one available where I live."

„Kann ich mir das Zimmer mal ansehen?"
"Can I take a look at that room?"

„Wenn Sie Zeit haben, können wir jetzt gehen."	"If you have time, we can go now."
„Gehen? Das sind drei Meilen. Gibt's denn keinen Bus?"	"On foot? That's three miles. Isn't there a bus?"
„Es ist billiger zu gehen."	"It's cheaper to walk."

D. PRACTICE IN WRITING

Schreiben Sie einen kurzen Aufsatz über das Thema: „Luther auf der Wartburg!" Wo liegt die Wartburg? Wer regierte zur Zeit Luthers? Warum brauchte Luther Freunde? Wer half ihm? Was tat Luther auf der Wartburg? Welche Bedeutung hatte die Bibel für die deutsche Sprache?

17

GOETHE

I. HEARING AND READING

TEXT

WIR haben am Ende der letzten Aufgabe von Goethe gesprochen[1] und wollen noch ein paar Worte über ihn sagen. Schon[2] als junger Mann, im Alter[3] von 25 Jahren, war er durch einen Liebesroman[4], „Die Leiden des jungen Werthers",[5] in ganz Deutschland bekannt geworden.[6] Dieser Roman wurde mit den Jahren sogar weltberühmt. In China malte[7] man Szenen aus dieser Liebesgeschichte auf Porzellanvasen, und Napoleon hat, wie er behauptete,[8] den „Werther" mehrere Male[9] während des ägyptischen Feldzuges[10] gelesen. Heute ist dieser Roman weniger bekannt, aber Goethes Gedichte haben nichts von ihrem Ruhm verloren.[11] Noch heute lesen und singen Deutsche und Ausländer[12] diese lyrischen Meisterwerke.[13] Die größten Liederkomponisten Deutschlands, Schubert, Schumann, Mendelssohn, Brahms, Wolf und Richard Strauß, haben seine Gedichte in Musik gesetzt.[14] Natürlich sind die genannten Komponisten nicht die einzigen geblieben.[15] Im Jahre 1912 hat man 2260 Kompositionen von Goetheschen[16] Gedichten gezählt.[17]

Goethe ist sehr alt geworden. Er hat von 1749-1832 gelebt. In seinem Geburtsjahr verbrannte man in Deutschland die letzte Hexe,[18]

[margin notes:] 5 scenes / china vase / 10 fame / 15 only / burned

1. *inf.* **sprechen.** 2. **already.** 3. **im Alter** at the age. 4. **der Roman'** novel; **der Liebesroman'** love story. 5. "The Sorrows of Young Werther." 6. *inf.* **werden; war geworden** had become. 7. **malen** to paint. 8. **behaupten** to assert, declare. 9. **das Mal** time. 10. **der Feldzug** campaign. 11. **verlieren** to lose. 12. **der Ausländer** foreigner. 13. **das Meisterwerk** masterwork, masterpiece. 14. **setzen** to set. 15. *inf.* **bleiben: sind geblieben** have remained. 16. **Goetheschen** Goethe's (*the suffix* **-sche** *is added to a proper name used as an adjective*). 17. **zählen** to count. 18. **die Hexe** witch.

railroads

in seinem Todesjahr fuhren die ersten Eisenbahnen in England. So
20 viel Wichtiges[19] war in diesen dreiundachtzig Jahren geschehen![20]
Die französische Revolution hatte ganz Europa erschüttert,[21]
Napoleons Stern[22] war gestiegen[23] und gesunken, auf dem fernen[24]
amerikanischen Kontinent war ein neuer Staat[25] entstanden, das
Zeitalter[26] der Technik[27] hatte begonnen.

25   Diese wichtigen Entwicklungen[28] haben Ausdruck[29] in Goethes
Werken gefunden. So beginnt z.B. sein großes Drama Faust in der
Enge[30] der mittelalterlichen[31] Welt und endet mit Fausts Vision
von einer freien, glücklichen[32] Menschheit der Zukunft.[33] Der
sterbende[34] Faust weiß aber auch, daß diese Freiheit und dieses
30 Glück von der Lösung[35] technischer und sozialer Probleme abhängt.[36]

    Kein Künstler[37] des Abendlandes,[38] mit Ausnahme[39] von Leonardo
da Vinci,[40] hat auf so vielen Gebieten[41] so viel geleistet[42] und sich
für so vieles interessiert wie Goethe. Er war nicht nur Dichter,
sondern auch Staatsmann und Wissenschaftler und vor allem[43] eine
35 große Persönlichkeit. Man staunt[44] immer wieder[45], wenn man
sieht, wie dieser Mann die großen und kleinen Menschen seiner Zeit
durch seine Persönlichkeit beeinflußt[46] hat.

    Wie Faust, der Held[47] seines Lebenswerkes, sah der alte Goethe
in der Vervollkommnung[48] des freien Individuums und in der Arbeit
40 für die Mitmenschen[49] den wahren Sinn[50] des Lebens.

II. STRUCTURE AND FUNCTION

1. Past Participle

Observe: | | |
|---|---|
| ge-leb-t | *lived* |
| ge-antwort-et | *answered* |
| ge-sproch-en | *spoken* |

19. so many important things. 20. **geschehen** to happen. 21. **erschüttern** to shake.
22. **der Stern** star. 23. **steigen** to rise. 24. **fern** far, distant. 25. **der Staat** state, country.
26. **das Zeitalter** age. 27. **die Technik** technology. 28. **die Entwicklung** development.
29. **der Ausdruck** expression. 30. **die Enge** narrowness. 31. **mittelalterlich** medieval.
32. **glücklich** happy. 33. **die Zukunft** future. 34. **sterben** to die. 35. **die Lösung**
solution. 36. **ab-hängen** to depend. 37. **der Künstler** artist. 38. **das Abendland**
Occident. 39. **die Ausnahme** exception. 40. (*Italian artist, 1452-1519, famous for his
achievements in many fields.*) 41. **das Gebiet** field. 42. **leisten** to achieve, accomplish.
43. **vor allem** above all. 44. **staunen** to be astonished. 45. **immer wieder** again and
again. 46. **beeinflussen** to influence. 47. **der Held** hero. 48. **die Vervollkommnung**
perfection. 49. **der Mitmensch** fellow man. 50. **der Sinn** sense, meaning.

The past participle of simple verbs has the prefix **ge-**; weak verbs end in **-(e)t**, strong verbs in **-en.**

2. Present Perfect

a. Verbs with **haben**

Er hat in Berlin gelebt.	*He (has lived) lived in Berlin.*
Er hat den Roman gelesen.	*He (has read) read the novel.*

The present perfect tense of most weak and strong verbs consists of the present tense of the auxiliary **haben** and the past participle of the verb.

b. Verbs with **sein**

always used with werden, sein

In contrast to English usage, a group of frequently used verbs have **sein** as the auxiliary.

Er ist zu uns gekommen.	*He (has come) came to us.*
Sie sind nach Hause gegangen.	*They (have gone) went home.*

The use of **sein** as an auxiliary is required by verbs which cannot take an accusative object and which, in addition, denote a change of position or condition. Here are some of the most common verbs of this type: **fahren** (*to go, drive*), **gehen** (*to go*), **kommen** (*to come*); also **sein** (*to be*), **bleiben** (*to remain*), **geschehen** (*to happen*).

intransitive verbs

3. Word Order

Observe: **Ich habe den Roman noch nicht gelesen.**
        I have not yet read the novel.

The past participle stands last in the clause.

4. Meaning of the Present Perfect

The German present perfect expresses an action, state, or condition which was completed in the past. Since such a completed action is expressed in English by the simple past, a German present perfect is usually equivalent to the English simple past. See examples under 2, above.[1]

---

[1] The English progressive construction *He has been studying German for two years* is expressed in German by the present tense with **schon: Er lernt schon seit zwei Jahren Deutsch.**

5. Past Perfect

> a. **Er hatte drei Jahre in Berlin gelebt.**
> *He had lived in Berlin three years.*
> b. **Er hatte den Roman schon gelesen.**
> *He had already read the novel.*
> c. **Er war schon nach Hause gegangen.**
> *He had already gone home.*

The past perfect consists of the past of either **haben** (a, b) or **sein** (c) and the past participle of the verb. What was said above (2) concerning the use of **haben** and **sein** applies also here. Remember: Verbs which cannot take an accusative object and which also denote a change of position or condition use **sein** as their auxiliary: **er war gefahren (gegangen, gekommen, gestiegen, gestorben, geworden);** also **er war gewesen, er war geblieben, es war geschehen.**

6. Inseparable Prefixes

Observe: **Er hat das Geld zweimal gezählt.**   *He counted the money twice.*

Er hat die Geschichte zweimal erzählt. *He told the story twice.*

A large number of German verbs begin with an unaccented prefix: **be-, emp-, ent-, er-, ge-, ver-, zer-.** These prefixes become part of the simple verb. You will also notice that the prefix changes the meaning of the simple verb considerably: **zählen** (*to count*), **erzählen** (*to tell*); **sprechen** (*to speak*), **versprechen** (*to promise*); **schreiben** (*to write*), **beschreiben** (*to describe*).

Verbs with inseparable prefixes form their tenses in the same way as verbs without prefixes, with one notable exception: They do not add **ge-** in the past participle.

WEAK VERB: er zählt	er zählte	er hat gezählt
er erzählt	er erzählte	er hat erzählt
STRONG VERB: er spricht	er sprach	er hat gesprochen
er verspricht	er versprach	er hat versprochen

7. Verbs Ending in "-ieren"

Verbs whose infinitives end in **-ieren,** such as **studieren, regieren,**

multiplizieren, deklinieren, are weak verbs. They do not have **ge-** in the past participle: **er hat studiert, er hatte studiert.**

8. Principal Parts of Verbs

The *infinitive*, the *past*, and the *past participle* of a verb are called its principal parts. These forms enable us to derive and express all six tenses. The present tense is based on the infinitive, and the past participle is used for the formation of the present perfect and past perfect. The future and future perfect will be taken up later.

a. Principal Parts of Weak Verbs

Since weak verbs retain their stem vowel in all tenses, their principal parts follow the same pattern, except that verbs with an inseparable prefix and those ending in **-ieren** do not take **ge-** in the past participle:

lernen	**lernte**	**gelernt**
antworten	**antwortete**	**geantwortet**
verdienen	**verdiente**	**verdient**
studieren	**studierte**	**studiert**

b. Principal Parts of Strong Verbs

The principal parts of strong verbs must be memorized. Note **ist** before some past participles. It serves as a signal that this particular verb takes **sein** as its auxiliary in the present perfect and past perfect. The **er-**form given with some verbs indicates the vowel change in the second and third persons of the present tense. So far you have had the following verbs:

1. **bleiben**	**blieb**	ist **geblieben**	
2. **schreiben**	**schrieb**	**geschrieben**	
3. **steigen**	**stieg**	ist **gestiegen**	
4. **fliegen**	**flog**	ist **geflogen**	
5. **verlieren**	**verlor**	**verloren**	
6. **finden**	**fand**	**gefunden**	
7. **sinken**	**sank**	ist **gesunken**	
8. **trinken**	**trank**	**getrunken**	
9. **beginnen**	**begann**	**begonnen**	
10. **schwimmen**	**schwamm**	ist **geschwommen**	
11. **helfen**	**half**	**geholfen**	**er hilft**
12. **sterben**	**starb**	ist **gestorben**	**er stirbt**

13. nehmen	nahm	genommen	er nimmt
14. sprechen	sprach	gesprochen	er spricht
15. versprechen	versprach	versprochen	er verspricht
16. vergessen	vergaß	vergessen	er vergißt
17. kommen	kam	ist gekommen	
18. bekommen	bekam	bekommen	
19. essen	aß	gegessen	er ißt
20. geben	gab	gegeben	er gibt
21. geschehen	geschah	ist geschehen	es geschieht
22. lesen	las	gelesen	er liest
23. sehen	sah	gesehen	er sieht
24. liegen	lag	gelegen	
25. sitzen	saß	gesessen	
26. fahren	fuhr	ist gefahren	er fährt
27. tragen	trug	getragen	er trägt
28. gefallen	gefiel	gefallen	es gefällt
29. schlafen	schlief	geschlafen	er schläft
30. heißen	hieß	geheißen	

c. Principal Parts of Irregular Verbs

1. haben	hatte	gehabt	er hat
2. sein	war	ist gewesen	er ist
3. werden	wurde	ist geworden	er wird
4. gehen	ging	ist gegangen	
5. bringen	brachte	gebracht	
6. denken	dachte	gedacht	
7. wissen	wußte	gewußt	er weiß
8. kennen	kannte	gekannt	
9. nennen	nannte	genannt	
10. stehen	stand	gestanden	
11. entstehen	entstand	ist entstanden	
12. verstehen	verstand	verstanden	

9. Position of "nicht"

(Supplementary to statement in Lesson 4, page 42)

When **nicht** negates the whole clause and the verb is in the present perfect or past perfect, **nicht** precedes the past participle.

Ich habe den Roman nicht gelesen.   *I have not read the novel.*

III. CONVERSATION AND WRITING

A. *ACTIVE VOCABULARY*

1. New Words

GROUP I

der **Sinn**, -e	*sense, meaning*
der **Stern**, -e	*star*
der **Ausdruck**, ⸗e	*expression*
der **Kontinent'**, -e	*continent*
der **Lie'besroman'**, -e	*love story*
der **Roman'**, -e	*novel*
das **Glück**	*happiness*
das **Mal**, -e	*time*
das **Gebiet**, -e	*territory, field*
das **Lebenswerk**, -e	*life work*

Exceptional

der **Held**, -en	*hero*
der **Staat**, -en	*state, country*
die **Eisenbahn**, -en	*railroad*

GROUP II

der **Ausländer**, -	*foreigner*
der **Künstler**, -	*artist*
das **Zeitalter**, -	*age*
die **Ausnahme**, -n	*exception*
die **Liebes-geschichte**, -n	*love story*
die **Szene**, -n	*scene*
die **Arbeit**, -en	*work*
die **Musik'**	*music*
die **Technik**	*technology*
die **Zukunft**	*future*
die **Entwicklung**, -en	*development*
die **Lösung**, -en	*solution*

die **Persön'lich-keit**, -en	*personality*
die **Komposition'**, -en	*composition*
die **Revolution'**, -en	*revolution*
fern	*far, distant*
frei	*free*
sozial'	*social*
technisch	*technical*
schon	*already*
z.B. = zum **Beispiel**	*for example*

IDIOM ⁀

vor allem	*above all*
im Alter von	*at the age of*
ein paar	*a few*
immer wieder	*again and again*

WEAK VERBS

beeinflussen	*to influence*
behaupten	*to assert declare*
enden	*to end*
leisten	*to achieve, accomplish*
malen	*to paint*
setzen	*to set*
staunen	*to be astonished*
zählen	*to count*

STRONG VERBS

geschehen	**geschah**	**ist geschehen**	**es geschieht**	*to happen*

singen	sang	gesungen		*to sing*
sinken	sank	ist gesunken		*to sink*
steigen	stieg	ist gestiegen		*to rise*
sterben	starb	ist gestorben	er stirbt	*to die*
verlieren	verlor	verloren		*to lose*

2. Review

der Unterschied (7)	*poor* (1)	weit (4)	*close* (1)
wirklich (3)	*to be sure* (2)	schließen (1)	*approximately* (2)
doch (10)	*real(ly)* (3)	erzählen (9)	*to get* (3)
arm (1)	*heavy, difficult* (4)	verdienen (6)	*far* (4)
vielleicht (9)	*border* (5)	ungefähr (2)	*once* (5)
allerdings (2)	*struggle* (6)	übersetzen (8)	*to deserve* (6)
schwer (4)	*difference* (7)	erwarten (10)	*near* (7)
deshalb (8)	*therefore* (8)	einmal (5)	*to translate* (8)
der Kampf (6)	*perhaps* (9)	nah (7)	*to tell* (9)
die Grenze (5)	*yet, however* (10)	bekommen (3)	*to expect* (10)

B. PRACTICE IN STRUCTURE AND FUNCTION

1. *Give the third person singular and plural of the present perfect and past perfect:*

> *Example:* **Er hat es gehört; sie haben es gehört.**
>   **Er hatte es gehört; sie hatten es gehört.**

a. *Weak verbs:*

     1. lernen   **2.** brauchen   **3.** sagen   **4.** bewundern   **5.** erzählen   **6.** studieren **7.** hören   **8.** kaufen   **9.** suchen   **10.** öffnen   **11.** lieben   **12.** photographieren   **13.** erlauben   **14.** gebrauchen   **15.** antworten

b. *Strong verbs:*

     1. finden   **2.** lesen   **3.** nehmen   **4.** bekommen   **5.** vergessen   **6.** versprechen   **7.** essen   **8.** geben   **9.** sehen   **10.** tragen   **11.** bringen **12.** denken   **13.** verlieren   **14.** wissen   **15.** stehen

2. *Form sentences from the following word groups (of which each is in correct word order) by inserting in their proper places the appropriate present-perfect forms of the verbs in parentheses:*

a. *Example:* (spielen): **er, den ganzen Nachmittag, Tennis.**
                 Er hat den ganzen Nachmittag Tennis gespielt.

1. (finden): ich, zehn Mark, auf der Straße. **2.** (sagen): er, uns, nichts, davon. **3.** (studieren): Sie, Geologie? **4.** (wissen): Sie, das? **5.** (sitzen): ich, in der ersten Reihe. **6.** (verstehen): wir, ihn, nicht. **7.** (schlafen): ich, wieder, sehr schlecht. **8.** (bekommen): Sie, nicht, genug, für Ihre Arbeit? **9.** (verlieren): der arme Mensch, alles. **10.** (schreiben): Elisabeth, nur einmal. **11.** (tragen): der junge Mann, alles, ins Hotel. **12.** (nehmen): er, das Geld, wirklich, nicht? **13.** (gefallen): Ihnen, der Film, nicht? **14.** (schreiben): er, uns, nur, eine Postkarte, aus Deutschland. **15.** (bewundern): wir, ihn, alle.

b. *Example:* (kommen): er, schon, um drei Uhr, nach Hause.
   Er ist schon um drei Uhr nach Hause gekommen.

1. (werden): es, kalt. **2.** (geschehen): viel, während dieser Woche. **3.** (sterben): sein Vater, letztes Jahr. **4.** (bleiben): wir, einen ganzen Monat, in München. **5.** (sinken): der Dampfer, in wenigen Minuten. **6.** (steigen): das Wasser, schon, bis zum Fenster. **7.** (gehen): Ihr Mann, schon, ins Büro? **8.** (fliegen): nach Europa? **9.** (fahren): Nein, wir, mit dem Dampfer. **10.** (werden): der Roman, in wenigen Wochen, sehr berühmt.

3. *Translate:*
   1. Where did you study? 2. Why did you go home? 3. How long did you stay in Germany? 4. How much did you learn? 5. How much did they give you? 6. It got cold. 7. Didn't it get cold? 8. What did you say? 9. I didn't say anything. 10. He came alone. 11. She went with me. 12. Had you already known that? 13. Had you already been there? 14. Why didn't you ask him? 15. I didn't go.

4. *Review exercise: determine the gender and give the plural of the following nouns (pages 130-131, 132-134):*
   1. Maler   **2.** Held   **3.** Gast   **4.** Liebesgeschichte   **5.** Stelle
   6. Künstler   **7.** Reformation   **8.** Reformator   **9.** Fürst   **10.** Zeitung
   11. Drogist   **12.** Passagier   **13.** Woche   **14.** Nation   **15.** Hausfrau
   16. Freund   **17.** Mädchen   **18.** Dame   **19.** Herr   **20.** Studentin

C. PRACTICE IN CONVERSATION

„**Das war ein netter Spaziergang, nicht wahr?**"   "That was a nice walk, wasn't it?"

„**Ja, aber ein bißchen lang.**"   "Just a little long."

„**Na ja, hier wären wir also.**"   "Well, here we are."

„Sagen Sie mal, was hängt da aus dem Fenster?"

"Tell me, what's hanging out of that window there?"

„Mein Federbett. Das nennt man Durchlüftung."

"My featherbed. They call this airing."

„Das Zimmer ist nicht besonders groß.

"The room is not especially large."

„Aber sauber. Also bitte, setzen Sie sich da auf mein Bett! Es ist bequemer als der Stuhl da."

"But clean. Well, please sit down on my bed there. It's more comfortable than that chair."

„Haben Sie Zimmerbedienung?"

"Do you have maidservice?"

„Meine Wirtin hält das Zimmer sauber. Frische Bettwäsche gibt es einmal im Monat, Sonnabends kann man baden und einkaufen jeden Tag."

"My landlady keeps the room clean. I get fresh linens once a month. Saturdays I can take a bath and I can shop every day."

„Oh, das ist einfach. Amerikaner baden einmal täglich und kaufen einmal die Woche ein; die Deutschen kaufen täglich ein und baden einmal die Woche."

"O, that's simple. Americans take a bath every day and shop once a week; Germans shop every day and take a bath once a week."

„Sie begreifen schnell. Soll ich meine Wirtin fragen, ob noch ein Zimmer frei ist?"

"You catch on quickly. Shall I ask my landlady, if she still has a room?"

„Wieviel kostet es pro Monat?"

"How much is it per month?"

„Fragen wir sie mal!"

"Let's ask her."

D. PRACTICE IN WRITING

Schreiben Sie einen kurzen Aufsatz über Goethe! Wann lebte er? Durch welches Werk wurde er bekannt? Wodurch sind seine Gedichte bekannt geworden? Wie heißt sein größtes Werk? Auf welchen Gebieten hat Goethe viel geleistet?

18

SCHILLER

I. HEARING AND READING

TEXT

G OETHE und Schiller—die beiden[1] Namen gehören zusammen,[2] und doch, was für ein[3] Unterschied zwischen diesen beiden großen Männern!

Goethes Eltern[4] waren wohlhabende[5] Bürger[6] der freien Stadt Frankfurt. Schillers Eltern waren arm und lebten unter einem 5 tyrannischen Fürsten, dem Herzog[7] Karl Eugen von Württemberg. Dieser Herzog hatte den jungen Friedrich Schiller gegen seinen Willen und gegen den Willen der Eltern in seine Militärschule „aufgenommen".[8]   Dort bereitete sich Friedrich ohne Liebe auf *prepared* den Beruf[9] eines Militärarztes[10] vor.[11]   Er haßte[12] das Leben in 10 dieser Militärschule.   Die Schüler[13] standen auf Kommando auf,[14] zogen sich auf Kommando an,[15] setzten sich auf Kommando hin[16] und marschierten in militärischer Formation in ihre Klassenzimmer oder auch in die Kirche.

In den letzten Jahren seiner Schulzeit war es ihm fast[17] unmög- 15 lich,[18] das Leben in der Militärschule auszuhalten.[19]   Aber er hielt es aus, denn er hatte einen Trost:[20] sein Drama. Die Schüler der Militärschule hatten nicht viel freie Zeit am Tage, deshalb schrieb

1. **die beiden** both, the two. 2. **zusam'men-gehören** to belong together. 3. **was für ein** what a. 4. **die Eltern** parents. 5. **wohlhabend** well-to-do 6. **der Bürger** citizen. 7. **der Herzog** duke. 8. **aufnehmen** to admit. 9. **der Beruf** profession. 10. **der Arzt** doctor, physician. 11. **sich vor-bereiten auf** to prepare for. 12. **hassen** to hate. 13. **der Schüler** pupil. 14. **auf-stehen** to get up. 15. **sich an-ziehen** to get dressed. 16. **sich hin-setzen** to sit down. 17. almost. 18. **unmöglich** impossible. 19. **aus-halten** to endure, stand. 20. **der Trost** consolation.

Schiller sein erstes Drama in den Nachtstunden. Er nannte es
„Die Räuber".[21] Das Motto des Dramas hieß „in tyrannos" (gegen
Tyrannen), und sein Inhalt[22] verdiente dieses Motto auch.

Als[23] Schiller schon ein Jahr Regimentsarzt war, führte der
Direktor des Mannheimer Theaters „Die Räuber" auf,[24] und diese
Aufführung war ein großer Erfolg.[25] Der junge Regimentsarzt war
ohne Urlaub[26] zur Aufführung seines Stückes[27] nach Mannheim
gefahren, und der Herzog war wütend,[28] als er das erfuhr.[29] Er
wurde noch wütender, als er „Die Räuber" las. Er verbot[30] Schiller
das Dichten.[31] Da floh[32] Schiller über die Grenze.

Nun war er dem einen Tyrannen entflohen,[33] aber wirklich frei
war er noch nicht.[34] Ein anderer Tyrann fing an,[35] ihn zu quälen:[36]
die Armut.[37] Schiller gab nicht nach.[38] Er kämpfte[39] auch mit
diesem Feinde,[40] bis er ihn geschlagen[41] hatte. Er schrieb Dramen
und Gedichte, er studierte Geschichte und Philosophie und wurde
Professor für Geschichte an der Universität Jena. Schließlich[42]
kamen die beiden großen Erfolge seines Lebens. Herzog Karl
August rief[43] ihn nach Weimar, und Goethe wurde sein Freund.

Doch bald begann sein letzter und schwerster[44] Kampf, der Kampf
mit einer tödlichen[45] Krankheit,[46] der Tuberkulose. Er schrieb
seinem Freund Goethe: „Ich werde das Wichtigste[47] aus dem
brennenden[48] Gebäude retten,[49] ehe[50] es zusammenbricht."[51] Und
er rettete das Wichtigste. Von Schmerzen[52] gequält und den nahen
Tod[53] vor Augen, schrieb der Dichter seine Meisterwerke: Wallenstein, Maria Stuart, Die Jungfrau von Orleans[54] und Wilhelm Tell.

Schiller lebt in der Erinnerung des deutschen Volkes als Dichter
der Freiheit. In dem Drama „Die Jungfrau von Orleans" führt[55] ein
gottbegeistertes[56] Mädchen ein ganzes Volk zum Kampf gegen den

---

21. The Robbers. 22. **der Inhalt** content. 23. when. 24. **auf-führen** to perform.
25. **der Erfolg** success. 26. **der Urlaub** leave. 27. **das Stück** play. 28. furious.
29. **erfahren** to learn, find out. 30. **verbieten** to forbid. 31. **das Dichten** writing
(*especially of poetry*). 32. **fliehen** to flee. 33. **entfliehen** to escape. 34. **noch nicht**
not yet. 35. **an-fangen** to begin. 36. **quälen** to torment. 37. **die Armut** poverty.
38. **nach-geben** to give in. 39. **kämpfen** to fight, struggle. 40. **der Feind** enemy.
41. **schlagen** to beat, defeat. 42. finally. 43. **rufen** to summon. 44. hardest. 45. **tödlich**
fatal, mortal. 46. **die Krankheit** illness. 47. **das Wichtigste** the most important things.
48. **brennen** to burn. 49. **retten** to save, salvage; **ich werde retten** I'm going to salvage.
50. before. 51. **zusammen-brechen** to break down, collapse. 52. **der Schmerz** pain.
53. **der Tod** death. 54. The Maid of Orleans. 55. **führen** to lead. 56. **gottbegeistert**
divinely inspired.

Unterdrücker.[57] Im „Wilhelm Tell" treiben[58] die tapferen[59] Schweizer einen fremden[60] Tyrannen aus ihrem Land. Diese beiden Dramen begeisterten[61] die Deutschen in ihrem Freiheitskampf gegen Napoleon.   50

Außerhalb[62] Deutschlands ist Schillers frühes[63] Drama „Don Carlos" am besten bekannt, denn der Komponist Verdi gebrauchte es für seine Oper. Coleridge führte die Wallenstein Trilogie durch eine gute Übersetzung in England ein.[64]

Thomas Mann hat wiederholt[65] über Goethe und Schiller ge-   55
schrieben. Einmal hat er ungefähr das Folgende von beiden gesagt: Goethe war ein Gott, Schiller ein Held; aber es ist leichter, ein Gott zu sein als ein Held.

II. STRUCTURE AND FUNCTION

1. Separable Prefixes

Compound verbs like **aufstehen** (*to get up*), **sich anziehen** (*to get dressed*), **nachgeben** (*to give in*), consist of a prefix and a simple verb. In contrast to the prefixes **be, ge, emp, ent, er, ver, zer,** prefixes such as **ab, an, auf, aus, mit, nach, vor** have an independent meaning, bear the main stress, and are separated from the verb in the *present, past,* and *imperative.*

English, too, has a large number of verbs which form a close connection with adverbs, such as *to get up, to get down, to get out.* German adverbs, however, are prefixed to the infinitive (**aufstehen**) and, when separated from the verb, stand last in the clause:

Ich stehe jeden Morgen um 7 Uhr <u>auf</u>.	*I get up every morning at 7 o'clock.*
Ich stand jeden Morgen um 7 Uhr <u>auf</u>.	*I got up every morning at 7 o'clock.*
Stehen Sie um 7 Uhr <u>auf</u>!	*Get up at 7 o'clock.*

In the present perfect and past perfect, the prefix is attached to the past participle:

Ich bin früh <u>aufgestanden</u>	*I got up early.*
Ich war früh <u>aufgestanden</u>.	*I had gotten up early.*

---

57. **der Unterdrücker** oppressor. 58. **treiben** to drive. 59. **tapfer** courageous. 60. **fremd** foreign. 61. **begeistern** to inspire. 62. outside of. 63. **früh** early. 64. **einführen** to introduce. 65. **wiederholt'** repeatedly.

When the infinitive form is used with **zu, zu** stands between the prefix and the infinitive, and the three parts are written as one word:

Es war mir unmöglich, so früh auf<u>z</u>ustehen.
It was impossible for me to get up so early.

The principal parts of a verb with a separable prefix are given in the following way: **aufstehen, stand auf, ist aufgestanden; sich anziehen, zog sich an, sich angezogen.**

2. Variable Prefixes

A small number of prefixes, of which the most common are **über, unter,** and **wieder,** may be used as either separable or inseparable prefixes. When such a variable prefix is not accented, it is inseparable from its verb and does not take **ge-** in the past participle. You have had the following verbs belonging to this category:

überfal′len	(*to attack*)	**er überfiel′**	**er hat überfal′len**
überset′zen	(*to translate*)	**er überset′zte**	**er hat übersetzt′**
unterbre′chen	(*to interrupt*)	**er unterbrach′**	**er hat unterbro′chen**
wiederho′len	(*to repeat*)	**er wiederhol′te**	**er hat wiederholt′**

3. Past Participle Used as Adjective

A past participle used as an adjective takes endings like any other adjective:

der viel gelesene Roman	*the much-read novel*
ein viel gelesener Roman	*a much-read novel*
das illustrierte Buch	*the illustrated book*
ein illustriertes Buch	*an illustrated book*

4. Position of "nicht"

(Supplementary to statements in Lesson 4, page 42, and Lesson 17, page 180)

When **nicht** negates a whole clause, it precedes the separable prefix:
Schiller gab nicht nach.   *Schiller did not give in.*

III. CONVERSATION AND WRITING

A. ACTIVE VOCABULARY

1. New Words

GROUP I

der **Arzt**, ⸗e	doctor, physician
der **Beruf**, -e	profession
der **Erfolg**, -e	success
der **Feind**, -e	enemy
der **Tod**	death
das **Stück**, -e	piece; play

Exceptional

der **Schmerz**, -en	pain
die **Schulzeit**	school days

GROUP II

der **Bürger**, -	citizen
der **Schüler**, -	pupil
das **Klassen-** zimmer, -	classroom
der **Direk'tor**, Direkto'ren	director
die **Aufführung**, -en	performance
die **Krankheit**, -en	illness
die **Liebe**	love

UNCLASSIFIED

der **Wille**, des Willens	will
der **Inhalt**	content
die **Armut**	poverty
die **Eltern** (pl.)	parents
beide	both, two
fremd	foreign

früh	early
militä'risch	military
tödlich	fatal, mortal
wütend	furious
außerhalb	outside of
ehe	before
fast	almost
schließlich	finally
unmöglich	impossible
wiederholt'	repeatedly
zusamm'en	together

IDIOM

noch nicht	not yet

WEAK VERBS

auf-führen	to perform
ein-führen	to introduce
führen	to lead
gehören	to belong
hassen	to hate
sich hin-setzen	to sit down
kämpfen	to fight, struggle
marschie'ren (ist)	to march
retten	to save, salvage
sich vor- bereiten auf	to prepare (oneself) for

STRONG VERBS

an-fangen	**fing an**	**angefangen**	**er fängt an**	to begin, start
sich an-ziehen	**zog sich an**	**sich angezogen**		to get dressed
auf-stehen	**stand auf**	**ist aufgestanden**		to get up
entfliehen	**entfloh**	**ist entflohen**		to escape
erfahren	**erfuhr**	**erfahren**	**er erfährt**	to learn, find out

fliehen	floh	ist geflohen		to flee
nach-geben	gab nach	nachgegeben	er gibt nach	to give in
schlagen	schlug	geschlagen	er schlägt	to hit; to defeat
verbieten	verbot	verboten		to forbid
zusam´men-brechen	brach zusammen	ist zusammen-gebrochen	er bricht zusammen	to break down, collapse

2. Review

die Freiheit (3)	even (1)	brauchen (4)	there is (are) (1)
suchen (9)	man, person (2)	tief (8)	far (2)
sogar (1)	freedom (3)	entstehen (5)	to happen (3)
einige (7)	mankind (4)	es gibt (1)	to need (4)
der Mensch (2)	meaning (5)	sondern (10)	to come into being (5)
die Geschichte (6)	story, history (6)		
die Menschheit (4)	some (7)	fern (2)	future (6)
das Zeitalter (10)	development (8)	geschehen (3)	to mean, signify (7)
die Entwicklung (8)	to look for (9)	der Künstler (9)	deep (8)
die Bedeutung (5)	age (10)	die Zukunft (6)	artist (9)
		bedeuten (7)	but (10)

B. PRACTICE IN STRUCTURE AND FUNCTION

1. *Give the principal parts of the following weak verbs:*

1. kämpfen
2. retten
3. gehören
4. marschieren
5. aufführen
6. sich hinsetzen
7. sich vorbereiten
8. wiederholen

2. *Give the principal parts of the following strong verbs:*

1. fliehen
2. verbieten
3. schlagen
4. nachgeben
5. sich anziehen
6. erfahren
7. anfangen
8. aufstehen

3. *Give the third person singular of the present, past, and present perfect of the following verbs:*

Example: **sich hinsetzen: er setzt sich hin, er setzte sich hin, er hat sich hingesetzt.**

1. sich anziehen 2. aufführen 3. aufstehen 4. anfangen 5. zumachen 6. ausrechnen

4. *Form sentences from the following word groups (of which each is in correct word order) by inserting in their proper places the appropriate present, past, and present-perfect forms of the verbs in parentheses:*

Example: (anfangen): das Theater, eine Stunde später.
Das Theater fängt eine Stunde später an.
Das Theater fing eine Stunde später an.
Das Theater hat eine Stunde später angefangen.

1. (aufstehen): ich, jeden Morgen, um halb sieben.
2. (mitnehmen): er, seinen Freund, ins Theater.
3. (sich vorbereiten): er, auf seine Reise.
4. (nachgeben): er, nicht.
5. (aufhören): die Aufführung, um 23 Uhr.
6. (aufführen): in München, man, dieses Jahr, Schillers Wallenstein.
7. (zusammenbrechen): der Boxer, in seiner Ecke.
8. (mitnehmen): er, ihn, nach Berlin.
9. (anfangen): die Oper, pünktlich.
10. (sich hinsetzen): die Dame steht, aber, er

5. *Form imperatives of the following verbs:*

Example: (zumachen) bitte, das Fenster
Machen Sie bitte das Fenster zu!

1. (aufstehen) schnell 2. (vorbereiten) alles 3. (anfangen) jetzt, bitte
4. (ausrechnen) den Unterschied 5. (wiederho'len) den Satz, noch einmal 6. (unterbre'chen) mich, nicht immer 7. (überset'zen) bitte, das Wort 8. (sich hinsetzen) bitte 9. (mitnehmen) bitte, Max
10. (anziehen) dich wärmer, Lisa

6. *Form past participles from the infinitives and use them as adjectives with the proper endings:*

Example: sinken, der Dampfer
der gesunkene Dampfer

1. gut anziehen, ein Mädchen 2. versprechen, das Geld 3. anfangen, die Arbeit 4. schlagen, der Feind 5. viel gebrauchen, ein Wort 6. gut schreiben, ein Brief 7. oft wiederho'len, eine Frage 8. gut vorbereiten, eine Reise 9. gut überset'zen, das Gedicht 10. schön illustrieren, ein Buch

7. *Translate:*

1. Get up! It's late. 2. Don't sit down. 3. Please repeat. 4. No, he isn't here, he is dressing. 5. We took her along. 6. Look at me. 7. Why didn't you interrupt her? 8. Please begin now. 9. Don't always give in. 10. Please translate this sentence. 11. Don't get up. 12. Stop.

8. *Review exercise: verbs with* **sein** *(page 177); translate:*

1. Wir waren zu lange in Berlin geblieben. 2. Die Temperatur ist gestiegen. 3. Sind Sie geflogen, oder sind Sie mit dem Zug gefahren? 4. Sie ist gestern zu uns gekommen. 5. Wann ist das geschehen? 6. Ist sie schon nach Hause gegangen? 7. Wir alle sind älter geworden. 8. Die Soldaten sind durch die Stadt marschiert. 9. Wo sind Sie die ganze Zeit gewesen? 10. Ist er wieder so spät aufgestanden?

C. PRACTICE IN CONVERSATION

„Na, wie war die erste Vorlesung?"

„Interessant—nehme ich an. Viel habe ich nämlich nicht verstanden."

„Das können Sie auch kaum erwarten. In ein paar Wochen wird vieles leichter sein."

„Sagen Sie mal, stellen die Studenten nie Fragen?"

„Nein, den Herrn Professor kann man nicht unterbrechen."

„Und klopft man hier immer auf die Bank und scharrt mit den Füßen?"

„Das gibt dem deutschen Studenten eine Möglichkeit, seine Meinung zu äußern."

„Und was mir besonders aufgefallen ist, während der zehn Minuten Pause sah der Hörsaal aus wie die Mensa."

„Ach, sie sind überrascht, daß jeder sein Butterbrot mitbringt und da ohne weiteres anfängt zu essen."

"Well, how was the first lecture?"

"Interesting—I assume I didn't understand much, to be sure."

"You can hardly expect that. It will be much easier in a few weeks."

"Tell me, don't the students ever ask questions?"

"No, you can't interrupt the professor."

"And do they always knock on the desk and shuffle their feet?"

"That gives the German student an opportunity to express his opinion."

"And what I noticed especially, during the 10-minute recess the lecture hall looked like a student cafeteria."

"O, you were surprised that everyone brings his sandwich along and simply begins eating."

„Ja, ich habe das schon früher bemerkt. **Die Deutschen scheinen öfter zu essen als wir.**"

"Yes, I have noticed that before. The Germans seem to eat more often than we."

„**Das schon, aber nicht jede Mahlzeit schließt Suppe, Salat und Nachtisch ein.**"

"That's true, but not every meal includes soup, salad, and dessert."

D. PRACTICE IN WRITING

Schreiben Sie einen kurzen Aufsatz über Schiller! Wo ging er zur Schule? Warum haßte er das Leben in der Schule? Wofür interessierte er sich besonders? Wo führte man sein erstes Drama auf? Wie gefiel dem Herzog das Drama? Wo schrieb er seine Meisterwerke, und wie heißen sie?"

Alexander von Humboldt im Gespräch mit Goethe

19

GOETHE UND AMERIKA

I. HEARING AND READING

TEXT

WIR haben Goethe schon einmal in Verbindung[1] mit Amerika
erwähnt.[2] Wenn Sie die kleine Szene zwischen Goethe und
seinem amerikanischen Besucher interessiert hat, so werden Sie
mehr über Goethe und Amerika lesen wollen.[3] Übrigens,[4] ob Sie
es wollen oder nicht, Sie werden mehr über dieses Thema[5] lesen   5
müssen.

Als Goethe 1832 starb, war Amerika in Deutschland noch ziemlich[6] unbekannt. Man las zwar[7] amerikanische Schriftsteller,[8] z.B.
Washington Irving und vor allem James Fenimore Cooper, aber
den meisten Deutschen war Amerika zunächst[9] ein exotisches Land   10
voller[10] Indianer und Urwälder.[11] Manche Deutsche sahen in
Amerika das Paradies der Freiheit, und einige fuhren sogar nach
Amerika und kamen dann enttäuscht[12] zurück,[13] da[14] die neue Welt
ihre utopischen Wünsche nicht erfüllt[15] hatte. Goethe sah aber tiefer
als diese Zeitgenossen.[16] Er suchte im Menschenleben, in der   15
Natur und in der Geschichte das Wesentliche,[17] die inneren
Gesetze.[18] Er interessierte sich sehr[19] für die Vereinigten Staaten,[20]
und auch hier hat er das Wesentliche zu verstehen gesucht: das
große Lebensexperiment in diesem jungen Land. In seinem Roman

1. **die Verbindung** connection. 2. **erwähnen** to mention. 3. **Sie werden . . . wollen** you
will want to. 4. by the way. 5. **das Thema** topic. 6. rather. 7. to be sure. 8. **der
Schriftsteller** writer. 9. first of all. 10. full of. 11. **der Urwald** primeval forest.
12. disappointed. 13. **zurück´-kommen** to come back, return. 14. since. 15. **erfüllen** to fulfill. 16. **der Zeitgenosse** contemporary. 17. **das Wesentliche** the essential.
18. **das Gesetz** law. 19. very much. 20. United States.

20   „Wilhelm Meister" z.B. kommt ein junger deutscher Aristokrat
     aus dem amerikanischen Unabhängigkeitskrieg[21] zurück und ver-
     sucht,[22] demokratische Ideen auf seinen Besitzungen[23] einzuführen.
         Goethe erlebte[24] noch den Beginn des technischen Zeitalters. Im
     Jahre 1825 wurde der 544 km lange Erie-Kanal zwischen Buffalo und
25   Albany fertig,[25] und 1830 fuhr die erste Eisenbahn von Liverpool
     nach Manchester.
         Goethe wußte, daß die „gute alte Zeit" zu Ende ging,[26] und daß
     ein neues Zeitalter begann, das Zeitalter der Technik. Viele Dichter
     und Philosophen haßten diese neue Entwicklung und konnten nichts
30   Gutes daran finden. Nicht so der Weise von Weimar. Obgleich[27]
     er weit von Maschinen und Industrie in dem träumerischen[28] kleinen
     Städtchen Weimar wohnte,[29] interessierte er sich doch[30] sehr für
     die Möglichkeiten[31] dieser neuen Macht.[32] Goethes Privatsekretär,
     Eckermann, hat uns seine Gespräche[33] mit dem Dichter aufge-
35   schrieben[34]. In einem dieser Gespräche im Jahre 1827 sagte der
     alte Dichter etwa[35] das Folgende: „Dieser junge Staat Amerika
     wird in dreißig bis vierzig Jahren den Stillen Ozean[36] erreichen.[37]
     An der Küste dieses Ozeans werden dann große, wichtige Handels-
     städte[38] entstehen. Unser Freund Alexander von Humboldt[39]
40   spricht in seinem Buche über Südamerika von der Möglichkeit eines
     Panamakanals. Die Vereinigten Staaten müssen so einen Kanal
     bauen,[40] denn sie werden ihn für ihre Handelsstädte an der Küste
     brauchen. Aber nicht nur für Amerika, für die ganze zivilisierte und
     nichtzivilisierte Menschheit wird so ein Kanal viel bedeuten. Das
45   möchte[41] ich noch erleben, aber ich werde es nicht." Goethe hat
     es natürlich nicht mehr erlebt, da er ja schon ein sehr alter Mann
     war, als er das sagte.
         Auch Amerika hat sich für Goethe interessiert. Heute gibt es
     nicht nur Goethedenkmäler[42] und Goethestraßen in den Vereinigten
50   Staaten, sondern auch Goethevorlesungen[43] an Universitäten, und
     seine Werke findet man im ganzen Lande.

---

21. der Unabhängigkeitskrieg War of Independence. 22. versuchen to try, attempt.
23. die Besitzung property, estate. 24. erleben to experience, live to see. 25. wurde
fertig was completed. 26. zu Ende gehen to come to an end. 27. obgleich' although.
28. träumerisch dreamy, sleepy. 29. wohnen to live. 30. nevertheless. 31. die
Möglichkeit possibility, potentiality. 32. die Macht power, force. 33. das Gespräch
conversation. 34. auf-schreiben to write down. 35. about. 36. der Stille Ozean
Pacific Ocean. 37. erreichen to reach, get to. 38. der Handel commerce. 39. (German
scientist and writer, 1769-1859.) 40. bauen to build. 41. ich möchte I would like to.
42. das Denkmal monument. 43. die Vorlesung lecture.

II. STRUCTURE AND FUNCTION

1. Future Tense

Observe: **Sie werden mehr über dieses Thema lesen.**
You will read more about this topic.

In German, as in English, the future tense consists of the present tense of an auxiliary and the infinitive of the verb. German uses the present tense of **werden** as the auxiliary. The important difference between the German and English future tenses is that, in German, the infinitive stands last in the clause:

ich werde es morgen lesen	*I will read it tomorrow*
du wirst es morgen lesen	
er, sie, es wird es morgen lesen	
wir werden es morgen lesen	
ihr werdet es morgen lesen	
sie werden es morgen lesen	
Sie werden es morgen lesen	

2. Subordinating Conjunctions

In the statement: *I will tell you more about it, if you are interested,* the clause *if you are interested* is a *dependent* clause, because it assumes meaning only in conjunction with the main clause. Many dependent clauses are introduced by subordinating conjunctions. So far you have had: **als** (*when*), **da** (*since*), **daß** (*that*), **ehe** (*before*), **wenn** (*if*), **obgleich** (*although*).

3. Word Order in the Dependent Clause

a. *Observe:* **Ich weiß, daß er um sechs Uhr nach Hause geht.**
   ging.
   gegangen ist.
   gegangen war.
   gehen wird.

In a dependent clause, the inflected form of the verb stands last. This type of word order is called dependent word order.

b. *Observe:* **Er steht immer früh auf.**
   Ich weiß, daß er immer früh aufsteht.

In the main clause, prefixes separated from the verb stand last, but the verb remains the second element. In a dependent clause, however, the finite verb must stand at the end of the clause and the prefix and the verb now become one word: **Ich weiß, daß er immer früh aufsteht.**

4. Word Order in the Main Clause

Observe: **Ich werde alles retten, ehe es zu spät ist.**
Ehe es zu spät ist, werde ich alles retten.

Word order in the dependent clause is the same whether the dependent clause follows or precedes the main clause. However, inverted word order must be used in the main clause when the dependent clause precedes it.

5. Indirect Questions

When a question (**Wo wohnt er jetzt?**) is subordinated to a question or statement, it becomes an indirect question: **Wissen Sie, wo er jetzt wohnt?** or **Ich weiß nicht, wo er jetzt wohnt.** Note that German employs dependent word order in these two situations. Compare the position of the verb in the following direct and indirect questions:

DIRECT QUESTION	INDIRECT QUESTION
Inverted Word Order	*Dependent Word Order*
Wie spät ist es jetzt?	**Wissen Sie, wie spät es jetzt ist?**
What time is it now?	*Do you know what time it is now?*
Wann wird er nach Hause kommen?	**Wissen Sie, wann er nach Hause kommen wird?**
When will he come home?	*Do you know when he will come home?*
Wer hat das gesagt?	**Ich weiß nicht, wer das gesagt hat.**
Who said that?	*I don't know who said that.*
Wann stehen Sie auf?	**Sagen Sie mir, wann Sie aufstehen.**
When do you get up?	*Tell me when you get up.*

III. CONVERSATION AND WRITING

A. *ACTIVE VOCABULARY*

1. New Words

GROUP I

der **Beginn**	*beginning*
der **Unabhängig-**	*War of Inde-*
keitskrieg	*pendence*
der **Wunsch,** ⸗e	*wish*
die **Handelsstadt,**	*commercial*
⸗e	*town*
die **Macht,** ⸗e	*power, force*
das **Gesetz, -e**	*law*
das **Gespräch, -e**	*conversation*

Exceptional

das **Denkmal,** ⸗er	*monument*

GROUP II

der **Handel**	*commerce*
der **India′ner, -**	*Indian*
der **Schriftsteller, -**	*writer*
der **Philosoph′, -en**	*philosopher*
der **Zeitgenosse, -n**	*contemporary*
die **Idee′, -n**	*idea*
die **Industrie′, -n**	*industry*
die **Maschi′ne, -n**	*machine*
die **Natur′**	*nature*
die **Verbindung, -en**	*connection*
die **Vorlesung, -en**	*lecture*

UNCLASSIFIED

(das)**Südame′rika**	*South*
	America
das **Thema, Themen**	*theme, topic,*
	subject
die **Vereinigten**	*United States*
Staaten	

STRONG VERBS

auf-schreiben	**schrieb auf**	**aufgeschrieben**	*to write down*
zurück′-kommen	**kam zurück**	**ist zurückgekommen**	*to come back,*
			return

demokra′tisch	*democratic*
enttäuscht	*disappointed*
unbekannt	*unknown*
da	*there, then;*
	since
etwa	*about*
fertig	*finished, com-*
	pleted
obgleich′	*although*
sehr	*very, very*
	much
übrigens	*by the way*
ziemlich	*rather*
zunächst′	*first of all*
zwar	*to be sure*

IDIOMS

nichts Gutes	*nothing good*
zu Ende gehen	*to come to an*
	end

WEAK VERBS

bauen	*to build*
erfüllen	*to fulfill*
erleben	*to experience,*
	live to see
erreichen	*to reach, get*
	to
erwähnen	*to mention*
versuchen	*to try,*
	attempt
wohnen	*to live*

2. Review

ein paar (7)	century (1)	suchen (5)	hero (1)
ansehen (4)	government (2)	besuchen (9)	state (2)
das Jahrhundert (1)	entirely (3)	allerdings (6)	city (3)
eigen (10)	to look at (4)	aufhören (8)	approximately (4)
die Regierung (2)	to compare (5)	schließlich (7)	to look for (5)
vergleichen (5)	river (6)	bald (10)	to be sure (6)
fast (9)	a few (7)	ungefähr (4)	finally (7)
ganz (3)	each, every (8)	der Held (1)	to stop (8)
jeder (8)	almost (9)	der Staat (2)	to visit (9)
der Fluß (6)	own (10)	die Stadt (3)	soon (10)

B. PRACTICE IN STRUCTURE AND FUNCTION

1. *Practice the following patterns in the future tense by combining each of the three forms in the left column with all of the infinitive constructions in the right column:*

Ich werde	ihn besuchen.
Fred wird	die Wochen in Deutschland nicht vergessen.
Wir werden	Herrn Schröder im Auto mitnehmen.
	Ihnen das Geld geben.

2. *Express in the future tense (Example:* **Er sieht sich die Karte an.— Er wird sich die Karte ansehen.**):
   1. Wir versuchen das. 2. Kommt er bald zurück? 3. Hier baut unsere Universität ein neues Laboratorium. 4. Bist du bald mit der Arbeit fertig? 5. Ich schreibe Ihnen morgen. 6. Wo wohnen Sie in Berlin? 7. Es wird kalt. 8. Sie hört bald auf. 9. Ich stehe in zehn Minuten auf. 10. Ich schreibe es mir auf.

3. *Practice the following sentence patterns illustrating dependent word order:*
   Ich bin immer müde, obgleich ich gut schlafe.

   > **ich nicht aus dem Haus gehe.**
   > **ich immer spät aufstehe.**
   > **ich nicht viel arbeiten muß.**

4. *Connect the two sentences in each group by the conjunction indicated. First begin with the main clause, then with the dependent clause:*

Example: **Er geht nach Hause. (da) Er ist müde.**
Er geht nach Hause, da er müde ist.
Da er müde ist, geht er nach Hause.

1. Ich weiß. (daß) Er wird uns nicht besuchen. 2. Er ist hier ziemlich unbekannt. (da) Er sitzt immer zu Hause. 3. Sie reist sehr viel. (obgleich) Sie hat wenig Geld. 4. Geben Sie ihm das Geld! (wenn) Sie kommen zurück. 5. Ich werde Ihnen das Haus zeigen. (wenn) Sie interessieren sich dafür. 6. Er liest das. (da) Er interessiert sich für alles. 7. Wir werden diesen Sommer nach Europa reisen. (obgleich) Wir haben nicht viel Geld. 8. Das Zeitalter der Technik hatte schon begonnen. (als) Goethe beendete sein großes Drama Faust. 9. Wir müssen nach Hause gehen. (ehe) Es wird zu spät. 10. Viele Deutsche verstanden Amerika nicht. (da) Sie hatten nur Cooper und Mark Twain gelesen.

5. *Change the direct questions to indirect questions by making them dependent on* **Wissen Sie?** (*Example:* **Wie heißt der junge Mann? Wissen Sie, wie der junge Mann heißt?**):
1. Wo wohnt sie jetzt? 2. Wo kann ich Herrn Weber finden? 3. Wie alt ist sie? 4. Wie spät ist es? 5. Wann fängt die Oper an? 6. Was hat er gesagt? 7. Wieviel kostet das? 8. Wer hat das gesagt? 9. Warum kommt er nicht zurück? 10. Wann steht er auf?

6. *Translate:*
1. I will write tomorrow. 2. He will write him tomorrow? 3. Will you write me tomorrow? 4. I will not fly to New York. 5. Will he get up early? 6. When will you come home? 7. Do you know when you will come home? 8. I don't know when he will get up. 9. He is not tired, although he didn't sleep well. 10. She is not tired, although she always gets up very early. 11. Although I always get up early, I'm not tired. 12. I will show you the building, if you come with me. 13. If you come with me, I will show you the building. 14. Tell him that we will come back soon. 15. Do you know where he lives?

7. *Review exercise: noun declension (pages 134-136); fill the blanks with the correct forms of the nouns in parentheses:*

Example: **(der Dampfer) Der Kapitän des _____ hieß Hansen.**
                    Der Kapitän des Dampfers hieß Hansen.

1. (der Zug) Wir sind mit dem _____ gefahren. 2. (der Student) Kennen Sie den _____? 3. (der Student) Sie zeigte dem _____ das Zimmer. 4. (der Herr) Meine _____, das ist ein schweres Problem. 5. (der Herr) Ich werde _____ Meier eine Postkarte schreiben. 6. (der Herr) Was haben Sie gegen den _____? 7. (der Herr) Zeigen Sie den _____ unsere Stadt! 8. (der Komponist) Kennen Sie ein Werk des _____ Mozart? 9. (Deutschland) Thomas Mann ist _____ bekanntester Romandichter. 10. (die Schweiz) Wilhelm Tell ist der Nationalheld der _____. 11. (der Junge) Geben Sie dem _____ etwas zu essen! 12. (der Deutsche) Kennen Sie viele _____ in Chicago? 13. (der Amerikaner) Ich habe oft mit _____ über dieses Problem gesprochen. 14. (der Schriftsteller) Ich habe Verbindungen mit einigen deutschen _____. 15. (das Gespräch) Goethes Privatsekretär, Eckermann, hat seine _____ mit Goethe aufgeschrieben. 16. (das Gespräch) Aus diesen _____ kann man mehr über Goethe lernen als aus mancher Biographie.

C. PRACTICE IN CONVERSATION

„Guten Tag, Herr Müller, schon lange nicht gesehen.''

"Hello, Mr. Müller, I haven't seen you in a long time."

„Nett, daß wir uns einmal wiedersehen. Was gibt's Neues?''

"It's nice that we meet again. What's new?"

„Ach, nichts Besonderes. Ich komme gerade aus der Bibliothek.''

"Oh, nothing special. Just now I'm coming from the library."

„Haben Sie Bücher zurückgebracht?''

"Did you return some books?"

„Nein, ich wollte mir eins ausleihen. Aber das ist ja einfach unmöglich.''

"No, I was going to take one out. But that's simply impossible."

„Kann ich Ihnen behilflich sein?''

"Can I help you?"

„Ja, bitte sagen Sie mir, wie man sich schnell ein Buch aus einer deutschen Bibliothek ausleihen kann.''

"Yes, please tell me how one can quickly take out a book from a German library."

„Na, kommen Sie mal mit. Ich werde Ihnen ein paar Bestellzettel besorgen.''

"Well, come along. I'll get you a few call slips."

„Ja, also Bestellzettel brauche ich nicht. Ich habe schon einen einge-

"But I don't need call slips. I've already handed one in, but they

reicht, aber man hat mir gesagt, ich könnte das Buch erst nächste Woche abholen."	told me I couldn't pick up the book before next week."
„Ja, mein Lieber. So geht's. Sie werden noch manche Überraschung erleben."	"Well, my dear fellow. That's the way it goes. You'll have many another surprise."

D. PRACTICE IN WRITING

Schreiben Sie einen kurzen Aufsatz über Goethes Interesse für Amerika! Was wußte man zu Goethes Zeit über Amerika? Was war das Wesentliche im Leben des jungen Landes, das für Goethe von größerer Wichtigkeit war als für seine Zeitgenossen? Welche Möglichkeiten sah er für Amerika?

20

WIEDERHOLUNG
UND ERGÄNZUNG

I. PRESENT AND PAST OF MODAL AUXILIARIES

1. Forms

können (kann)	konnte	*be able, can*
mögen (mag)	mochte	*like to, may*
müssen (muß)	mußte	*have to, must*
dürfen (darf)	durfte	*be permitted to, may*
sollen (soll)	sollte	*be supposed to*
wollen (will)	wollte	*want to*

2. Present and Past

	PRESENT	PAST
ich	kann	konnte
du	kannst	konntest
er, sie, es	kann	konnte
wir	können	konnten
ihr	könnt	konntet
sie, Sie	können	konnten

Practice A

Translate (notice that the implied infinitives **gehen** [*to go*] *and* **tun** [*to do*] *may be omitted*):

1. Ich muß um zehn Uhr nach Hause. 2. Mußte sie schon nach Hause? 3. Das will ich nicht. 4. Er wollte es nicht. 5. Der alte Herr konnte nicht über die Straße. 6. Sie mußten es. 7. Wollen Sie nicht oder dürfen Sie nicht? 8. Das durften wir nicht, als wir Kinder waren. 9. Wir konnten, weil wir mußten. 10. Ich wollte diesen Sommer nach

Deutschland fahren, aber ich hatte hier zuviel zu tun. **11.** Er sollte um acht Uhr hier sein, jetzt ist es schon halb neun. **12.** Sie mochten ihn nicht. **13.** Er will nicht gehen. **14.** Er soll sehr reich sein. **15.** Er darf.

II. NUMBERS (See Lesson 14, pages 150-152)

Practice B

Read the following dates:
1. Goethe lebte von 1749 bis 1832. **2.** Schiller 1759-1805. **3.** Thomas Mann 1875-1955. **4.** Bach 1685-1750. **5.** Wagner 1813-1883. **6.** Richard Strauß 1864-1949. **7.** Kant 1724-1804. **8.** Einstein 1879-1956. **9.** Lincoln wurde am 12.2.1809 geboren. **10.** Er starb am 15.4.1865 um 7 Uhr 22.

III. REFLEXIVE PRONOUNS (See Lesson 15, pages 158-159)

Practice C

Supply the proper reflexive pronoun:
1. Ich will _____ ein gebrauchtes Auto kaufen. **2.** Kannst du _____ das vorstellen? **3.** Sie müssen _____ beeilen. **4.** Bitte setzen Sie _____! **5.** Ich muß _____ das aufschreiben. **6.** Rasiere _____ schnell, wir haben nicht viel Zeit! **7.** Sie zieht _____ immer gut an, wenn sie mit ihm ausgeht. **8.** Können Sie _____ das nicht denken? **9.** Ich ärgere _____, wenn ich daran denke. **10.** Interessieren Sie _____ für Psychologie?

IV. Da-COMPOUNDS AND Wo-COMPOUNDS (See pages 159-160)

Practice D

*Substitute a **da**-compound for the prepositional phrases in parentheses:*
1. Ich habe keine Zeit (fürs Kino). **2.** Er bereitet sich (auf eine Reise nach Europa) vor. **3.** Sie hat sich (über den Brief) gefreut. **4.** Er hat uns etwas (von seinem neuen Roman) erzählt. **5.** Hier hast du zehn Pfennig; kauf dir ein Stück Schokolade (für das Geld)!

When the interrogative **was** (*what*) is used with a preposition (*with what*), **was** is replaced by wo- (**wor-** before a vowel), which is combined with the preposition: **Womit hat er es geöffnet?** *With what* (compare *wherewith*) *did he open it?*

Practice E

Change the following sentences to questions, but substitute a **wo**-*compound for the prepositional phrase:*

Example: **Er hat (an die Frage) gedacht.**
  Woran hat er gedacht?   *What was he thinking of?*

1. Er hat (über die politische Lage in Rußland) gesprochen. 2. Sie hat ihr ganzes Geld (für neue Kleider) ausgegeben. 3. Sie interessiert sich (für Medizin). 4. Er erinnert sich noch (an den Tag). 5. Er braucht so viel Geld (zum Reisen).

V. STRONG VERBS (ABLAUT CLASSES)

In the following list, we have arranged most strong verbs you have had and a few new verbs (indicated by an asterisk) in classes known as **Ablaut** classes. **Ablaut** denotes change of the stem vowel (*sing, sang, sung; write, wrote, written*).

You are not expected to identify the class to which a verb belongs. But grouping the verbs in accordance with their vowel changes will help you memorize their principal parts. Once you have learned the principal parts of simple verbs, you can easily derive the principal parts of compound verbs. If you know **schreiben, schrieb, geschrieben,** you also know that the past and past participle of **beschreiben** must be **beschrieb, beschrieben.**

CLASS IA

bleiben	blieb	ist geblieben	*to stay, remain*
scheinen	schien	geschienen	*to shine; to seem*
schreiben	schrieb	geschrieben	*to write*

CLASS IB

*leiden	litt	gelitten	*to suffer*
*schneiden	schnitt	geschnitten	*to cut*

CLASS IIA

fliegen	flog	ist geflogen	*to fly*
fliehen	floh	ist geflohen	*to flee*
verbieten	verbot	verboten	*to forbid*
ziehen	zog	gezogen	*to pull; to move*
verlieren	verlor	verloren	*to lose*

CLASS IIB

| *fließen | floß | ist geflossen | | to flow |
| *schließen | schloß | geschlossen | | to close |

CLASS IIIA

*binden	band	gebunden		to bind
finden	fand	gefunden		to find
singen	sang	gesungen		to sing
sinken	sank	ist gesunken		to sink
trinken	trank	getrunken		to drink

CLASS IIIB

beginnen	begann	begonnen		to begin
*gewinnen	gewann	gewonnen		to win
schwimmen	schwamm	ist geschwommen		to swim

CLASS IV

*brechen	brach	gebrochen	er bricht	to break
helfen	half	geholfen	er hilft	to help
nehmen	nahm	genommen	er nimmt	to take
sprechen	sprach	gesprochen	er spricht	to speak
sterben	starb	ist gestorben	er stirbt	to die
treffen	traf	getroffen	er trifft	to meet

CLASS V

essen	aß	gegessen	er ißt	to eat
geben	gab	gegeben	er gibt	to give
geschehen	geschah	ist geschehen	es geschieht	to happen
lesen	las	gelesen	er liest	to read
sehen	sah	gesehen	er sieht	to see
treten	trat	ist getreten	er tritt	to step
vergessen	vergaß	vergessen	er vergißt	to forget

CLASS VI

*einladen	lud ein	eingeladen	er lädt ein	to invite
erfahren	erfuhr	erfahren	er erfährt	to find out
fahren	fuhr	ist gefahren	er fährt	to go, ride
schlagen	schlug	geschlagen	er schlägt	to hit; to defeat
waschen	wusch	gewaschen	er wäscht	to wash
*tragen	trug	getragen	er trägt	to carry, wear

CLASS VIIA

fallen	fiel	ist gefallen	er fällt	to fall
halten	hielt	gehalten	er hält	to hold; to stop
schlafen	schlief	geschlafen	er schläft	to sleep

*lassen	ließ	gelassen	er läßt	to let, allow
*laufen	lief	ist gelaufen	er läuft	to run
heißen	hieß	geheißen	er heißt	to be called
rufen	rief	gerufen	er ruft	to call

CLASS VIIB

| anfangen | fing an | angefangen | er fängt an | to begin |

IRREGULAR STRONG VERBS

gehen	ging	ist gegangen		to go
kommen	kam	ist gekommen		to come
stehen	stand	gestanden		to stand
verstehen	verstand	verstanden		to understand
sein	war	ist gewesen	er ist	to be
werden	wurde	ist geworden	er wird	to become, get
*bitten	bat	gebeten		to request
sitzen	saß	gesessen		to sit
liegen	lag	gelegen		to lie

IRREGULAR WEAK VERBS

haben	hatte	gehabt	er hat	to have
bringen	brachte	gebracht		to bring
denken	dachte	gedacht		to think
wissen	wußte	gewußt	er weiß	to know
kennen	kannte	gekannt		to know
brennen	brannte	gebrannt		to burn
nennen	nannte	genannt		to name
*rennen	rannte	ist gerannt		to run
*senden	sandte	gesandt		to send

Practice F

Translate:

1. Er steht auf. 2. Er war schon aufgestanden. 3. Den versprochenen
Besuch haben sie nie gemacht. 4. der gesunkene Dampfer. 5. der
sinkende Dampfer. 6. die eingeladenen Damen. 7. die einladende
Speisekarte. 8. Der Winter ist gekommen. 9. Der Sommer war
vergangen. 10. Er fuhr schnell. 11. Er erfuhr alles schnell. 12. Er war
nach Hause gekommen. 13. Er war zu Hause. 14. Was war wirklich
geschehen? Haben Sie ihn getroffen? 15. Der Dampfer fing an zu
sinken. 16. Wir sind alle älter geworden. 17. Wo ist das geschehen?
18. Er war lange krank gewesen. 19. Er war in ein Haus getreten
und nach wenigen Minuten zusammengebrochen, ehe man ihm helfen

konnte. **20. Wie ist es möglich, daß ein Mensch so etwas aushält?
21. Wußten Sie nicht, daß er uns nie einlädt? 22. Man kann sehen,
daß daraus nichts werden wird. 23. Er will nicht aufhören. 24. Wir
werden mit der Arbeit anfangen müssen, obgleich es noch sehr früh
ist. 25. Woran haben Sie gedacht?**

VI. FUTURE PERFECT

In German, as in English, there are six tenses. So far you have had
five. The sixth, the future perfect, is mentioned here for the sake of
completeness. It is rarely used in either English or German. In
German, it frequently expresses the idea of probability, that is,
something that probably happened in the past.

> **Nächsten Dienstag werde ich das Buch gelesen haben.**
> *By next Tuesday I will have read the book.*
> **Er wird nicht dort gewesen sein.**
> *He probably wasn't there.*

VII. SUBORDINATING CONJUNCTIONS

Dependent word order (the finite verb stands at the end of the clause)
is used after the following conjunctions (asterisk indicates new word):

als	*when*	***nachdem**	*after*
***bevor**	*before*	**ob**	*if, whether*
da	*as, since*	**obgleich**	*although*
***damit**	*so that*	***sobald**	*as soon as*
daß	*that*	***während**	*while*
ehe	*before*	***weil**	*because*
***falls**	*in case*	**wenn**	*if, when*

Practice G

*Connect the two sentences of each group by the conjunction in
parentheses:*

**1. Viele Menschen fanden im Wasser den Tod. (als) Das Schiff sank
in der Mitte des Ozeans. 2. Er lief aus dem Haus. (ehe) Wir konnten
ihn erreichen. 3. Er ging nach zwei Tagen zum Arzt. (da) Die
Schmerzen kamen wieder. 4. Der Fürst nahm Schiller in seine
Militärschule auf. (obgleich) Schiller wollte kein Soldat werden.
5. Du darfst bleiben. (wenn) Du versprichst, ruhig zu sein. 6. Der alte**

Goethe wußte. (daß) Die gute alte Zeit war zu Ende gegangen.
7. Schiller entfloh. (da) Karl Eugen hatte ihm verboten, Dramen zu
schreiben. 8. Wir werden ihn fragen. (sobald) Er kommt nach Hause.
9. Das Flugzeug startete. (obgleich) Das Wetter wurde von Minute
zu Minute schlechter. 10. Nero sang. (während) Das alte Rom brannte.
11. Viele Passagiere der Titanic sangen: „Näher mein Gott zu dir."
(während) Der große Ozeandampfer begann zu sinken.   12. Wir
können Ihre Geschichte nicht gebrauchen. (weil) Ihr Deutsch ist nicht
gut genug. 13. Ich will mir schnell eine Zeitung kaufen. (bevor) Die
letzte Zeitung ist verkauft.   14. Ich kann Ihnen zehn Mark geben.
(falls) Sie haben nicht genug Geld bei sich.   15. Ich weiß nicht. (ob)
Er ist um 8 Uhr noch zu Hause gewesen.

Practice H

Begin the sentences in Practice G with the dependent clause. Remember: The word order in the dependent clause remains the same (verb in final position); but the main clause must be inverted (verb-subject) because it is preceded by the dependent clause.

VIII. THREE WORDS FOR "WHEN"

1. Er war müde, als er nach Hause kam.
   He was tired when he came home.

Als is equivalent to *when* with a past tense, but not if *when* can be replaced by *whenever*.

2. Fragen Sie ihn, wenn er nach Hause kommt.
   Ask him when he comes home.

   Er hat mir immer geholfen, wenn ich Hilfe brauchte.
   He has always helped me, when (whenever) I needed help.

Wenn is equivalent to *when* with a present or future tense, and with all tenses if *when* can be replaced by *whenever*.

3. Wann waren Sie in Florida?
   When were you in Florida?

   Wissen Sie, wann es beginnt?
   Do you know when it starts?

Wann is used for *when* in questions.

Practice I

Translate:

1. When will he come home? 2. Where were you, when he came home? 3. She was always happy when he came home. 4. When will we be in Cologne? 5. I bought that when we were in Germany. 6. We'll write to you when we come to Munich. 7. Can you tell me when he will be home? 8. My parents came to New York when I was a child. 9. He only comes to us when he needs money. 10. Did you ask him when?

IX. *INDIRECT QUESTIONS* (See page 200)

Practice J

Change the second sentence to an indirect question:

Example: **Können Sie mir sagen?—Wer ist der Herr im weißen Sweater?**

Können Sie mir sagen, wer der Herr im weißen Sweater ist?

1. **Wissen Sie?—Wieviel kostet das?** 2. **Können Sie mir sagen?— Was bedeutet das Wort?** 3. **Haben Sie eine Idee?—Welcher von den beiden Herren ist Herr Böckel?** 4. **Auf dieser Tafel können Sie sehen. —Wann kommen die Züge an?** 5. **Zeigen Sie ihm die Stelle!—Wo hat das alte Haus gestanden?** 6. **Verstehen Sie?—Wie hat er das gemacht?** 7. **Ich kann Ihnen genau sagen.—Wo wohnt der Mann?**

Das Rathaus in Hamburg

21

HAMBURG

I. HEARING AND READING

TEXT

DER Volkswagen, der[1] auf dem Parkplatz neben Ihrem Auto
steht, die Leica, die[1] Sie gestern[2] im Schaufenster sahen, sind *a camera*
deutsche Industrieprodukte. Deutschland ist ja[3] nicht nur das Land
der romantischen kleinen Städte und Burgen, sondern auch der *castle*
Industriestädte. Es wird Zeit, daß wir uns einmal ein paar große 5
deutsche Städte näher ansehen. Wir beginnen mit Hamburg, was[4]
Sie nicht überraschen[5] wird, denn daß diese Stadt eine der wichtigsten Städte Deutschlands ist, wissen Sie schon. Hamburg war
übrigens auch in vergangenen Jahrhunderten eine der wichtigsten
Städte Deutschlands. Damals war es eine Freistadt,[6] d.h.[7] es hatte 10
wie ein deutscher Staat seine eigene Regierung. Heute ist Hamburg
eins der zehn Länder der Bundesrepublik.

Wir sehen uns zunächst einmal den Hamburger Hafen an, den
Sie als Amerikaner mit dem von New York vergleichen werden.
Hier wie dort sehen Sie große Dampfer, die aus fremden Ländern 15
gekommen sind. Hier wie dort schallt[8] der Lärm[9] der Schiffs-
sirenen,[10] der Motorboote und Schiffswerften[11] über das Wasser,
das aber in Hamburg anders[12] riecht[13] als in New York. Es ist
Flußwasser, Elbewasser, also kein Meerwasser. Hamburg liegt 130
km im Inland. Ein New Yorker, der nach langer Reise nach New 20

---

1. which. 2. yesterday. 3. **ja** yes; *here* of course. 4. which. 5. **überra´schen** to surprise.
6. **die Freistadt** free city (*city with sovereign rights*). 7 **d.h.** = **das heißt** that is to say.
8. **schallen** to sound. 9. noise. 10. **das Schiff** ship. 11. **die Schiffswerft** shipyard.
12. **anders** differently. 13. **riechen** to smell.

215

Geschäftshäuser, Banken und Hotels am Ufer der Binnenalster

York zurückkommt, freut sich,[14] wenn er die Freiheitsstatue sieht. Ein Hamburger Seemann freut sich, wenn er nach langer Seereise den „Michel", d.h. die Sankt Michaeliskirche[15] sieht, deren[16] Turm[17] schon von weitem sichtbar[18] ist.

Eine Wolkenkratzersilhouette,[19] wie sie New York hat, wird der   25
amerikanische Tourist in Hamburg nicht sehen. Doch die Stadt hat auch viel zu bieten,[20] was kein Reisender so schnell[21] vergißt. Hamburg ist vielleicht die schönste Großstadt Deutschlands, und das Schönste,[22] was man in Hamburg sehen kann, sind die beiden Alsterseen.[23] Da ist die Außenalster[24] mit ihrem blauen Wasser   30
und ihren weißen Segelbooten,[25] mit ihren grünen Ufern, Gärten und Parks, in denen die reichen Geschäftsleute[26] ihre Villen[27] haben. Eine Brücke trennt[28] die Außenalster von der Binnenalster,[29] an deren Ufern Geschäftshäuser,[30] Banken und Hotels liegen.

In Ihrem Reiseführer, in dem Sie auch ein historisches Kapitel[31]   35
über Hamburg finden, lesen Sie: Die Stadt existierte schon vor tausend Jahren[32] zur Zeit Karls des Großen,[33] was man kaum[34] glauben kann, wenn man die breiten[35] Straßen und modernen Gebäude dieser Stadt sieht. Die Bombenangriffe[36] des zweiten Weltkrieges[37] hatten das alte Hamburg fast zerstört.[38] Das gab   40
aber den energischen Bürgern eine Gelegenheit,[39] ihre Stadt ganz neu aufzubauen,[40] und sie zu einer der modernsten Städte Europas zu machen. Vielleicht ist das der Grund,[41] daß amerikanische Touristen so gern nach Hamburg kommen, und daß viele amerikanische Studenten ein Jahr in Hamburg studieren.   45

Diese Stadt hat jedem etwas zu bieten. Wer[42] sich in Hamburg amüsieren[43] will, muß nach St. Pauli gehen; wer feinere[44] Freuden[45] sucht, wird sie in Theatern, in der Oper und in der bekannten Gemäldegalerie[46] finden.

14. **sich freuen** to be glad. 15. Church of Saint Michael. 16. whose. 17. **der Turm** tower. 18. visible. 19. **der Wolkenkratzer** skyscraper. 20. **bieten** to offer. 21. quickly. 22. **das Schönste** the most beautiful sight. 23. **der Alstersee** Alster Lake. 24. Outer Alster Lake. 25. **das Segelboot** sailboat. 26. **der Geschäftsmann, -leute** businessman. 27. **die Villa** villa, home, house. 28. **trennen** to divide. 29. Inner Alster Lake. 30. **das Geschäft** store, business; **das Geschäftshaus** commercial building. 31. **das Kapi´tel** chapter. 32. **vor tausend Jahren** a thousand years ago. 33. **Karl der Große** Charlemagne. 34. hardly. 35. **breit** broad. 36. **der Bombenangriff** bombing (attack). 37. **der Weltkrieg** world war. 38. **zerstören** to destroy. 39. **die Gelegenheit** opportunity. 40. **auf-bauen** to rebuild. 41. **der Grund** reason. 42. **wer** he who. 43. **sich amüsie´ren** to have a good time. 44. **fein** fine, refined. 45. **die Freude** joy, pleasure. 46. **die Gemäl´degalerie´** picture gallery.

50   **Wie Sie sehen, ist diese Aufgabe ein Reiseführer, in dem Sie vieles über Hamburg finden. Wenn Sie aber längere Zeit in Hamburg bleiben wollen, dann brauchen Sie allerdings einen richtigen Reiseführer. Darin werden Sie alles finden, wofür Sie sich interessieren, nur nicht, wo man „hamburgers" kaufen kann.**

II. STRUCTURE AND FUNCTION

1. Relative Pronoun

English uses three words as relative pronouns: *who*, with reference to a person (*the man who . . .*); *which* or *that*, with reference to a thing (*the house which, that . . .*). German uses only one word to refer to either a person or a thing. This word is similar to the definite article:

> **Der Mann, der neben Ihrem Auto steht, . . .**
> *The man who is standing beside your car . . .*
> **Der Volkswagen, der neben Ihrem Auto steht, . . .**
> *The Volkswagen which is standing next to your car . . .*

2. Forms of the Relative Pronoun

	MASC.	FEM.	NEUTER	PLURAL	
NOM.	der	die	das	die	*who; which, that*
GEN.	dessen	deren	dessen	deren	*whose; of which*
DAT.	dem	der	dem	denen	*to whom; to which*
ACC.	den	die	das	die	*whom; which, that*

3. Gender, Number, and Case of the Relative Pronoun

Observe: **Der Herr, der uns das gesagt hat, . . .**   *The man who told us that . . .*
Der Herr, den Sie schon kennen, . . .   *The man whom you already know . . .*

The relative pronoun agrees in gender and number with the noun to which it refers. Its case, however, is determined by its function within the relative clause.

Determine the gender, number, and case of the relative pronouns in the following sentences:

a. **Der Herr, der heute zu uns spricht, ist ein berühmter Psychologe.**
      dessen Adresse ich Ihnen jetzt gebe,
      mit dem ich im Theater war,
      den Sie kennenlernen werden,

b. **Wo ist die Zeitung, die so interessant sein soll?**
      deren Inhalt so wichtig ist?
      in der (worin) die Anekdote steht?
      für die (wofür) Sie sich so interessieren?

c. **Das Hotel, das mir so gut gefallen hat, ist nicht weit von hier.**
      dessen Namen ich vergessen habe,
      in dem (worin) er wohnt,
      das er kaufen möchte.

d. **Die Assistenten, die dort arbeiten, sind Amerikaner.**
      deren Namen ich vergessen habe,
      mit denen er spricht,
      die Sie noch nicht kennen,

Note: 1. A relative clause is a dependent clause; hence the finite verb stands last in the clause.
     2. A German relative clause is always set off by commas.
     3. In English, the relative pronoun is sometimes omitted; in German, it may never be omitted: **Das Auto, das ich gekauft habe, . . .** *The car I bought . . .*

4. Relative Pronouns Governed by Prepositions

A relative pronoun may be used with a preposition:

     der Herr, mit dem . . . *the man, with whom . . .*

Note that, when the relative pronoun refers to a thing, a compound form consisting of **wo(r)** and the preposition is generally preferred (compare: *"The play's the thing wherein I'll catch the conscience of the king"*):

     Dies ist das Auto, worin er den Rekord gebrochen hat.
     This is the car in which he broke the record.

5. Interrogative Pronouns Used as Relative Pronouns

The interrogative pronouns **wer** (*who*) and **was** (*what*) are declined as follows:

	MASC. & FEM.		NEUTER	
NOM.	**wer**	*who*	**was**	*what*
GEN.	**wessen**	*whose*		
DAT.	**wem**	*to whom*		
ACC.	**wen**	*whom*	**was**	*what*

Was is used

a. after **alles, etwas, nichts, viel:**

> **Die Stadt hat viel zu bieten, was kein Reisender vergißt.**
> *The city has to offer much that no traveler will forget.*

b. after a superlative:

> **Das Schönste, was man sehen kann, ist der Alstersee.**
> *The most beautiful sight one can see is the Alster Lake.*

c. when the relative pronoun refers to an entire clause:

> **Wir beginnen mit Hamburg, was Sie nicht überraschen wird.**
> *We begin with Hamburg, (a fact) which will not surprise you.*

Wer or **was** is used

d. when the relative clause has no specific antecedent:

> **Wer sich in Hamburg amüsieren will, . . .**
> *He who (whoever) wants to have a good time in Hamburg . . .*
> **Was er gesagt hat, ist wahr.**
> *What he said is true.*

III. CONVERSATION AND WRITING

A. ACTIVE VOCABULARY

1. New Words

GROUP I

der **Grund**, ⸗e	*reason*
der **Krieg**, -e	*war*
der **Lärm**	*noise*
der **Turm**, ⸗e	*tower*
der **Weltkrieg**, -e	*world war*
die **Großstadt**, ⸗e	*large town*
die **Industrie′stadt**, ⸗e	*industrial town*

das **Geschäft**, -e	*store*
das **Motor′boot**, -e	*motorboat*
das **Schiff**, -e	*ship*

Exceptional

der **Geschäftsmann**, -leute	*businessman*
die **Bank**, -en	*bank*
das **Geschäftshaus**, ⸗er	*commercial building*

GROUP II

der **Wolkenkratzer,**	
-	*skyscraper*
das **Kapi'tel, -**	*chapter*
die **Freude, -n**	*joy, pleasure*
die **Gelegenheit, -en**	*opportunity*
die **Gemäl'de-**	*picture*
galerie', -n	*gallery*

UNCLASSIFIED

die **Villa, Villen**	*villa, home*

blau	*blue*
breit	*broad*
fein	*fine, refined*
histo'risch	*historical*
reich	*rich*
schnell	*quick*
sichtbar	*visible*

anders	*differently*
gestern	*yesterday*
kaum	*hardly*

IDIOMS

d.h. (das heißt)	*that is (to say)*
von weitem	*from afar*
vor tausend Jahren	*a thousand years ago*

WEAK VERBS

sich amüsie'ren	*to have a good time*
existie'ren	*to exist*
sich freuen	*to be glad*
überra'schen	*to surprise*
zerstören	*to destroy*

STRONG VERBS

an-kommen	**kam an**	**ist angekommen**	*to arrive*
bieten	**bot**	**geboten**	*to offer*
riechen	**roch**	**gerochen**	*to smell*

2. Review

das **Fenster** (3)	*to run* (1)	**bekommen** (5)	*to suffer* (1)
der **Wald** (7)	*only* (2)	**schwer** (9)	*to belong* (2)
laufen (1)	*window* (3)	**leiden** (1)	*to reach, extend* (3)
die **Grenze** (10)	*to know* (4)	**erwähnen** (10)	*to consist of* (4)
nur (2)	*capital* (5)	**gehören** (2)	*to get, receive* (5)
wohnen (8)	*rather* (6)	der **Sinn** (8)	*early* (6)
kennen (4)	*wood, forest* (7)	**reichen** (3)	*meaning,*
die **Hauptstadt** (5)	*to live, dwell* (8)		*significance* (7)
ziemlich (6)	*especially* (9)	**früh** (6)	*sense, meaning* (8)
besonders (9)	*border* (10)	**bestehen aus** (4)	*heavy, difficult* (9)
		die **Bedeutung** (7)	*to mention* (10)

B. PRACTICE IN STRUCTURE AND FUNCTION

1. *Fill in the proper relative pronouns:*

1. Sie sehen einen Dampfer, _____ **aus New York kommt. 2. Im**

Hamburger Hafen sehen Sie viele Dampfer, _____ aus den Vereinigten Staaten kommen. 3. Die Stadt Hamburg, _____ früher eine Freistadt war, ist heute eins der zehn Länder der Bundesrepublik. 4. Die Wolkenkratzersilhouette, _____ ich sah, als ich in den New Yorker Hafen kam, werde ich nie vergessen. 5. Die Kirche, _____ Turm Sie beim Hamburger Hafen sehen, ist die Sankt Michaeliskirche. 6. Der Volkswagen, in _____ ich nach Bonn gefahren bin, war nicht sehr teuer. 7. Hier sehen Sie viele Villen, in _____ reiche Geschäftsleute Hamburgs wohnen. 8. Der Herr, mit _____ wir durch die Stadt gefahren sind, war selbst ein alter Hamburger, also ein Mann, _____ Geburtsstadt Hamburg ist und _____ lange dort gelebt hat. 9. Er erwähnt das in einem Kapitel seines Buches, _____ Namen ich vergessen habe. 10. Wie heißt das Kino, in _____ Sie den Film gesehen haben?

2. *Combine the following pairs of sentences, using a* **wo(r)**-*compound:*

Example: **Das ist das Motorboot.   Er brach den Rekord damit.**
Das ist das Motorboot, womit er den Rekord brach.

1. Dies ist das Zimmer.   Luther übersetzte die Bibel darin.   2. Das ist eine Krankheit.   Wir wissen noch nicht viel darüber.   3. Das ist ein Thema.   Ich werde morgen darüber sprechen.   4. Das sind Probleme.   Ich will nichts davon wissen.   5. Wissen Sie?   Sie kämpfen darum.   6. Das ist das Flugzeug.   Lindbergh flog damit über den Atlantischen Ozean.

3. *Supply the proper form of* **wer** *or* **was:**
1. _____ bleiben will, muß helfen.   2. _____ er nicht weiß, können wir ihm sagen.   3. In Hamburg werden Sie etwas finden, _____ andere Großstädte nicht haben.   4. _____ keinen Lärm mag, wird sich in St. Pauli nicht amüsieren.   5. Er ist über achtzig Jahre alt, _____ man kaum glauben kann, wenn man ihn in seinem Garten bei der Arbeit sieht.

4. *Form relative clauses of the sentences in parentheses:*

Example: **Wir fanden ein Hotel. (Es war nicht zu teuer.)**
Wir fanden ein Hotel, das nicht zu teuer war.

1. Die Weltstadt am Hudson (Wir kannten ihre Wolkenkratzersilhouette aus vielen Filmen.) lag klar vor unseren Augen.   2. Den

Volkswagen (Er hatte ihn im vergangenen Jahre gekauft.) hat er schon wieder verkauft. 3. Wer waren die beiden jungen Damen? (Sie waren mit ihnen im Kino.) 4. Die Kirche (Sie sehen ihre Türme.) liegt am Rhein. 5. Es ist schwer, eine Stadt (Wir wissen nichts über ihre Geschichte.) mit einer anderen zu vergleichen. 6. Er ist ein Mensch. (Er interessiert sich für nichts.) 7. Ist dies der Turm? (Wir haben ihn schon von weitem gesehen.) 8. Wer kann mir die Geschichte erzählen? (Wir haben sie vor einigen Tagen gelesen.)

5. *Translate:*
1. A New Yorker who comes to Hamburg will find much that interests him. 2. The American with whom we went to the theater likes Hamburg. 3. This is the Volkswagen in which we went to Freiburg. 4. The church whose tower we saw from the train is the oldest church in Cologne. 5. Please give me the guidebook in which you found the chapter on Hamburg. 6. There is no city you can compare with New York. 7. There is much I have to explain to you. 8. He had been in Hamburg last summer, (a fact) which I did not know. 9. I'll start with the 16th century, which won't surprise you. 10. He told me something that surprised me.

6. *Review exercise: the present perfect tense (page 177):*
1. (kommen) Wann _____ Sie gestern nach Hause _____?
2. (erwähnen) Er _____ nichts davon _____. 3. (bekommen) _____ Sie Ihr Geld schon _____? 4. (stehen) Vor einem Jahrhundert _____ hier eine Kirche _____. 5. (aufstehen) Um wieviel Uhr _____ er heute _____? 6. (ankommen) Der Zug _____ vor zehn Minuten _____. 7. (gehen) Fräulein Becker _____ schon nach Hause _____. 8. (kommen) Sie hat sich sehr gefreut, daß Sie _____ _____. 9. (sich amüsieren) Ich _____ mich wirklich sehr gut _____. 10. (überraschen) _____ wir dich _____? 11. (bekommen) Wir _____ nichts von ihm _____. 12. (werden) Er _____ älter _____, aber nicht weiser. 13. (bleiben) Er weiß nicht, daß wir eine Woche länger in Hamburg _____ _____. 14. (sagen) _____ du ihm schon _____, (sein) wo du _____ _____? 15. (fahren) _____ sie allein _____?

C. PRACTICE IN CONVERSATION

„Verzeihung, können Sie mir sagen,   "Excuse me, can you tell me how
wie ich zum Gindelplatz komme?"   to get to Gindel Square?"

„Wollen Sie zu Fuß gehen oder mit dem Bus fahren?"	"Do you want to walk or go by bus?"
„Ist es weit?"	"Is it far?"
„Zu Fuß mindestens eine halbe Stunde. Sie gehen geradeaus bis zur Leipzigerstraße, dann links um die Ecke bis an die Brücke, dann . . . "	"Walking, at least half an hour. Go straight ahead to Leipzigerstraße, then turn the corner to your left and walk to the bridge, then . . . "
„Vielen Dank, ich glaube, ich fahre lieber mit dem Bus. Es sieht sowieso nach Regen aus."	"Many thanks, I believe I had better take the bus. Anyhow, it looks like rain."
„Dann nehmen Sie Bus Nummer 11. Die Haltestelle ist in der nächsten Straße. Der Fahrer kann Ihnen sagen, wo Sie aussteigen müssen."	"Then take bus number 11. The bus stop is in the next street. The driver can tell you where you have to get off."
„Vielen Dank für die Auskunft. Es fällt mir gerade ein, daß ich einen Reisescheck einlösen muß."	"Many thanks for the information. It has just occurred to me that I have to cash a travelers check."
„Das können Sie nur auf der Bank. Ich bin gerade auf dem Weg dahin. Wollen Sie mitkommen?"	"That you can do only at the bank. I happen to be on my way there. Do you want to come along?"
„Sehr gerne."	"I would like to."

D. PRACTICE IN WRITING

Beschreiben Sie einen Besuch in Hamburg! Vergleichen Sie den Hamburger Hafen mit dem New Yorker Hafen! Beschreiben Sie, was Sie von der Alsterbrücke sehen!

Der Kurfürstendamm in Berlin

22

BERLIN,
EINE INSEL

I. HEARING AND READING

TEXT

DER Tempelhofer Flughafen,[1] der größte Europas, liegt in
Westberlin. Wer mit dem Flugzeug dort ankommt, hat schon
eine der Sehenswürdigkeiten[2] Berlins vom Flugzeugfenster bewundern[3] können: die glitzernden[4] Seen und dunklen[5] Wälder
seiner Umgebung.[6]   5
    Wenn der Reisende den Flughafen verläßt,[7] sieht er das Denkmal
für die amerikanischen, englischen und deutschen Flieger, die im
Dienst[8] der Luftbrücke[9] ihr Leben verloren. Diese Luftbrücke
verband Westdeutschland mit der vorgeschobenen Festung[10] Berlin.   *connected*
Die Frage: Hat Berlin diese Rolle übernehmen[11] müssen, oder hat   10
es das gewollt?[12] wird jeder, der die Stadt kennt, beantworten
können. Weder[13] der Krieg noch die Russen hatten den Lebenswillen
dieser großen Stadt brechen können. Berlin hat als Berlin, als
eine europäische Hauptstadt, weiterleben[14] wollen, und das hat es
auch gekonnt.[15] Es ist freilich[16] fast ein Wunder, daß diese Stadt, 15
die durch den Krieg besonders schwer gelitten hatte, sich wieder

1. der Flughafen airport. 2. die Sehenswürdigkeit object of interest. 3. bewundern to
admire. 4. glitzern to glisten. 5. dunkel (*inflected* dunkl-) dark. 6. die Umge'bung
surroundings. 7. verlassen to leave. 8. der Dienst service. 9. die Luftbrücke (air
bridge) airlift. 10. die vorgeschobene Festung advanced fortress. 11. überneh'men to
take over, assume. 12. hat es das gewollt? did it want to do that? 13. weder . . . noch
neither . . . nor. 14. to go on living. 15. hat es gekonnt it was able to do. 16. to be
sure.

227

die See – ocean
der See – lakes

erheben[17] konnte, und es ist ein noch größeres Wunder, daß sie
wieder eine historische Rolle übernommen hat. Wir dürfen[18] aber
nicht vergessen, den Marshall Plan zu erwähnen. Der Marshall
20   Plan und die Lebenskraft[19] der Berliner haben ein neues Berlin
geschaffen.[20]

Zu den Sehenswürdigkeiten Berlins, die der Krieg beschädigt[21]
aber nicht zerstört hat, gehört auch das Brandenburger Tor.[22]
Dieses majestätische Tor sollte einmal den Glanz[23] und den Ruhm[24]
25   der Stadt Berlin symbolisieren. Es hat den Glanz und das Elend[25]
der Stadt gesehen. Siegreiche[26] preußische,[27] aber auch siegreiche
französische Soldaten sind durch dieses Tor marschiert. Russische
und amerikanische Tanks sind hindurchgerollt,[28] aber dies ist nun
alles Vergangenheit.[29] Heute denkt man kaum noch an gewonnene
30   und verlorene Kriege, wenn man das Tor sieht. Heute hat es einen
ganz anderen[30] Sinn. Hinter diesem Tor beginnt der politische
Osten, der bis Peking reicht. Und vor diesem Tor beginnt der politische Westen, der bis Washington reicht.

Jeder Reisende sollte[31] zwei Straßen gesehen haben: den
35   Kurfürstendamm und die Stalinallee.[32] Der Kurfürstendamm, die
Fifth Avenue von Berlin, zeigt mit seinen eleganten Geschäften,
modernen Cafés und Restaurants, mit seinen Kinos, Theatern
und Nachtlokalen[33] den Glanz und die Lebenslust[34] einer westlichen
Großstadt.   Die Stalinallee, die Hauptstraße[35] von Ostberlin,
40   besteht aus riesigen[36] Mietshäusern.[37] Lebensfreude hat dort
keinen Platz.[38] Bei Nacht ist der Kurfürstendamm hell[39] erleuchtet.[40]
Man hört Musik, Gelächter[41] und Straßenlärm. Die Stalinallee
dagegen[42] ist dunkel und still.

Das alte Klischee in Reiseführern, ,,Stadt der Gegensätze''[43], hat
45   in Berlin eine furchtbar[44] ernste Bedeutung bekommen.

---

17. **sich erheben** to rise. 18. **wir dürfen nicht** we must not. 19. **die Kraft** strength,
energy; **die Lebenskraft** vitality. 20. **schaffen** to create. 21. **beschädigen** to damage.
22. Brandenburg Gate. 23. **der Glanz** splendor. 24. **der Ruhm** fame. 25. **das Elend**
misery. 26. **siegreich** victorious. 27. **preußisch** Prussian. 28. **hindurch'-rollen** to
rumble through. 29. **die Vergangenheit** past. 30. **ander-** different. 31. should.
32. **die Allee'** avenue. 33. **das Nacht'lokal'** night club. 34. **die Lust** joy; **die Lebenslust**
vivacity, high spirits. 35. **main street**. 36. **riesig** huge. 37. **das Mietshaus** apartment
building. 38. **der Platz** place. 39. brightly. 40. **erleuchten** to illuminate. 41. **das
Gelächter** laughter. 42. on the other hand. 43. **der Gegensatz** contrast. 44. frightful,
terrible.

II. STRUCTURE AND FUNCTION

Compound Tenses of the Modals

a. Formation of the Present Perfect and Past Perfect

Observe: **Ich habe es nicht gekonnt.**   *I haven't been able to.*
          Ich habe es nicht tun können.   *I haven't been able to do it.*

All six modal auxiliaries use **haben** for the formation of the present perfect and past perfect.

The modals have two forms for the past participle. The regular form (**gekonnt, gemußt,** etc.) is used when a dependent infinitive is *not* expressed. The form identical with the infinitive (**können, müssen,** etc.) is used when a dependent infinitive (**tun** in our example, above) *is* expressed:

Er hat es gemußt.	*He* (*has*) *had to.*
Er hat schwer arbeiten müssen.	*He* (*has*) *had to work hard.*
Sie hatten es nicht gewollt.	*They had not wanted to.*
Sie hatten nicht arbeiten wollen.	*They had not wanted to work.*

b. Principal Parts

INF.	PRES.	PAST	PAST PARTICIPLE	
			1	2
können	kann	konnte	gekonnt	können
mögen	mag	mochte	gemocht	mögen
müssen	muß	mußte	gemußt	müssen
dürfen	darf	durfte	gedurft	dürfen
wollen	will	wollte	gewollt	wollen
sollen	soll	sollte	gesollt	sollen

c. Word Order

You have learned that the past participle stands last in a main clause. The past participle of a modal is no exception:

> **Er hat es gemußt.**
> **Er hat nach Berlin gehen müssen.**

Observe that the last two verb forms (**gehen müssen**) are identical to the last two verb forms in the future tense (**wird** plus the infinitive of the dependent verb plus the infinitive of the modal):

> **Er wird nach Berlin gehen müssen.**
> *He will have to go to Berlin.*

It is customary to speak of this construction as a "double infinitive." In a dependent clause, this double infinitive stands at the end of the clause, and the finite verb, which otherwise holds the final position, precedes it:

> **Ich weiß, daß er nach Berlin hat gehen müssen.**
> **Ich weiß, daß er nach Berlin wird gehen müssen.**

d. The same rules apply to the verbs **hören, lassen,** and **sehen.** Like the modals, these verbs combine with another infinitive without **zu,** thus forming a double infinitive:

> **Hast du sie singen hören?**
> *Did you hear her sing?*
> **Wissen Sie, warum er ihn nicht hat gehen lassen?**
> *Do you know why he did not let him go?*
> **Ich habe ihn fallen sehen.**
> *I saw him fall.*

III. CONVERSATION AND WRITING

A. ACTIVE VOCABULARY

1. New Words

GROUP I

der **Dienst, -e**	*service*
der **Gegensatz, ⸗e**	*contrast*
der **Glanz**	*splendor*
der **Plan, ⸗e**	*plan*
der **Platz, ⸗e**	*place*
die **Kraft, ⸗e**	*strength*
die **Lust**	*joy*
das **Tor, -e**	*gate*

Exceptional

das **Mietshaus, ⸗er**	*apartment building*

GROUP II

der **Flieger, -**	*flyer*
der **Flughafen, ⸗**	*airport*
das **Wunder, -**	*wonder*
die **Allee', -n**	*avenue*

die **Lebensfreude, -n**	*joy of life*
die **Rolle, -n**	*role*
die **Hauptstraße, -n**	*main street*
die **Luftbrücke**	*airlift*
die **Sehenwürdig-keit, -en**	*object of interest*
die **Umge'bung**	*surroundings*
die **Vergangenheit**	*past*

UNCLASSIFIED

das **Elend**	*misery*
das **Ost'berlin'**	*East Berlin*
das **West'berlin'**	*West Berlin*
ander	*other, different*
dunkel (dunkl-)	*dark*
elegant'	*elegant*

ernst	serious	IDIOMS	
furchtbar	frightful, terrible	weder .. noch	neither .. nor
hell	bright		
riesig	huge	WEAK VERBS	
still	still, quiet	beantworten	to answer
dage'gen	on the other hand	beschädigen	to damage
		bewundern	to admire
freilich	to be sure	weiter-leben	to go on living

		STRONG VERBS		
schaffen	schuf	geschaffen		to create
verlassen	verließ	verlassen	er verläßt	to leave

2. Review

brauchen (9)	to build (1)	unmöglich (6)	during; while (1)
gebrauchen (6)	hardly (2)	man (5)	artist (2)
wohnen (8)	to play (3)	deshalb (9)	perhaps (3)
bauen (1)	to compare (4)	vielleicht (3)	neighbor (4)
vergleichen (4)	in order that (5)	vor allem (7)	one; they (5)
malen (10)	to use (6)	während (1)	impossible (6)
spielen (3)	there is, there are (7)	neben (10)	above all (7)
es gibt (7)	to live (8)	der Künstler (2)	metropolis (8)
kaum (2)	to need (9)	der Nachbar (4)	therefore (9)
damit (5)	to paint (10)	die Weltstadt (8)	beside (10)

B. PRACTICE IN STRUCTURE AND FUNCTION

1. *Read and translate the following sentences:*
   Er hat nicht nach Hause gehen wollen.

   sollen.

   dürfen.

   müssen.

   können.

   mögen.

2. *Recast the above sentences by making them dependent on:* **Ich weiß, daß . . .**

3. *Read the following sentences in the future tense:*
   1. Er will seine Arbeit nicht beenden. 2. Er muß seine Familie verlassen. 3. Er kann die Frage nicht beantworten. 4. Er mag nicht in

einer Industriestadt wohnen.   5. Dürfen Sie Ihren Freund nicht
besuchen? 6. Ich muß um acht Uhr im Büro sein. 7. Sie mögen seinen
Plan nicht. 8. Er kann vor sieben nicht hier sein. 9. Die Regierung
will für solche Experimente kein Geld ausgeben. 10. Er darf sie nicht
besuchen.

4. *Read the sentences in 3 in the present perfect.*

5. *Read the sentences in 3 in the present perfect as dependent clauses of*
Hat er Ihnen gesagt, daß . . . ?

6. *Recast the second sentence of each group into the present perfect and
make it a dependent clause with the conjunction indicated:*

Example: **Ich bin so müde. (weil) Ich muß sehr lange arbeiten.**
          Ich bin so müde, weil ich sehr lange habe arbeiten müssen.

**1. Wissen Sie? (daß) Er will uns nichts davon sagen. 2. Ich mußte
mit dem Zug fahren. (weil) Ich konnte keinen Platz im Flugzeug
bekommen. 3. Ich habe mich nicht amüsiert. (da) Ich muß immer an
das kommende Examen denken. 4. Er ist bis jetzt nicht in Europa
gewesen. (obgleich) Er will jedes Jahr eine Europareise machen.
5. Ich habe ihm die ganze Geschichte erzählt. (da) Er wollte sie noch
einmal hören. 6. Ich glaube, sein Deutsch ist sehr gut. (obgleich) Ich
höre ihn nie sprechen. 7. Ich bin gekommen. (weil) Ich höre dich rufen.
8. Freust du dich? (daß) Sie haben dich gehen lassen.**

7. *Translate (express the English past by the German present perfect):*
1. Berlin wanted to go on living. 2. Why did you have to go alone?
3. I had to mention it. 4. I wanted to help her. 5. I told him that I
wanted to help him. 6. Did you hear her sing? 7. We didn't know
that he didn't want to come. 8. I heard something fall. 9. We let
them go home. 10. Why did you let them go home? 11. They
wanted to.[1] 12. We had to.[1] 13. She wasn't allowed to.[1] 14. Yes,
I was able to.[1] 15. You were able to because you had to.[1]

8. *Review exercise: adjective endings(pages 65-66,86,110-111,123-124):*
**1. Wer ist die jung— Dame im dunkl— Kleid? 2. Vom Flugzeugfenster
sehen wir die hell— Lichter der Weltstadt. 3. In dieser Straße sehen
Sie riesig— neu— Mietshäuser. 4. Die Stadt hat nichts von ihrem**

---

[1] Use **es** for the unexpressed dependent infinitive.

alt— Glanz verloren. 5. Der Reisend—, der Berlin zum erst— Mal sieht, wird diese europäisch— Weltstadt mit der amerikanisch—, mit New York, vergleichen wollen. 6. Er konnte doch in seinem schwer beschädigt— Flugzeug landen. 7. Unser neu— Wagen ist nicht so groß wie unser alt—. 8. Er zeigte seiner jung— Frau die Umgebung seiner Geburtsstadt, die viel— Plätze, wo er im Sommer geschwommen hatte. 9. Haben die Deutsch— so etwas wie den viert— Juli? 10. Wir müssen noch lange daran arbeiten. Vor dem fünfzehnt— werden wir nicht fertig sein.

C. PRACTICE IN CONVERSATION

„Haben Sie Herrn Schröder gesehen?"

"Have you seen Mr. Schröder?"

„Um diese Zeit ist er gewöhnlich in seinem Büro."

"At this time he is usually in his office."

„Da war ich schon."

"I was there already."

„Warum rufen Sie ihn nicht zu Hause an?"

"Why don't you call him at his home?"

„Das ist eine gute Idee. Wo ist hier ein Telephon?" (Fernsprecher)

"That's a good idea. Where is a telephone around here?"

„Kommen Sie mit. Ich zeige es Ihnen."

"Come along. I'll show it to you."

„Nun weiß ich aber seinen Vornamen nicht, und es gibt so viele Schröders."

"But I don't know his first name, and there are so many Schröders."

„Ich glaube, er heißt Wilhelm und wohnt in der Kaulbachstraße. Lassen Sie mich mal sehen!"

"I believe his name is Wilhelm, and he lives on Kaulbachstraße. Let me see."

„Aber bitte, bemühen Sie sich nicht! Ich werde ihn schon finden."

"But please, don't trouble yourself. I'm sure I'll find him."

„Einen Augenblick. Ich habe es schon: Schröder, Albert—Eduard —Georg—hier ist er: Wilhelm Schröder, Kaulbachstraße 91. Die Nummer ist 21076."

"One moment. I have it already: Schröder, Albert — Eduard — Georg—here he is: Wilhelm Schröder, Kaulbachstraße 91. The number is 21076."

„Vielen Dank. Ich rufe ihn sofort an."

"Thank you very much. I'll give him a ring immediately."

„Hier bei Schröder."	"This is the Schröder residence."
„Ist Herr Schröder zu sprechen?"	"May I speak with Mr. Schröder?"
„Wer ist da, bitte?"	"Who's calling, please?"
„Mein Name ist Schmidt, Larry Schmidt."	"My name is Schmidt, Larry Schmidt."
„Herr Schröder ist leider nicht zu Hause. Wir erwarten ihn gegen sieben."	"I'm sorry, but Mr. Schröder is not at home. We expect him around seven."
„Dann rufe ich später nochmals an."	"Then I'll call again later."
„Auf Wiederhören."	"Good-by."
„Auf Wiederhören."	"Good-by."

D. PRACTICE IN WRITING

Beschreiben Sie einen Besuch in Berlin! Sie kommen mit dem Flugzeug an, fahren in einem Taxi durch die Stadt bis in die Nähe des Brandenburger Tores. Beschreiben Sie, was Sie auf dem Kurfürstendamm sehen!

Das Rathaus in München; im Hintergrund die Frauenkirche

23

MÜNCHEN

I. HEARING AND READING

TEXT

VIEL ist schon über die Hauptstadt Bayerns geschrieben worden,[1] und viel wird noch über sie geschrieben werden.[2] Wir hoffen[3] nur, daß diejenigen,[4] die München später beschreiben,[5] nicht gleichzeitig[6] das Passiv[7] zu üben[8] brauchen.

Von Berlin haben wir sehr, sehr ernst sprechen müssen. Von 5 München können wir nicht in diesem Ton sprechen. Der charakteristische Reiz[9] dieser Stadt macht das unmöglich. Worin[10] besteht dieser Reiz?

In München wird das Leben leichter genommen[11] als in Norddeutschland. Man arbeitet dort nicht so energisch, und man ist 10 dort nicht so ernst wie in den großen Städten nördlich des Mains.[12] Oberbayern[13] ist hauptsächlich[14] Agrarland,[15] und die Bayern sind immer ein—im besten Sinne des Wortes—bäuerliches[16] Volk geblieben. München ist deshalb nie[17] eine hundertprozentige Weltstadt geworden. Aber in keiner anderen deutschen Großstadt 15 wird das Leben so genossen[18] wie hier. Wahre Lebensfreude ist die Spezialität Münchens, die noch vor dem Münchener Bier genannt werden muß,[19] mit dem sie auch zusammenhängt.[20]

1. **ist geschrieben worden** has been written. 2. **wird geschrieben werden** will be written. 3. **hoffen** to hope. 4. **derjenige** that one; **diejenigen** those. 5. **beschreiben** to describe, write up. 6. at the same time. 7. passive voice. 8. to practice. 9. **der Reiz** charm. 10. in what. 11. **wird genommen** is taken. 12. **der Main** Main river. 13. Upper Bavaria. 14. essentially, chiefly. 15. **das Agrarland** agrarian land. 16. **bäuerlich** rustic. 17. never. 18. **genießen** to enjoy. 19. **genannt werden muß** must be mentioned. 20. **zusam'men-hängen** to hang together, be connected.

Im Hofbräuhaus

Das Oktoberfest

In anderen Städten Deutschlands werden Frachtschiffe[21] gebaut
oder Präzisionsinstrumente hergestellt.[22] In München wird das 20
beste Bier der Welt gebraut. Aber das wissen Sie ja schon. Vielleicht
haben Sie auch schon vom Hofbräuhaus gehört, dem bekanntesten[23]
der vielen Restaurants in München. Dort sitzt der Universitätsprofessor neben dem Bauarbeiter.[24] Der Bankdirektor, der sich
zu den beiden setzt, grüßt[25] sie und nennt sie „Herr Nachbar". In 25
München gab es schon eine Demokratie der Freude und Gemütlichkeit,[26] als Bayern noch von Königen[27] regiert wurde.[28]

Ein ähnlicher[29] Geist[30] beherrscht[31] das Oktoberfest.[32] Wer
einmal in einem der riesigen Zelte[33] dieses Fest gefeiert[34] hat, wird
es sein Leben lang kaum wieder vergessen. Nichts kann mit dem 30
Oktoberfest verglichen werden. Da werden ganze Ochsen, Hühner[35]
und Fische gebraten,[36] während die dunkeläugigen,[37] robusten
Kellnerinnen[38] mit fünf großen Maß[39] in jeder Hand zu den Tischen
eilen.[40] Da spielen die Kapellen[41] die alten bayrischen Märsche, und
die Bayern singen sie—nicht gerade[42] leise,[43] wie man sich denken 35
kann. Sobald der amerikanische Tourist seine Maß Bier getrunken
hat, singt er mit.[44]

Das zweite große Münchener Fest ist der Fasching.[45] Tausende
von Plakaten[46] müssen gemalt und Kostüme, Masken und Dekorationen erfunden[47] werden, damit der Münchener Karneval mit allem 40
Pomp gefeiert werden kann. Das ist Arbeit für die vielen Münchener
Künstler. Tagelang[48] lebt München zur Faschingszeit in festlicher
Freude. Nur im Rheinland gibt es etwas Ähnliches.[49] In Norddeutschland kennt man solche Feste nicht.

Es wird Zeit, daß wir Schluß machen,[50] und wir haben noch kein 45
Wort von Münchens schönen Gebäuden, Parks und Straßen gesagt.
Da ist z.B. die jahrhundertealte Residenz,[51] da ist der Englische

---

21. **die Fracht** freight. 22. **her-stellen** to produce, manufacture. 23. **bekannt** known.
24. **der Bau** construction. 25. **grüßen** to greet. 26. **die Gemütlichkeit** *approximate
meaning* congeniality. 27. **der König** king. 28. **regiert wurde** was ruled. 29. **ähnlich**
similar. 30. **der Geist** spirit. 31. **beherrschen** to control, dominate. 32. **das Fest**
festival. 33. **das Zelt** tent. 34. **feiern** to celebrate. 35. **das Huhn** chicken. 36. **braten**
to roast. 37. **dunkeläugig** dark-eyed. 38. **die Kellnerin** waitress. 39. **die Maß**
(*equivalent to about one quart*) stein. 40. **eilen** to hurry. 41. **die Kapelle** band.
42. **gerade** just, exactly. 43. **leise** softly, in a low voice. 44. **mit-singen** to join in the
singing. 45. **der Fasching** carnival. 46. **das Plakat'** poster. 47. **erfinden** to invent,
design. 48. for days. 49. **etwas Ähnliches** something similar. 50. **Schluß machen**
to call a halt, stop. 51. **die Residenz'** (*formerly*) royal palace.

Garten, der als der schönste und größte Park innerhalb[52] einer
europäischen Stadt betrachtet[53] wird. Wir sollten auch noch von
50   den Theatern, dem Deutschen Museum und vor allem von der
Münchener Universität sprechen, wo viele amerikanische Studenten
ihr Junior Year verbringen.[54] Aber auch diese Aufgabe darf nicht
zu lang werden.

II. STRUCTURE AND FUNCTION

1. Passive Voice *werden + past participle*

Observe:

ACTIVE: **Ein Flugzeug entdeckte das Unterseeboot.**
An airplane discovered the submarine.

PASSIVE: **Das Unterseeboot wurde von einem Flugzeug entdeckt.**
The submarine was discovered by an airplane.

In the active voice, the subject of the sentence "acts"; in the passive
voice the subject is "acted upon," hence is passive.

English expresses the passive voice by the auxiliary *to be* and the
past participle of the verb; German uses **werden** and the past
participle. The agent, when expressed, is indicated by **von** (**von
einem Flugzeug**).

2. Forms of the Passive

The principal parts of **werden** are **werden, wurde, ist geworden (wird).**
However, the past participle **geworden** is not used in the passive voice;
the shorter form **worden** takes its place:

present — **Das Auto wird von Mechaniker Schmidt repariert**		*(is being repaired)*
past — **wurde**	**repariert**	*(was repaired)*
present perfect — **ist**	**repariert worden**	*(has been [was] repaired)*
past perfect — **war**	**repariert worden**	*(had been repaired)*
future — **wird**	**repariert werden**	*(will be repaired)*
future perfect — **wird**	**repariert worden sein**	*(will have been repaired)*

52. inside of. 53. **betrachten als** to consider. 54. **verbringen** to spend.

3. Use of the Passive

The meaning of a statement in either the active or the passive voice is the same. The use of either is a question of style. However, the passive is generally preferred if the agent of an action is not specified:

In anderen Städten werden Frachtschiffe gebaut.
In other cities freighters are built.

Das beste Bier wird in München gebraut.
The best beer is brewed in Munich.

Viel ist über München geschrieben worden.
Much has been written about Munich.

4. Modals and the Passive Infinitive

Observe the two infinitives used with the modal auxiliary:

Dr. Carlson mußte operieren.	*Dr. Carlson had to operate.*
Dr. Carlson mußte operiert werden.	*Dr. Carlson had to be operated on.*

Operieren is the active infinitive and **operiert werden** the passive infinitive. The passive infinitive consists of the past participle of the verb and **werden**:

Hier muß München genannt werden.
Here Munich must be mentioned.
Nichts kann mit diesem Fest verglichen werden.
Nothing can be compared with this festival.

5. Dependent Word Order in the Passive

As always, the finite verb, that is, the conjugated verb, goes to the end of the dependent clause:

Ich weiß, daß viel über München geschrieben worden ist.
Ich weiß, daß nichts mit diesem Fest verglichen werden kann.

6. Contrast between Action and State

Observe:

a. Ihr Auto wird repariert.	*Your car is being repaired.*
b. Ihr Auto ist repariert.	*Your car is repaired.*

In statement **a,** the past participle is used with the auxiliary **werden,** forming a passive construction in which the subject is being acted upon, that is, emphasis is on the action. In statement **b,** the past participle is a predicate adjective of the verb **sein** and has the same function as the adjective **neu** in **Ihr Auto ist neu.** Such a construction describes a state or condition.

7. Three Uses of "werden"

a. as independent verb:

Es wird kalt.	*It is getting cold.*
Es wurde kalt.	*It was getting cold.*
Es ist kalt geworden.	*It has gotten cold.*
Es war kalt geworden.	*It had gotten cold.*
Es wird kalt werden.	*It will get cold.*

b. as auxiliary of the future:

Er wird das Auto reparieren.	*He will repair the car.*

c. as auxiliary of the passive:

Das Auto wird repariert.	*The car is being repaired.*
Das Auto wurde repariert.	*The car was being repaired.*
Das Auto ist repariert worden.	*The car has been repaired.*
Das Auto war repariert worden.	*The car had been repaired.*
Das Auto wird repariert werden.	*The car will be repaired.*

Note the important patterns:

es ist (kalt) geworden	*it has become* or *gotten* (*cold*)
es ist (repariert) worden	*it has been* or *was* (*repaired*)

III. CONVERSATION AND WRITING

A. ACTIVE VOCABULARY

1. New Words

GROUP I

der **Reiz,** -e	*charm*
der **Ton,** ⸗e	*tone*
das **Fest,** -e	*festival*
das **Frachtschiff,** -e	*freighter*

Exceptional

das **Huhn,** ⸗er	*chicken*

GROUP II

der **Arbeiter,** -	*workman*

die **Demokratie'**, -n *democracy*
die **Gemütlichkeit** *congeniality*
die **Kellnerin,**
   -nen *waitress*

UNCLASSIFIED
der **König, -e** *king*

   ähnlich *similar*
   bekannt *(well-) known*
   charakteri'- *character-*
   stisch *istic*
   derjenige *that one*
   festlich *festive*
   leise *softly, in a*
   low voice
   gerade *just, exactly*
   gleichzeitig *at the same*
   time
   innerhalb (with
   gen.) *inside of*

hauptsächlich *essentially,*
   chiefly
nie *never*

IDIOMS
Schluß machen *to stop*
tagelang *for days*

WEAK VERBS
beherrschen *to control,*
   dominate
betrachten als *to consider*
entdecken *to discover*
feiern *to celebrate*
grüßen *to greet*
her-stellen *to produce,*
   manufacture
hoffen *to hope*
reparie'ren *to repair*
üben *to practice*

STRONG VERBS

beschreiben	**beschrieb**	**beschrieben**		*to describe, write up*
braten	**briet**	**gebraten**	**er brät**	*to roast*
erfinden	**erfand**	**erfunden**		*to invent*
genießen	**genoß**	**genossen**		*to enjoy*
verbringen	**verbrachte**	**verbracht**		*to spend*
zusam'men-hängen	**hing zusammen**	**zusammen-gehangen**		*to hang together, be connected*

2. Review

traurig (5)	*territory; field* (1)	**bedeutend** (7)	*excuse* (1)
ohne (9)	*art* (2)	**fern** (5)	*foreign* (2)
das Gebiet (1)	*in spite of* (3)	**die Entschuldigung** (1)	*opportunity* (3)
die Kunst (2)	*danger* (4)	**damals** (10)	*joy, pleasure* (4)
verdanken (7)	*sad* (5)	**die Freude** (4)	*far, distant* (5)
erwarten (10)	*for, because* (6)	**fremd** (2)	*to ask, beg* (6)
trotz (3)	*to owe* (7)	**das Geschäft** (9)	*important* (7)
denn (6)	*to appear* (8)	**die Gelegenheit** (3)	*to carry, wear* (8)
die Gefahr (4)	*without* (9)	**bitten** (6)	*store* (9)
erscheinen (8)	*to expect* (10)	**tragen** (8)	*at that time* (10)

B. *PRACTICE IN STRUCTURE AND FUNCTION*

1. *Read and translate each sentence, then change the tense to the past, present perfect, past perfect, and future:*
   1. Das wird oft vergessen. 2. Tausende von Plakaten werden gemalt.
   3. Viele Dekorationen werden erfunden. 4. Der Karneval wird mit großem Pomp gefeiert. 5. Sie wird viel bewundert.

2. *Translate the following sentences and note the three functions of* werden:
   1. Sie werden alte Volkslieder singen. 2. Die alten Lieder werden immer gern gesungen. 3. Es wird heller. 4. Das schönste Gebäude der Stadt ist zerstört worden und wird nicht wieder aufgebaut werden.
   5. Das Gebäude ist beschädigt, aber das kann alles leicht wieder repariert werden. 6. Glauben Sie mir, es wird bald besser werden!
   7. Er konnte nicht operiert werden. 8. Diese Oper wurde in allen Großstädten gespielt. 9. In welchem Jahr wurde Amerika entdeckt?
   10. Ob er von allen verstanden wird, weiß ich nicht. 11. Daß so eine wissenschaftliche Theorie nicht von allen verstanden werden kann, ist klar. 12. Wir werden Ihnen jetzt drei deutsche Wörter erklären, denn sie werden im nächsten Satz gebraucht: Der Esel heißt auf englisch „donkey", und der Sack heißt „sack, bag". Das Verb „totschlagen" heißt „to strike dead, to kill". 13. Wenn der Esel totgeschlagen wird, wird er keine Säcke tragen. 14. Dieser Satz ist ein Sprichwort, dessen Übersetzung genau dieselbe ist wie die in Satz 13, dessen Form aber anders ist:

   > Wird der Esel totgeschlagen,
   > Wird er keine Säcke tragen.

   15. Warum die Konjunktion „wenn" hier nicht gebraucht wird, werden Sie später erfahren.

3. *Translate:*
   1. He had become rich. 2. That has never been mentioned. 3. He was happy; his house was sold. 4. Such books were written at that time! 5. This question must and will be studied by all. 6. That must be. 7. That must have been Mr. Bäcker. 8. That must have been mentioned in his letter. 9. That had to be mentioned. 10. That will be mentioned in my letter. 11. It's getting darker. 12. The name Goethe is known to all, but Goethe is not read by all. 13. These houses were damaged during the last war. They will be repaired

soon and we will also build new houses. 14. This question can't be answered. 15. The question has been answered. 16. We arrived too late, the books were already sold.

4. *Review exercise: prepositions with the dative or accusative (pages 84-85):*

1. Der Reiz dieser Stadt besteht in ihr— Gemütlichkeit. 2. Wir haben zwei herrliche Wochen in d— Umgebung von Hamburg verbracht. 3. Deutsche Familien gehen i— Sommer oft ein paar Wochen an d— Nordsee. 4. Auf unser— Stadt sind im Kriege keine Bomben gefallen. 5. Das war vor mein— Zeit. 6. Wenn jemand nicht diplomatisch ist, sagt man auf deutsch: Er fällt mit der Tür in— Haus. 7. Wir wohnen in d— großen Mietshaus da hinter d— Park. 8. Wieviele Flugzeuge landen innerhalb vierundzwanzig Stunden auf dies— Flughafen? 9. Heute gehen wir in d— Oper, um Fidelio zu sehen. 10. Wo wird Fidelio gespielt? I— neuen Opernhaus.

C. PRACTICE IN CONVERSATION

„Herr Brückel, Sie sind doch ein alter Hamburger." | "Mr. Brückel, you are an old resident of Hamburg, aren't you?"

„Das will ich meinen." | "I should say so."

„Also, ich brauche Ihren Rat." | "Well, I'm in need of your advice."

„Bitte schön." | "I'll be glad to help."

„Meine deutsche Kamera, die ich mir in Amerika gekauft habe, ist kaputt." | "My German camera, which I bought in America, is in need of repair."

„Das ist schade—Sie machen jeden Tag Aufnahmen. Wollen Sie sich eine leihen?" | "That's too bad—and you take pictures every day. Do you want to borrow one?"

„Nein, ich kann warten. Könnten Sie mir aber ein gutes Kamerageschäft empfehlen, wo ich sie reparieren lassen kann?" | "No, I can wait. But could you recommend a good camera store where I can have it repaired?"

„Ich fürchte, das kann ich nicht. Ich besitze nämlich keine Kamera. Aber warten Sie! Mein Vater hat einen Freund, der ein leidenschaftlicher Amateurphotograph ist." | "I'm afraid I can't do that. I don't own a camera, you know. But wait. My father has a friend who is an ardent amateur photographer."

„Könnten Sie ihn fragen?" | "Could you ask him?"

„Ja, ich will ihn mal zu Hause anrufen."

"Yes, I'll call him up at home."

„Das ist sehr liebenswürdig von Ihnen."

"That's very kind of you."

„Hier haben Sie die Adresse. Das Geschäft ist nur drei Straßen von hier nach der Universität zu.

"Here you have the address. The store is only three blocks from here in the direction of the university."

„Herzlichen Dank."

"Many thanks."

„Keine Ursache. Gern geschehen."

"Don't mention it. I was glad to do it."

D. PRACTICE IN WRITING

Beschreiben Sie das Oktoberfest in München! Welcher Geist beherrscht das Oktoberfest? Sie gehen in ein Zelt und bestellen sich etwas zu essen. Beschreiben Sie, was andere Leute tun!

24

WIEN IM JAHRE 1683

I. HEARING AND READING

A. TEXT

„WIEN, Wien, nur du allein, sollst stets[1] die Stadt meiner
Träume[2] sein." Der Leser frage sich[3] einmal, warum Wien
eine Stadt der Träume sein soll. Die Antwort ist nicht schwer. Er
stelle sich aber nicht das moderne Wien vor,[4] das energisch an
seinem Wiederaufbau[5] arbeitet, sondern das Wien der guten alten   5
Zeit, des 19. Jahrhunderts. Das war das Wien der Musik, der
Lieder, des fröhlichen[6] und eleganten Lebens. Da sah man in den
Cafés Philosophen, Musiker, Gelehrte[7] und Dichter. Das war das
Wien, in dem die Oper und das Theater wichtiger waren als die
Politik.   10
So war es im 19. Jahrhundert. Man glaube[8] nun aber nicht, daß
diese Stadt immer eine Stadt der Träume war. Im 17. Jahrhundert
hat Wien mit seinem heroischen Kampf gegen die Türken ganz
Osteuropa aus einer großen Gefahr gerettet. Im Jahre 1683
belagerte[9] eine große türkische Armee die Stadt. Wien, so hatte   15
der Sultan gesagt, sei[10] nur die erste Station auf diesem großen
Feldzug. Dann werde[11] seine Armee Prag und Rom erobern[12] und
bis an den Rhein marschieren. Die Peterskirche in Rom solle[13] als
Stall für türkische Pferde dienen.[14] Alle Christen[15] in Österreich

---

1. always. 2. der Traum dream. 3. should ask himself. 4. sich (dat.) vor-stellen to
imagine; stelle sich nicht vor should not imagine. 5. der Wiederaufbau reconstruction.
6. fröhlich gay, merry. 7. der Gelehrte scholar. 8. man glaube one should believe.
9. belagern to besiege. 10. was. 11. would. 12. to conquer. 13. was to. 14. to serve.
15. der Christ Christian.

20   und Polen seien hiermit zum Tode verurteilt.[16]   Auch für den Kaiser[17] des Heiligen Römischen Reiches,[18] Leopold I., gebe es[19] keine Hoffnung.   Es sei des Sultans Wille, ihn in Wien köpfen zu lassen.[20]

Aber trotz dieser barbarischen Drohungen[21] verloren die Öster-
25   reicher nicht den Mut.[22] Sie wußten, daß der Feind vor den Toren Wiens und auch vor den Toren der europäischen Kultur stand, und sie baten Könige und Fürsten Europas um Hilfe.   Nicht alle waren bereit[22] zu helfen.   Ludwig XIV. von Frankreich z.B. intrigierte gegen den österreichischen Kaiser und schickte[23] den Türken
30   Ingenieure, die den Belagerern[24] halfen, Minen unter die Stadt-mauern[25] Wiens zu legen.   Aber die Fürsten von Bayern, Sachsen,[26] Franken[27] und der König von Polen schickten Truppen, und andere Fürsten halfen den Österreichern finanziell.   Wochen und Monate sollten aber vergehen,[28] bis die Armee der Verbündeten[29] Wien
35   helfen konnte.

Am einundsechzigsten Tage der Belagerung[30] erschien die Armee der Verbündeten auf dem Kahlenberg im Wiener Wald.   Von hier aus[31] griffen sie die Türken an,[32] besiegten[33] sie und verfolgten[34] sie bis nach Ungarn hinein.[35] Das war das Ende der Türkengefahr für
40   Europa, und Wien hatte endlich Frieden.[36]

Man erwarte[37] nun aber kein riesiges Kriegerdenkmal[38] auf dem Kahlenberg.   Aus den Tagen der Belagerung Wiens ist dort nur eine kleine Kapelle[39] übriggeblieben,[40] in der die Generäle vor der Schlacht[41] gebetet[42] hatten.   Auf dem Kahlenberg steht heute eine
45   große Gaststätte,[43] von deren Terrasse man eine wunderbare Aussicht[44] auf Wien hat.

Nun sollten wir Ihnen eigentlich[45] noch mehr über Wiens Geschichte erzählen, aber wir haben nicht genug Platz dafür.   Das sei[46] unsere Entschuldigung.

---

16. **verurteilen** to condemn.   17. **der Kaiser** emperor.   18. Holy Roman Empire *(962-1806).* 19. there was. 20. **ihn köpfen zu lassen** to have him beheaded. 21. **die Drohung** threat. 22. **der Mut** courage. 22. ready. 23. **schicken** to send. 24. **der Belagerer** besieger. 25. **die Mauer** wall. 26. Saxony. 27. Franconia. 28. to pass. 29. **die Verbündeten** allies. 30. **die Belagerung** siege. 31. **von hier aus** from here. 32. **an-greifen** to attack. 33. **besiegen** to defeat. 34. **verfolgen** to pursue. 35. **bis nach Ungarn hinein** all the way into Hungary. 36. **der Friede** peace. 37. **man erwarte nun aber kein** however, no one should expect (to find) a. 38. war memorial. 39. chapel. 40. **übrig-bleiben** to remain (over).   41. **die Schlacht** battle. 42. **beten** to pray. 43. **die Gaststätte** restaurant. 44. **die Aussicht** view. 45. really. 46. **das sei** let that be.

B. ACTIVE VOCABULARY

1. New Words

GROUP I			
der **Mut**	courage	die **Mauer, -n**	wall
der **Traum, -̈e**	dream	die **Terras'se, -n**	terrace

		bereit	ready
GROUP II		**fröhlich**	gay, merry
der **Leser, -**	reader		
der **Musiker, -**	musician	**eigentlich**	really
der **Österreicher, -**	Austrian	**stets**	always
der **Friede**	peace		
der **Gelehrte, -n**	scholar	WEAK VERBS	
der **Verbündete, -n**	ally	**besiegen**	to defeat
die **Armee', -n**	army	**beten**	to pray
die **Aussicht**	view	**dienen**	to serve
die **Drohung, -en**	threat	**schicken**	to send
die **Gaststätte, -n**	restaurant	**verfolgen**	to pursue
die **Hilfe**	help	**sich** (dat.)	
die **Hoffnung**	hope	**vor-stellen**	to imagine

STRONG VERBS

an-greifen	griff an	angegriffen		to attack
aus-sehen	sah aus	ausgesehen	er sieht aus	to appear, seem, look

2. Review

empfehlen (4)	to admire (1)	**ankommen** (3)	to smile (1)
bestellen (7)	neighbor (2)	**ob** (9)	by the way (2)
während (5)	real (3)	**lächeln** (1)	to arrive (3)
bewundern (1)	to recommend (4)	**scheinen** (10)	near (4)
das Stück (9)	during, while (5)	**übrigens** (2)	quick (5)
der Nachbar (2)	unfortunately (6)	**bleiben** (8)	wonderful (6)
allerdings (10)	to order (7)	**nah** (4)	poor (7)
wirklich (3)	far, distant (8)	**schnell** (5)	to stay, remain (8)
leider (6)	piece, play (9)	**arm** (7)	if, whether (9)
fern (8)	to be sure (10)	**herrlich** (6)	to shine, seem (10)

II. STRUCTURE AND FUNCTION

1. Subjunctive in English

a. Difference Between the Indicative and Subjunctive

Compare: The king lives in England. indicative
        Long live the king. subjunctive
        Lang lebe der König

In the first sentence, the speaker indicates a fact. He uses the mood of factual statements, the indicative. In the second sentence, the speaker expresses a wish. A wish is not a factual statement because it contains an element of unreality. Wishes, conditions contrary to fact, and other statements which contain an element of unreality are often expressed in the subjunctive mood.

b. Subjunctive Expressed by the Auxiliary of the Verb

In English, we express the unreality of a wish by the auxiliary *may* (*May he live long. May you live to regret it.*) Another substitute for a subjunctive form is *let*, used to express a suggestion or mild command (*Let us pray.*) or an assumption (*Let A-B be the base of a triangle.*). The auxiliary *should* is used in admonitions (*You should not smoke so much!*). In a conditional sentence that is contrary to fact (*If I were you, I would not do it.*), *would* is used in the conclusion.

c. Subjunctive Expressed by the Form of the Verb

Actual subjunctive forms occur in modern English mostly in formalized expressions (*Far be it from me.—If need be.—Heaven forbid. —God bless you.—We suggest that he do that at once*). In the foregoing examples, present-tense forms are used.

Now observe the function and meaning of past-tense forms:

PAST INDICATIVE	SUBJUNCTIVE
I had money before the war.	*If I had the money, I would buy it.*
I could not help you yesterday.	*If I could help you, I would do so.*

Compare the meanings of the two past-tense forms *had* and *could* in the two sets of sentences. You will note that they lose their past meaning when they express an element of unreality (subjunctive) and that their time reference is to the present or future (*If I had the money now or tomorrow*).

What we have said so far about the subjunctive in English is also true of the subjunctive in German, with one important exception. English has only a few genuine subjunctive forms left and, as a result, uses largely substitute words like *may, let, should, would.*

Indirect discourse - may, let
He said that he would not be home today
STRUCTURE AND FUNCTION   253

German has many distinct subjunctive forms and uses them frequently.

2. Subjunctive in German: Subjunctive Forms Built on the Present

All German subjunctive forms, whether built on the present tense or past tense (with the exception of **sein**), have the endings of the past indicative of the weak verb:

Indirect Discourse

ich	spielte
du	spieltest
er	spielte
wir	spielten
ihr	spieltet
sie	spielten

These endings are added to the infinitive stem, which remains unchanged. Note, therefore, that the irregularities which exist in the present indicative (**er hat, er spricht, er kann,** and others) do not occur in the subjunctive.

	WEAK VERBS		STRONG VERBS		MODAL
	spielen	haben	schreiben	sprechen	können
ich	spiele	habe	schreibe	spreche	könne
du	spielest	habest	schreibest	sprechest	könnest
er	spiele	habe	schreibe	spreche	könne
wir	spielen	haben	schreiben	sprechen	können
ihr	spielet	habet	schreibet	sprechet	könnet
sie	spielen	haben	schreiben	sprechen	können

Observe: The first and third persons of **sein** do not end in **-e: ich sei, du seiest, er sei, wir seien, ihr seiet, sie seien.**

3. Functions of the Subjunctive Built on the Present

Subjunctive forms built on the present tense are rarely used in everyday speech, but are found chiefly in literary German. You must, therefore, be able to recognize such forms and comprehend their meanings.

Once you realize that you are dealing with a subjunctive form, the context of the sentence will help you decide whether one of the following English subjunctive substitutes expresses the meaning of the German verb form or whether an English indicative form (see below) is equivalent:

should

Man erwarte nicht zu viel von solchen Plänen!
One should not expect too much of such plans.
Man sage das nicht!
One should not say that.

let

Essen wir!	*Let us eat.*
A-C sei die Seite eines Dreiecks.	*Let A-C be the side of a triangle.*

may

Das gebe Gott!	*May God grant that.*
Er vergesse das nie!	*May he never forget that.*

However, German subjunctive forms in clauses following such introductory statements as **er sagte, er glaubte,** and others, are rendered by an English indicative:

> **Er sagte, Wien <u>sei</u> nur die erste Station.**
> *He said, Vienna <u>was</u> only the first station.*

This type of construction, called Indirect Discourse, will be explained in the next lesson.

Practice

Translate:

1. Beginnen wir! 2. Gehen wir! 3. Man frage sich . . . 4. Der König sagte: Er komme in unser Land, damit er sehe, daß wir nicht seine Feinde sind! 5. Als die Zuhörer (*audience*) **im Weimarer Theater einmal über ein Stück lachten, das ihnen nicht gefiel, rief der alte Goethe: Man lache nicht! 6. Der Leser glaube nun aber nicht, daß alles so leicht war, wie der Autor es beschrieb. 7. Es sei hier noch einmal erwähnt, daß man so etwas im 18. Jahrhundert nicht erwarten konnte. 8. Gott sprach: Es werde Licht! 9. Im Vaterunser** (*Lord's Prayer*) **sagen wir: Dein Reich komme, Dein Wille geschehe. 10. Die Generäle fragten den sterbenden Alexander: Wer von uns soll der nächste König werden? Alexander antwortete: Der Stärkste sei König! 11. Der König antwortete, er sei der Stärkste. 12. Die Ärzte sagten, in einem solchen Fall gebe es keine Hoffnung. 13. Man hörte damals, der Kaiser habe kein Geld mehr und wolle deshalb**

Frieden machen. 14. Goethe glaubte, daß ein Panamakanal gebaut werden könne. 15. Man liest oft, daß der moderne Mensch nicht mehr wisse, was für ihn gut sei, und zu viel Hoffnung auf die Technik setze.

Review exercise: give the infinitive and the meaning of the following verb forms:
1. er sprach 2. gewesen 3. ich fuhr 4. erklärt 5. sie kannten 6. er bestellte 7. unterbrochen 8. sie rief 9. wir schlossen 10. aufgeschrieben 11. gesandt 12. er lief 13. getan 14. zurückgekehrt 15. es geschah 16. es fing an 17. sie stand auf 18. er zog sich an 19. wir blieben 20. geworden

III. CONVERSATION AND WRITING

A. PRACTICE IN CONVERSATION

„Haben Sie mich gerufen?"

"Were you calling me?"

„Ja, ich versuchte, Sie einzuholen, aber Sie laufen so schnell."

"Yes, I was trying to catch up with you, but you walk so fast."

„Wollten Sie etwas von mir?"

"Did you want something of me?"

„Sie sagten neulich, Sie würden sich gerne einmal ein deutsches Fußball-spiel ansehen. Ich habe zwei Karten für morgen nachmittag. Wollen Sie mitkommen?"

"The other day you said you would like to see a German soccer game. I have two tickets for tomorrow afternoon. Would you like to come along?"

„Furchtbar gern. Wieviel kostet die Karte?"

"Very much. How much is the ticket?"

„Es sind Freikarten. Wenn ich nach Amerika komme, dann laden Sie mich mal zu einem amerikanischen Fußballspiel ein."

"These are passes. When I come to America, you invite me to an American football game."

„Abgemacht. Wer spielt denn morgen?"

"It's a bargain. Who is playing tomorrow?"

„Die deutschen Meister spielen gegen die beste Mannschaft der Schweiz."

"The German champions play the best Swiss team."

„Das wird interessant werden. Wo sollen wir uns treffen?"

"That will be interesting. Where shall we meet?"

„Ich schlage vor, wir treffen uns hier an dieser Ecke. Das ist bequem für Sie, nicht wahr?"

"I suggest we meet here at this corner. That's convenient for you, isn't it?"

„Sehr bequem, ich wohne hier ganz in der Nähe. Und wann?"

"Very convenient, I live nearby. And when?"

„Wie wär's um zwei Uhr?"

"How about two o'clock?"

„Gut, ich werde Punkt zwei Uhr hier sein."

"Good, I'll be here at two o'clock sharp."

B. PRACTICE IN WRITING

Schreiben Sie einen kurzen Aufsatz über das Thema: Wien im Jahre 1683. Sie stehen vor der Kapelle auf dem Kahlenberg und sehen die türkische Armee, die Wien belagert. Welche Pläne hatte der Sultan? Wie sah es in Wien aus? Von wem wurden die Türken besiegt?

25

WIEN IM
20. JAHRHUNDERT

I. HEARING AND READING

A. TEXT

DER Leser stelle sich jetzt vor, er wäre mit uns in der schönen
Gaststätte auf dem Kahlenberg. Es ist Mittag.[1] Setzen wir *sit down*
uns also zum Mittagessen[2] an einen Tisch auf der Terrasse! ,,Herr
Ober, was könnten Sie uns empfehlen? Wiener Schnitzel[3] und als
Nachspeise[4] Apfelstrudel?'' Schön, bestellen wir das. Es sind 5
zwei von den vielen guten Dingen,[5] die Wien der Welt geschenkt[6]
hat und die jeder Nichtwiener kennen sollte. *non. Viennese*

Während wir essen, bewundern wir die Aussicht auf dieses schöne
Stück Erde.[7] Wir möchten[8] aber auch ein Glas Wein zum Essen
trinken. Dort auf dem Tisch unseres Nachbars liegt eine Weinkarte. 10
,,Entschuldigung, dürften[9] wir Sie um die Weinkarte bitten?'' *? for*
,,Bitte.'' ,,Danke schön.'' ,,Bitte schön.''[10]
,,Herr Ober, wir möchten eine Flasche[11] von diesem Grinziger
Wein.'' Grinzig ist das Weindorf, durch dessen enge[12] kleine
Straßen wir eben[13] gefahren sind. Wenn wir mehr Zeit hätten, 15
würden wir einen Spaziergang[14] durch Grinzig machen, aber es ist
zu spät dazu. Wie schön die Donau aussieht! Allerdings ist sie *to be sure*

1. **der Mittag** noon. 2. **das Mittagessen** lunch. 3. (*Type of breaded veal cutlet.*) 4. **die
Nachspeise** dessert. 5. **das Ding** thing. 6. **schenken** to give (as a present). 7. **die Erde**
earth. 8. would like to. 9. might. 10. **Bitte schön** Don't mention it. 11. **die Flasche**
bottle. 12. **eng** narrow. 13. just. 14. **einen Spaziergang machen** to take a walk.

Der Stephansturm

nur im Liede blau. Ihre wirkliche Farbe[15] ist grau, grau wie der Himmel[16] heute leider ist. Dort so nah und doch so fern liegt Wien. Wenn Sie geborener Wiener wären, dann wüßten Sie, daß der Turm da in der Ferne[17] der Stephansturm[18] ist. Köln hat seinen Dom, Hamburg seinen Michel,[19] Paris seinen Eiffelturm, London seinen Big Ben, New York seine Freiheitsstatue und Wien seinen Stephansturm. [20]

Wenn ich nur ein Fernglas mitgebracht hätte! Nein, ohne Fernglas kann man heute den Prater, Wiens Coney Island, nicht sehen. Wenigstens[20] das Riesenrad[21] hätte ich Ihnen gerne gezeigt.—Was, Sie sagen, Sie hätten das Riesenrad schon einmal gesehen? Aber Sie sagten mir doch,[22] Sie wären erst gestern abend[23] in Wien angekommen, und Sie sehen nicht so aus, als ob Sie von Wien zuerst[24] das Riesenrad im Prater sehen wollten. Sie lächeln. Es scheint mir, als ob ich etwas Dummes[25] gesagt hätte.—Aber natürlich, Sie haben das Riesenrad sicherlich[26] schon gesehen. Ich hätte wirklich wissen sollen, daß ein Amerikaner das Riesenrad aus den Filmen kennt, die in Wien spielen. [25] [30] [35]

Übrigens, Sie sagten mir, Sie würden eine Woche in Wien bleiben und fragten mich, ob ich Ihnen raten[27] könnte, was Sie tun sollen. —Nun, wie wäre es, wenn Sie heute abend[28] in die Oper gingen? Ich könnte Ihnen eine Karte für Mozarts ,,Zauberflöte" kaufen. Oder möchten Sie lieber[29] ins Theater gehen? Im Burgtheater[30] wird heute ein Stück von Ihrem Landsmann Thornton Wilder gegeben: ,,Wir sind noch einmal davongekommen"[31]. Es ist in Deutschland und Österreich das beliebteste[32] Stück von Wilder. Was sagen Sie? Es gäbe[33] kein Stück von Wilder mit diesem Titel? Wilder hätte nie so ein Stück geschrieben? Das ist doch[34] nur der deutsche Titel seines Stückes ,,By the Skin of Our Teeth". [40] [45]

Dort kommt der Ober mit der Rechnung,[35] und es wird Zeit, daß wir gehen.—Siebzig Schilling.[36]—Schön, hier haben Sie achtzig Schilling. Und nun noch einen Toast mit Grinziger Wein: Lang lebe das schöne alte Wien! [50]

15. **die Farbe** color. 16. sky, heavens. 17. **die Ferne** distance. 18. tower of Saint Stephen's Cathedral. 19. (*Popular name of the Church of Saint Michael.*) 20. at least. 21. **das Riesenrad** ferris wheel. 22. **Sie sagten mir doch** didn't you tell me. 23. **gestern abend** last night. 24. at first, first of all. 25. dumb, stupid, foolish. 26. surely, undoubtedly. 27. to advise. 28. **heute abend** tonight. 29. **möchten Sie lieber** would you rather. 30. (*Most famous theater in Austria.*) 31. **davon'-kommen** to escape. 32. **beliebt** popular. 33. there is. 34. after all. 35. **die Rechnung** check, bill. 36. (*Austrian monetary unit, equal to $0.04.*)

B. *ACTIVE VOCABULARY*

1. New Words

GROUP I

der **Mittag**	*noon*
das **Ding, -e**	*thing*

GROUP II

der **Himmel**	*sky, heavens*
der **Titel, -**	*title*
das **Mittagessen, -**	*lunch, dinner*
die **Farbe, -n**	*color*
die **Ferne**	*distance*
die **Flasche, -n**	*bottle*
die **Karte, -n**	*ticket*
die **Nachspeise, -n**	*dessert*
die **Rechnung, -en**	*check, bill*
beliebt	*popular*
dumm	*stupid, foolish*
eng	*narrow*
grau	*gray*

eben	*just*
sicherlich	*sure, undoubt-edly*
wenigstens	*at least*
zuerst	*at first, first of all*

IDIOMS

Bitte schön!	*Don't men-tion it*
gestern abend	*last night*
heute abend	*tonight*
schon einmal	*already*
einen Spazier-gang machen	*to take a walk*

WEAK VERB

schenken	*to give (as a present)*

STRONG VERBS

mit-bringen	**brachte mit**	**mitgebracht**		*to bring along*
raten	**riet**	**geraten**	**er rät**	*to advise*

2. Review

fast (3)	*even* (1)	**schon** (9)	*by the way* (1)
vielleicht (10)	*therefore* (2)	**eigentlich** (5)	*to be sure* (2)
sogar (1)	*almost* (3)	**übrigens** (1)	*hardly* (3)
also (2)	*therefore* (4)	**ziemlich** (10)	*always* (4)
besonders (9)	*soon* (5)	**zwar** (2)	*really* (5)
deshalb (4)	*for, because* (6)	**kaum** (3)	*enough* (6)
sonst (8)	*to be sure* (7)	**freilich** (7)	*to be sure* (7)
denn (6)	*otherwise* (8)	**stets** (4)	*just, exactly* (8)
allerdings (7)	*especially* (9)	**gerade** (8)	*already* (9)
bald (5)	*perhaps* (10)	**genug** (6)	*rather* (10)

II. STRUCTURE AND FUNCTION

1. Subjunctive Forms Built on the Past *express present tense*

The subjunctive forms built on the past tense, like those built on the present tense, have the endings of the past indicative of weak verbs. However, these endings are added to the _past stem._ All strong verbs and irregular verbs with a vowel that can be modified, as well as modal auxiliaries (except **sollen** and **wollen**), take an umlaut:

	WEAK VERBS			STRONG VERBS		MODAL
	spielte	hatte	war	schrieb	sprach	konnte
ich	spielte	hätte	wäre	schriebe	spräche	könnte
du	spieltest	hättest	wärest	schriebest	sprächest	könntest
er	spielte	hätte	wäre	schriebe	spräche	könnte
wir	spielten	hätten	wären	schrieben	sprächen	könnten
ihr	spieltet	hättet	wäret	schriebet	sprächet	könntet
sie	spielten	hätten	wären	schrieben	sprächen	könnten

2. Functions of the Subjunctive Built on the Past

a. Conditions Contrary to Fact Referring to Present Time

Observe: **Wenn ich Zeit hätte, schriebe ich ihm.**
würde ich ihm schreiben.
If I had the time, I would write him.

German and English use the subjunctive built on the past tense to express a condition contrary to fact (or unlikely to be fulfilled) as it exists at the present time and in the future. The conclusion is expressed in English by _would_ and the infinitive (_I would write_). German may use either the subjunctive verb form (**schriebe**) or, like English, the auxiliary **würde** and the infinitive (**würde ich schreiben**). The latter is more frequent.

Practice A

Combine the following pairs of sentences to express conditions contrary to fact referring to the present time:

Example: **Ich habe Zeit.   Ich gehe mit dir ins Kino.**
Wenn ich Zeit hätte, würde ich mit dir ins Kino gehen.

1. Ich habe Zeit.   Ich schreibe dir einen Brief. 2. Ich bin Sie.   Ich sage so etwas nicht. 3. Mehr sind hier.   Wir sind bald fertig. 4. Du bist älter.   Du tust das nicht. 5. Er darf.   Er bringt ihn mit. 6. Du mußt für dein Geld arbeiten.   Du kaufst nicht so viel. 7. Ich kann in die Zukunft sehen,   Ich weiß, was ich tun muß. 8. Wir essen keine Vitamine.   Wir werden krank. 9. Ich kann das tun.   Ich bin der glücklichste Mensch in der Welt. 10. Das Wetter ist schön.   Wir können die Stadt von hier sehen.

b. Conditions Contrary to Fact Referring to Past Time

Observe:

Wenn ich das gewußt hätte, hätte ich ihm das Geld gegeben. (or)
Hätte ich das gewußt, dann hätte ich ihm das Geld gegeben.
Had I known that, I would have given him the money.

To express a condition contrary to fact (or unlikely to be fulfilled) as it existed at some time in the past, we must use a subjunctive form built on the past perfect. In the conclusion, the same construction is used, because the form with **würde (würde ich geschrieben haben)** is too cumbersome. *Note:* **Wenn** may be omitted at the head of such constructions. However, inverted word order is then used in the dependent clause and the main clause usually introduced by **dann** or **so**.

Observe the pattern for verbs conjugated with **sein:**

Wenn es nicht so kalt gewesen wäre, wäre ich mitgegangen. (or)
Wäre es nicht so kalt gewesen, dann wäre ich mitgegangen.
If it had not been so cold, I would have gone along.

Practice B

Combine the following pairs of sentences to express conditions contrary to fact referring to the past time.

Example: **Ich habe Zeit.   Ich gehe ins Kino.**
             Wenn ich Zeit gehabt hätte, wäre ich ins Kino gegangen.

1. Ich habe Zeit. Ich schreibe dir einen Brief. 2. Ich fahre langsamer. Ich komme zu spät an. 3. Ich weiß das. Ich komme nicht. 4. Ich habe Geld. Ich kaufe mir das Auto. 5. Seine Vorlesung ist interessanter. Wir schlafen nicht. 6. Es ist nicht so weit. Wir besuchen Sie. 7. Ich kann ihm helfen. Ich helfe ihm. 8. Er weiß es. Er sagt es dir. 9. Wir haben mehr Platz in unserem Volkswagen. Wir können Sie alle mitnehmen. 10. Er spricht langsamer. Ich verstehe ihn besser.

Practice C

1. *Following the pattern, give the German equivalents for the English sentences.*
    Wenn ich Zeit hätte, würde ich dir helfen.
    a. If I had (the) money, I would buy a new car.
    b. If I gave you the money, you would only lose it.
    c. If I told you that, you would not understand it.

   d. If I looked that (so) sick, I would not work.
   e. If I knew her address, I would give it to you.
   f. If it were not so hot, I would visit him.

2. *Recast the above sentences in German to make them accord with the following pattern:*
Wenn ich Zeit gehabt hätte, hätte ich dir geholfen.

3. *Following the pattern, give the German equivalents for the English sentences:*
Wenn er früher nach Hause gegangen wäre, wäre ich auch nicht so lange geblieben.
   a. If I had gotten up earlier, I would have gone to church.
   b. If it had not been so cold, we would have stayed longer.
   c. If she had not become ill, we would have gone to Europe.
   d. If you had not run so fast, you would not have fallen.
   e. If he had flown, he would have arrived before Thursday.

c. Condition not Expressed

We may make a statement which indirectly implies a condition contrary to fact:

Referring to present: **Das <u>wäre</u> möglich.**   *That would be possible.*

Referring to past: **Das <u>wäre</u> möglich <u>gewesen</u>.**   *That would have been possible.*

Practice D

Translate:
1. Er würde das nicht tun. 2. Wir hätten kein Geld dazu. 3. Das wäre aber schön. 4. Dann könnten wir zusammen gehen. 5. Wir möchten das schon. 6. Aber dann müßte ich noch einmal zu ihm gehen. 7. Ich hätte keine Zeit dazu. 8. Das hätten Sie nicht verstanden. 9. Sie hätten es ihm nicht gesagt. 10. Das hätte ich nie geglaubt.

d. Unfulfillable Wish

Observe:
   1. **Wenn ich nur mehr Zeit <u>hätte</u>!**   *If only I had more time.*
      Ich wünschte, ich <u>hätte</u> mehr Zeit.   *I wish I had more time.*
   2. **Wenn ich nur mehr Zeit <u>gehabt hätte</u>!**   *If only I had had more time.*
      Ich wünschte, ich <u>hätte</u> mehr Zeit <u>gehabt</u>.   *I wish I had had more time.*

Wishes of the above type may be considered conditions contrary to fact. Again, the difference between sentences 1 and 2 is one of time reference: 1 refers to the present and uses a subjunctive form built on the past tense; 2 refers to the past and uses a subjunctive built on the past perfect tense.

Observe the pattern for verbs taking **sein**:

1. **Wenn sie nur heute <u>käme</u>!**   *If only she were coming today.*
   Ich wünschte, sie <u>käme</u> heute.   *I wish she were coming today.*
2. **Wenn sie nur gestern <u>gekommen</u> <u>wäre</u>!**   *If only she had come yesterday.*
   Ich wünschte, sie <u>wäre</u> gestern <u>gekommen</u>.   *I wish she had come yesterday.*

Practice E

Express in German:
1. I wish you were here. 2. I wish you had been here. 3. I wish I had more time. 4. I wish I weren't so tired. 5. I wish you would talk with him. 6. I wish I hadn't talked with her. 7. I wish I had thought of it earlier. 8. I wish you would study more. 9. I wish I had studied more. 10. I wish I had gotten up earlier. 11. I wish you would go to bed earlier.

3. Indirect Discourse

You may quote someone's words directly: John said: "I am ill." Or you may report what John said: John said that he was ill. Such indirect reporting is called indirect discourse.

Observe:

Er sagt, er <u>(sei) wäre</u> krank.   *He says he is ill.*
Er sagte, er <u>(sei) wäre</u> krank.   *He said he was ill.*

German differs from English in two important points. (a) German verbs in indirect discourse are in the subjunctive; English rarely uses subjunctive forms in indirect discourse. (b) The tense of the introductory verb has no influence on the tense of the verb in the indirect discourse; in English it does (*he says he <u>is</u>; he said he <u>was</u>*). The German subjunctive forms (**sei, wäre**) express two language levels. The subjunctive built on the present is found in formal style; the subjunctive built on the past is used in conversation and informal writing. Statements in indirect discourse usually occur after verbs of saying and thinking, such as **sagen, erzählen, denken, glauben, fragen, hoffen, schreiben,** and others.

Study the forms and time references:

Er sagt or **Er sagte,**

> er schriebe (schreibe) jeden Tage einen Brief.
> er hätte (habe) gestern einen Brief geschrieben.
> er würde (werde) morgen einen Brief schreiben.

Er sagt or **Er sagte,**

> er ginge (gehe) heute abend ins Theater.
> er wäre (sei) gestern ins Theater gegangen.
> er würde (werde) morgen ins Theater gehen.

Practice F

Change the following direct statements to indirect discourse (watch for verbs which take **sein** *instead of* **haben**):

Example: Er sagt: „Ich habe kein Geld."—Er sagt, er hätte kein Geld.
Er sagt: „Ich hatte kein Geld."—Er sagt, er hätte kein Geld
gehabt.

1. „Ich habe keine Zeit." 2. „Ich darf nicht wieder zu spät nach Hause kommen." 3. „Ich weiß nichts davon." 4. „Ich spreche nur Deutsch." 5. „Ich war die ganze Zeit zu Hause." 6. „Ich kam um zehn Uhr nach Hause." 7. „Ich mußte zum Arzt gehen." 8. „Ich konnte ihm nicht helfen." 9. „Ich flog von London nach Frankfurt." 10. „Ich hatte viel zu erzählen."

4. Idiomatic Subjunctive Phrases

<u>Hätten Sie</u> einen Augenblick Zeit?	*Would you have a moment?* ~memorize~
<u>Dürfte ich</u> Sie um das Brot bitten?	*Might I ask you for the bread?*
<u>Ich möchte</u> noch eine Tasse Kaffee.	*I would like another cup of coffee.*
Das <u>hätten</u> Sie wissen <u>können.</u>	*You could have known that.*
Das <u>hätten</u> Sie wissen <u>sollen.</u>	*You should have known that.*
Das <u>könnte</u> wahr <u>sein.</u>	*That might be true.*
Sie <u>sollten</u> das wissen.	*You should (ought to) know that.*
Sie <u>sollten</u> um vier Uhr hier <u>sein.</u>	*You were supposed to be here at four.*

Be especially careful with the form **sollte.** You will have to decide from the context which one of the meanings (*ought to, should, be supposed to*) is appropriate.

III. CONVERSATION AND WRITING

A. PRACTICE IN CONVERSATION

„Raten Sie mal, wem ich gestern auf der Straße begegnet bin?"
"Guess whom I met on the street yesterday?"

„Ich habe keine Ahnung."
"I have no idea."

„Bob Baker aus Clinton, Iowa."
"Bob Baker from Clinton, Iowa."

„Sehr interessant. Aber leider kenne ich weder Herrn Bob Baker noch Clinton, Iowa."
"Very interesting. But unfortunately I know neither Mr. Bob Baker nor Clinton, Iowa."

„Ich habe ihn auf dem Dampfer kennengelernt. Wir waren Kabinennachbarn."
"I met him on the boat. Our cabins were next to one another."

„Studiert er hier?"
"Is he studying here?"

„Nein, in München. Er ist nur auf kurzen Besuch hier. Wir treffen uns heute abend. Möchten Sie sich uns anschließen?"
"No, in Munich. He is here only on a short visit. We are getting together tonight. Would you like to join us?"

„Das wäre nett, aber leider kann ich nicht mitkommen. Ich habe schon eine Verabredung. Ich gehe ins Theater."
"That would be nice, but I'm sorry I can't come along. I already have an engagement. I'm going to the theater."

„Was wird gegeben?"
"What's playing?"

„Wir sind noch einmal davongekommen."
"*By the Skin of Our Teeth.*"

„Das hätte ich mir auch ganz gerne angesehen."
"I would have liked to see that, too."

„Na, Sie werden sich schon gut amüsieren. Sie haben sich zweifellos viel zu erzählen."
"Well, you'll have a good time. No doubt you have much to talk about."

B. PRACTICE IN WRITING

Beschreiben Sie, was Sie tun würden, wenn Sie in Wien wären! Mittagessen in der Gaststätte auf dem Kahlenberg. Was würden Sie essen? Was könnten Sie durch Ihr Fernglas sehen? Was würden Sie am Abend tun?

ZWEITER TEIL

Read for comprehension and check your understanding of the text by answering the questions at the bottom of the page. New words and idioms whose meanings you cannot recognize or infer from the context are explained in the footnotes. Footnoted words in parentheses are of lesser frequency and need not become part of your active vocabulary. Try to deduce the meaning of a word you do not recognize from the context before consulting the footnotes or the end vocabulary.

EIN AMERIKANER
IN DEUTSCHLAND

1

IM ZUG

ZEITUNGEN, Zeitschriften!"—Der Verkäufer auf dem Münchener Bahnhof,[1] der diese Worte halb singend ausruft, blickt[2] erwartungsvoll[3] auf einen jungen Mann, der sich offenbar[4] für seine Ware interessiert.

merchandise

„What would you like?" fragt er in seinem besten Englisch.   5

„Sprechen Sie nur[5] deutsch mit mir, wenn ich auch einen amerikanischen Anzug[6] trage", antwortet der junge Mann. „Wieviel kostet das kleine Buch da mit dem Titel ‚Österreich'?"

„Drei Mark."   Der Verkäufer betrachtet sich[7] den deutsch sprechenden Amerikaner, der das Buch durchblättert.   10

1. Was erwartet der Verkäufer?
2. Warum glaubt der Verkäufer, der junge Mann sei Amerikaner?

---

1. **der Bahnhof** station.   2. **blicken** to look.   3. **die Erwartung** expectation.   (4. ob-viously.)   5. *Particles such as* **nur, denn, ja, doch** *are characteristic features of spoken German, adding a certain flavor to a sentence. When used with an imperative,* **nur** *lends emphasis to the entire statement.*   6. **der Anzug** suit.   7. **sich betrachten** to take a close look at.

271

finally

„Viele Leute, die zum Vergnügen[8] nach Österreich fahren, finden das Buch sehr gut", sagt er schließlich, „auch Studenten. Sie sind Student, nicht wahr?"

„Ja", lacht der junge Amerikaner. „Das ist schon die zweite
5   richtige Beobachtung,[9] die Sie in einer Minute gemacht haben. Sie sollten Detektiv sein."

„Ach, wenn man hier den ganzen Tag auf dem Bahnhof steht und die Leute beobachtet, dann lernt man viel. Sind Sie schon lange in Deutschland? Sie sprechen fast ohne Akzent."

10   „Ich habe ein Jahr in München studiert, und jetzt will ich sehen, ob auch die Österreicher mein Deutsch verstehen. Ich habe ein bißchen bayrischen Dialekt gelernt. Das wird mir sicherlich helfen.—Übrigens, das Buch scheint wirklich gut zu sein. Hier sind die drei Mark."

15   Der Verkäufer nimmt das Geld und sagt: „Danke schön und Gute Reise!"

Der junge Amerikaner hat das schon nicht mehr gehört. Er öffnet das Buch und schreibt „Larry Wainright" auf die erste Seite. Dann steigt[10] er in den Zug, sucht sich einen Fensterplatz
20   und beginnt sofort[11] zu lesen. Das erste Kapitel handelt[12] von Vindobona, der Römerstadt, die sich an der Donau aus einem

developed

befestigten[13] römischen Lager[14] entwickelt hat und später Wien genannt wurde. Kaum hat er das zweite Kapitel begonnen, das vom Herzogtum[15] Österreich im mittelalterlichen deutschen
25   Kaiserreich[16] handelt, fährt der Zug ab.

Er macht das Buch zu und sieht aus dem Fenster, aber er sieht

---

3. Welche zwei Beobachtungen macht der Verkäufer in einer Minute?
4. Warum glaubt er, daß der junge Student schon lange in Deutschland ist?
5. Welcher deutsche Dialekt ist dem österreichischen ähnlich? *like*
6. Was taten die Römer, um ihr Reich gegen Feinde nördlich von der Donau zu schützen (*protect*)?

---

8. **zum Vergnügen** for pleasure.   9. **die Beobachtung** observation.   10. **in den Zug steigen** to get on the train.   11. immediately, at once.   12. **handeln von** to deal with. (13. **befestigt** fortified.) (14. **das Lager** camp.) (15. **das Herzogtum** duchy.) (16. **das Kaiserreich** empire.)

nichts als Häuser, und so sieht er sich im Abteil[17] um, das sich
zwischen Römerzeit und Mittelalter mit Passagieren gefüllt hat.
Neben ihm sitzt ein kleiner Junge mit seiner Mutter und seinem
Vater, der die Zeitung liest. Der Vater liest Seite zwei der Zeitung,
aber Seite eins derselben Zeitung wird zur gleichen[18] Zeit von   5
einer Dame gelesen, die dem Vater gegenüber sitzt und trotz
ihres Alters noch sehr gute Augen hat. Neben ihr, Larry gegenüber,[19] sitzt eine junge Dame, die ein Buch liest.

Larry möchte wissen, wie das Buch heißt, und nach einer Weile
kann er den Titel lesen. Es ist ein amerikanisches Buch, Tennessee   10
Williams Drama ,,A Streetcar Named Desire". Larry hat das
Stück während des Sommersemesters in einem Münchener
Theater unter dem Titel ,,Endstation Sehnsucht"[20] gesehen.
Natürlich interessiert er sich auch für die Leserin des Buches. Er
fragt sich, ob das Mädchen Engländerin oder Amerikanerin ist.   15
Während er noch darüber nachdenkt, fragt die ältere Dame, wann
der Zug in Linz[21] ankomme, und das Mädchen antwortet ihr auf
deutsch mit einem leicht[22] österreichischen Akzent. Larry hat
ein Ohr für diesen Akzent, denn sein Zimmergenosse[23] während
des Sommersemesters war Österreicher.   20

Der Zug hat die Vororte[24] hinter sich gelassen und fährt nun
durch die schöne bayrische Landschaft. Larry sieht aus dem
Fenster und ist etwas traurig. Lange wird er diese Landschaft
nicht mehr sehen, denn sein Junior Year in München ist zu Ende,
und nach dieser kleinen Reise nach Österreich und Italien muß   25
er wieder nach Amerika zurück, nach Davenport, Iowa, wo Vater,
Mutter, Schwester und hundert Freunde und Bekannte[25] auf den

---

7. Wer sitzt mit Larry im Abteil?
8. Warum glaubt Larry, daß die junge Dame Engländerin oder
   Amerikanerin ist?
9. Warum glaubt er, daß sie Österreicherin ist?
10. Warum macht ihn die bayrische Landschaft traurig?

(17. **das Abteil** compartment.) 18. **gleich** same. 19. **gegenüber** opposite. (20. "Ter-
minal Stop Longing".) (21. *City on the Danube in northern Austria.*) 22. *here*
slightly. 23. **der Zimmergenosse** roommate. 24. **der Vorort** suburb. 25. acquaintances.

widely traveled
future

weitgereisten Larry warten, um ihn zu fragen, was er von Deutschland und Europa denkt, und wie die politische Zukunft Europas in den nächsten zehn Jahren aussehen wird. Während ihm das alles durch den Kopf geht, sagt plötzlich die alte Dame: ,,Sie, junger Mann, machen Sie doch[26] bitte das Fenster auf! Es ist so heiß im Abteil." Larry steht auf, zieht das Fenster herunter[27] und stößt[28] dabei[29] dem Mädchen das Buch aus der Hand.

5

handkerchief

,,O, das tut mir leid",[30] sagt er, wischt das Buch mit dem Taschentuch ab[31] und gibt es dem Mädchen zurück, ,,jetzt habe ich natürlich auch noch[32] Ihre Stelle verloren."

10

do not worry

Das Mädchen lächelt. ,,Machen Sie sich keine Sorgen! Ich werde die Stelle schon[33] wiederfinden."

excuse

,,Entschuldigen Sie!" sagt Larry. ,,Sie lesen ein englisches Buch. Ich glaube aber nicht, daß Englisch Ihre Muttersprache ist. Ist es vielleicht Österreichisch?"

15

Das Mädchen sieht ihn erstaunt an. ,,Für einen Amerikaner haben Sie aber[34] ein gutes Ohr für Sprachen. Sie sind doch[35] Amerikaner, nicht wahr?"

,,Sie haben recht.[36] Ich kann Ihnen das Kompliment zurückgeben. Sie haben auch ein gutes Ohr für Sprachen."

20

,,Das war nicht schwer zu erkennen.[37] Als ich Sie hier im Wagen sah, dachte ich mir schon, daß Sie Amerikaner wären, denn Sie tragen einen amerikanischen Anzug. Sie haben übrigens kaum einen Akzent."

---

11. Was will die alte Dame von ihm?
12. Was tut ihm leid?
13. Warum ist das Mädchen erstaunt?

---

26. *The particle* **doch** *strengthens an imperative:* Do open . . . , Will you open . . . (27. **herunter-ziehen** to pull down.) (28. **stoßen** to knock.) 29. **dabei** in so doing. 30. **Das tut mir leid** I am sorry. 31. **ab-wischen** to wipe off. 32. **Noch** *stresses* **auch,** *with an implied meaning of* in addition. 33. *The particle* **schon** *lends assurance and emphasis to a statement and is equivalent to an implied* no doubt. 34. *Here* **aber** *expresses astonishment:* Say, for an American . . . . 35. *In a question,* **doch** *normally implies that the speaker anticipates an affirmative reply (English* Aren't you . . . ?*). But since the question ends with* **nicht wahr,** *which has the same function,* **doch** *merely strengthens the implication without additional meaning.* 36. **recht haben** to be right. 37. **erkennen** to recognize.

„Nun", sagt Larry, „ich verdiene nicht so viel Lob. Ich habe
Deutsch nicht nur auf der High School und auf der Universität
gelernt, ich hatte auch eine deutsche Großmutter. Da spreche
ich von meiner Großmutter und habe mich noch nicht einmal[38]
vorgestellt.[39]—Larry Wainright, Student der deutschen Sprache   5
und Literatur—entschuldigen Sie—, so sagt man das ja[40] nicht
auf deutsch—also Student der Germanistik,[41] Heimatstaat Iowa,
wo der Mais hoch wächst,[42] Heimatstadt Davenport, unverhei-
ratet,[43] einundzwanzig Jahre alt."

Das Mädchen lacht. „Sehe ich aus wie ein Schutzmann,[44]   10
daß Sie mir das alles sagen? Mein Name ist Inge Hörling, und
ich komme aus Wien."

„Aber im Augenblick kommen Sie von München!"

Das Mädchen erklärt, sie sei in München, weil sie dort am Amerika-Institut studiere.   15

„Interessieren Sie sich so sehr für Amerika?" fragt Larry.

„Ja, denn ich möchte einmal[45] Englisch lehren."

Larry findet das interessant. Sie sprechen noch eine Weile
über das Amerika-Institut, und schließlich sagt Fräulein Hörling:
„Wenn ich Gelegenheit habe, amerikanisches Englisch zu hören,   20
dann spreche ich lieber Englisch als Deutsch. Würden Sie so
freundlich sein,[46] eine Weile Englisch mit mir zu sprechen?—
bis Linz vielleicht? Von dort bis Wien sprechen wir dann wieder
Deutsch."

„Gerne",[47] sagt Larry, „Sehr gerne. Aber warum sprechen   25
wir nicht Englisch, bis wir in Wien ankommen?"

Damit verliert das Gespräch der beiden für uns alles Interesse,
denn Sie wollen natürlich kein Englisch lesen.

---

14. Was hat Larrys Großmutter mit seiner guten Aussprache zu tun?
15. Wo wohnen Larrys Eltern?
16. Auf welchen Beruf bereitet sich Inge vor?
17. Warum interessiert uns das Gespräch der beiden nicht mehr?

---

38. **nicht einmal** not even. 39. **sich vor-stellen** to introduce oneself. 40. *The particle*
ja (*no equivalent in English*) *gives the sentence an affirmative emphasis.* (41. **die**
Germanistik German Language and Literature.) 42. **wachsen** to grow. (43. un-
married, single.) 44. **der Schutzmann** policeman. 45. sometime. 46. Would you
be kind enough. 47. Gladly.

2

ZWEI IN EINEM WIENER CAFÉ

much

SIE müssen vieles auf englisch besprochen[1] haben, bevor der
Zug in Wien ankam, denn eine Woche später finden wir sie
in einem Café in der Nähe der Wiener Oper, an einem der kleinen
Marmortische.[2] Diesmal übt Larry sein Deutsch. Er sagt: „Wie
5 kommt es, daß so viele Männer hier im Café sitzen? Es ist vier
Uhr nachmittags, und sie sind nicht bei der Arbeit."

„Daß sie nicht bei der Arbeit sind, ist nicht so sicher", sagt
Inge. „Sehen Sie den großen Herrn am dritten Tisch rechts? Er
spricht sehr laut, und wenn Sie einen Augenblick zuhören, dann
10 werden Sie merken, daß er mit den anderen drei Herren über
geschäftliche Sachen[3] spricht. Das ist eine Geschäftskonferenz."

notice

„Ich finde das sehr interessant", sagt Larry, „daß er hier im
Café eine geschäftliche Konferenz abhält und nicht in seinem
Büro. Das ist wohl[4] typisch österreichisch."

such a thing
something else

15 „Ja", sagt Inge, „und in Deutschland finden Sie so etwas
nicht. Das Café ist für uns Österreicher etwas anderes als ein
Café in anderen Ländern. Was für den Engländer der Club ist,
das ist hier bei uns das Café. Geschäftsleute, Künstler, Dichter,
Schauspieler,[5] Komponisten, Musiker, sie alle gehen gerne ins
20 Café, wo sie ihre Kollegen treffen,[6] wo sie sich bei einer Tasse
Kaffee unterhalten[7] und oft auch arbeiten. Mancher gute Vers,
manche schöne Melodie ist in einem Wiener Kaffeehaus entstanden. Das können Sie mir glauben."

originated

---

1. Inwiefern (*in what way*) hat sich die Szenerie zwischen Kapitel eins
und zwei geändert (*changed*)?
2. Warum glaubt Inge, daß die vier Herren am dritten Tisch rechts
nicht zum Vergnügen im Café sind? *for pleasure*

---

1. **besprechen** to discuss. (2. **der Marmor** marble.) (3. **geschäftliche Sachen** business matters.) 4. **wohl,** *as particle,* I dare say. (5. **der Schauspieler** actor.) 6. **treffen** to meet. 7. **sich unterhalten** to converse, talk.

276

„Ich glaube es", sagt Larry, „und ich werde sofort noch eine Tasse Kaffee mit Schlagsahne bestellen.—Herr Ober. . . ."

„Bestellen Sie eine Tasse Kaffee mit Schlagobers,[8] das versteht er besser", flüstert Inge.   *wispered*

Der Ober bringt den Schlagobers nach ein paar Minuten und fragt Larry: „Möchte der Herr Student noch etwas? Wir haben frischen Gugelhupf."   5

„Sie haben was?" fragt Larry.

Inge lacht. „Was ein Gugelhupf ist, versteht nicht einmal ein Deutscher. In Deutschland nennt man es Napfkuchen.[9] Sie   10
schütteln[10] den Kopf. Ich muß es Ihnen erklären; aber wie kann ich das. Ich kenne die amerikanische Küche nicht. Das lehrt man uns nämlich[11] nicht auf unserem Amerika-Institut. Wir—"

Larry unterbricht sie. „Entschuldigen Sie, der Ober wartet,   *waits*
Herr Ober, ich experimentiere gerne. Bringen Sie mir also ein   15
Stück Gugel—Gugel—"

„—hupf", sagt der Ober, verbeugt sich[12] und geht.

„Hier ist eine Papierserviette und ein Bleistift. Wollen Sie   *paper napkin*
mir nicht einen Gugelhupf auf die Serviette zeichnen, damit ich weiß, wie ein ganzer Gugelhupf aussieht, denn der Ober wird   20
mir ja nur ein Stück bringen."

Fräulein Hörling zeichnet den Gugelhupf, und Larry fährt fort:[13] „Haben Sie übrigens gehört, daß der Ober mich ‚Herr Student' genannt hat? Wie weiß der Mann, daß ich Student bin?"

„Das weiß er nicht. Das ist ein alter Brauch.[14] Wenn Sie   25
dreißig Jahre oder älter wären, würde er Sie mit ‚Herr Doktor' angeredet[15] haben."

---

3. Wie heißt Schlagobers in Deutschland?
4. Wozu hat das Café manchen Komponisten inspiriert?
5. Wie heißt Napfkuchen auf österreichisch?
6. Wozu soll Inge die Serviette gebrauchen?
7. Wie weiß der Ober, daß Larry Student ist?
8. Warum redet ihn der Ober nicht mit „Herr Doktor" an?

---

8. **der Schlagobers** whipped cream. 9. **der Napfkuchen** *form cake made with yeast.* (10. **schütteln** to shake.) 11. **nämlich** *literally,* namely; you know. (12. **sich verbeugen** to bow.) 13. **fort-fahren** to continue. (14. **der Brauch** custom.) (15. **anreden** to address.)

„Gibt er den Gästen solche Titel, damit er mehr Trinkgeld bekommt?"

„Ich glaube nicht, daß das der Hauptgrund ist. Ausländer denken oft, wir Österreicher wären eitel[16] und wollten mehr scheinen, als wir sind, und daß sich Ober, Gepäckträger[17] usw. Trinkgelder verdienen[18] wollen, indem[19] sie gut angezogene Herren mit einem temporären Doktor-, Professor- oder Direktortitel glücklich machen. So einfach[20] sind die Dinge aber nicht. Wien war als kaiserliche Residenz jahrhundertelang ein Kulturzentrum. In der guten alten Zeit konnte man in jeder Kutsche[21] Grafen,[22] Barone und andere Adlige[23] sehen, und die gut angezogenen Herren im Café waren Doktoren, Professoren und Künstler. Das machte das Leben interessant, und das einfache Volk freute sich darüber,[24] so viele Zelebritäten sehen zu können. Daß diese Zeit auf immer[25] vorbei[26] ist, will das Volk vielleicht nicht glauben, und so füllen die Kellner und Hotelangestellten[27] die Stadt mit künstlichen[28] Doktoren und Direktoren. Aber nicht nur die einfachen Leute, wir alle hängen an[29] unserer Vergangenheit. Wenn wir Wiener z.B. an dem Denkmal der Kaiserin Maria Theresia[30] vorübergehen, haben wir ein Gefühl, als ob diese Riesenfrau[31] aus Metall, die da unter dem österreichischen Himmel sitzt, wirklich einmal unsere Mutter gewesen wäre."

„Ich weiß, daß Sie etwas melancholisch wurden, als Sie mir

---

9. Was tun die Kellner und Hotelangestellten in Erinnerung an die gute alte Zeit?
10. Warum wurde Inge melancholisch?

(16. **eitel** vain.) 17. **der Gepäckträger** porter. 18. **verdienen** to earn. 19. **indem sie . . . glücklich machen** by making happy. *When the subject of the indem-clause agrees with the subject of the main clause* (**Ober, Gepäckträger**), **indem** *is equivalent to* by (*plus the -ing form of the verb*). 20. **einfach** simple. (21. **die Kutsche** carriage.) (22. **der Graf** count.) (23. **Adlige** nobleman.) 24. **sich freuen über** to be glad about. *The* **da(r)** *anticipates the infinitive clause but has no meaning of its own.* 25. **auf immer** forever. 26. **vorbei** past, gone. (27. **die Hotelangestellten** *pl.* hotel personnel.) (28. **künstlich** artificial, false.) (29. **hängen an** to cling to.) 30. *Maria Theresa (1717-1780), Empress of Austria, was an aristocratic, pious, and beautiful woman; she possessed a keen and practical sense for politics and established the unified and centrally administered government of Austria.* (31. **die Riesenfrau** gigantic woman.)

gestern das Denkmal zeigten. Sagten Sie mir nicht, sie hätte *yesterday*
sechzehn Kinder gehabt?" *point*

„Jetzt lachen Sie über mich, Sie zynischer Mann der Zukunft, *future*
der nichts von der Vergangenheit wissen will. Übrigens, das jüngste
dieser sechzehn Kinder kennen auch Sie."   5

„Wie ist das möglich? Ich bin Germanist[32] und nicht Histori-
ker mit österreichischer Geschichte als Spezialfach.[33]"

„Eins dieser Kinder kennen Sie doch.[34] Ich helfe Ihnen ein *a little bit*
bißchen, wie man das bei Ihnen[35] im Fernsehquiz[36] tut."

„Und wenn ich die Antwort weiß, dann bekomme ich einen   10
Cadillac, eine Reise nach Japan und eine Waschmaschine?"

„Sie bekommen noch ein Stück Gugelhupf, denn, wie ich sehe,
schmeckt[37] Ihnen unser Gugelhupf sehr gut. Also, als Mozart
sechs Jahre alt war, gab er schon an europäischen Höfen[38]
Konzerte, und so kam er natürlich auch an den Wiener Hof, wo   15
er vor Maria Theresia spielte. Nach dem Konzert spielte das
Wunderkind[39] wie ein gewöhnlicher[40] Sechsjähriger mit den
Kindern der Kaiserin. Eins dieser Kinder, ein kleines Mädchen,
gefiel ihm ganz besonders. Wer war das Kind?—Keine Antwort?
Der kleine Mozart sagte, er wolle das kleine Mädchen später   20
heiraten.[41] Die kleine Kaisertochter heiratete später natürlich
keinen armen Komponisten, sondern einen König, den König
von Frankreich, und wurde im Alter von 38 Jahren in Paris
guillotiniert."

„Das ist genug. Das jüngste der Kinder hieß Marie Antoi-   25
nette."

---

11. Was bekommt Larry, wenn er die historische Persönlichkeit
    nennen kann?
12. Inwiefern war der kleine Mozart ein Wunderkind?
13. Wen wollte der sechsjährige Mozart heiraten?

(32. **der Germanist** student of German language and literature.)   33. **das Fach**
subject.   34. *In a statement,* **doch** *emphasizes the point to be made and has the meaning
of* surely.   35. **bei Ihnen** in your country.   36. **das Fernsehquiz** television quiz.
37. **schmecken** to taste.   38. **der Hof** court.   (39. child prodigy.)   (40. **gewöhnlich**
average.)   (41. to marry.)

„Ich sehe, in Amerika lernt man auch etwas von der Geschichte des alten Europas."

„Ich wette,[42] Sie haben ein A in Geschichte gehabt."

„Diese Wette verlieren Sie. Ich habe nur ein B gehabt. Wir gebrauchen übrigens keine Buchstaben als Zensuren,[43] sondern Nummern. Ich habe also nur eine Zwei gehabt. Ich habe eigentlich gar nicht erwartet, daß Sie etwas von europäischer Geschichte wußten. Wir denken immer, Amerika ist das Land der Zukunft. Die Amerikaner wollen sich nicht mit Geschichte beschweren."[44]

„Doch.[45] Wir lernen etwas europäische Geschichte, das heißt auf der Universität. Auf unseren High Schools wird allerdings nicht viel Geschichte gelehrt. Was wir nicht in der Schule lernen, das lernen wir aber im Kino oder am Fernsehapparat. Interessante historische Persönlichkeiten wie Marie Antoinette, oder wichtige historische Ereignisse[46] wie die Französische Revolution werden immer wieder in Filmen gezeigt, die Millionen Dollar kosten."

„Es muß doch ein schönes Gefühl sein, in einem Land zu leben, wo alles groß, ja kolossal ist, die Berge und Flüsse, die Prärien und Küsten, die Städte und Fabriken[47] und schließlich auch die Filme. Österreich ist wirklich der direkte Gegensatz[48] zu Amerika. Dort ist alles riesig, hier ist alles klein. Die Vereinigten Staaten sind um zwei Staaten größer geworden. Wenn man sagt, das ist typisch amerikanisch, dann denkt man an Spitzenleistungen[49] der Technik oder Industrie, an ‚efficiency'—wir haben nicht einmal ein Wort dafür—an Vitalität. Wenn Ausländer,

---

14. Was ist der Unterschied zwischen amerikanischen und österreichischen Zensuren?

15. Warum hat Inge erwartet, daß Larry nicht viel von europäischer Geschichte wissen würde?

16. Warum kann man in Amerika Geschichte im Kino lernen?

17. Was gefällt Inge an Amerika?

(42. **wetten** to bet.)   43. **die Zensur** grade.   (44. **sich beschweren** to burden oneself.) 45. *The particle* **doch** *is also used in place of* **ja** *to contradict a negative statement:* Oh, yes (on the contrary).   46. **das Ereignis** event.   47. **die Fabrik** factory.   (48. opposite.)   49. **die Spitzenleistung** outstanding achievement.

aber auch wir Österreicher sagen, das ist typisch österreichisch,
dann sprechen wir davon, daß die Züge nicht zur rechten Zeit
abfahren, daß jemand eine wichtige Verabredung[50] vergißt, daß
etwas altmodisch ist, das nicht altmodisch sein sollte usw. Wir
denken dann, unser armes Österreich ist eben alt und müde
geworden. Aber das ist eigentlich nicht richtig. Gerade in den
letzten Jahren ist unser kleines Ländchen durch große Energie
wieder auf die Beine gekommen.[51] Es hat also trotz aller Katastro-
phen nicht den Mut verloren und auf dem Gebiet der Wirtschaft[52]
und Industrie schöne Erfolge erzielt.[53] Aber das können Sie ja
alles in der Zeitung lesen.”

„Ja, aber im Augenblick interessiere ich mich mehr dafür,
ob die Wiener gerne tanzen.”

„Ob wir gerne tanzen?”

„Schön. Können wir bald einmal tanzen gehen? Du brauchst
nur zu sagen, wo und wann.”

„Habe ich recht gehört? Haben Sie du zu mir gesagt?”

„Ja, liebe Inge, und ich. . . .”

---

18. Ist Österreich wirklich alt und „müde” geworden?
19. Wie zeigt Larry, daß er Inge sehr gern hat?

---

50. **die Verabredung** appointment. (51. **auf die Beine kommen** to recover.) (52. **die Wirtschaft** domestic economy.) (53. **erzielen** to achieve.)

3

DREI IN EINEM WIENER CAFÉ

IN diesem Augenblick sagt ein alter Herr, der vom Nebentisch
den beiden schon eine Weile zugehört hat:

"Erlauben Sie, daß ich auch ein paar Worte sage, junger Herr.
Ihre hübsche[1] junge Freundin hat sehr klug[2] über Österreich
gesprochen, aber ich möchte noch etwas zu diesem Thema sagen,
damit Sie alles richtig verstehen und keine falschen Ideen nach
Amerika mitnehmen.—Erlauben Sie, daß ich mich einen Augenblick an Ihren Tisch setze."

Ohne auf eine Antwort zu warten, fährt er fort: "Österreich ist
ein kleines Land, hat die Dame gesagt, und da hat sie recht.
Sehen Sie her." (Der alte Herr sagt in Wirklichkeit "Schauns
hier", aber wir übersetzen sein Wienerisch ins Hochdeutsche,
an das Sie gewöhnt[3] sind.) "Ich zeichne Ihnen die Karte unseres
Landes um diesen Gugelhupf. Da, das ist Österreich, 550 km
vom Rhein im Westen bis zum March-Fluß im Osten und nur
50 km breit hier an der schmalsten[4] Stelle."

Inge tritt Larry leicht auf den Fuß, aber Larry sagt: "Das muß
ich in Meilen umrechnen, damit ich es verstehen kann. Das wären
also ungefähr 330 Meilen von Westen nach Osten und dreißig
Meilen an der schmalsten Stelle."

"Ja", sagt der alte Herr, "und hier ganz[5] im Osten ist Wien.
Steigen Sie mal bei klarem Wetter auf den Turm unserer Stephanskirche. Da können Sie die Nachbarländer, die Tschechoslowakei
und Jugoslawien, sehen."

---

1. Warum will der alte Herr am Nebentisch auch etwas über Österreich sagen?
2. Worauf zeichnet der Herr eine Karte von Österreich?

---

1. **hübsch** pretty. 2. **klug** intelligently. 3. **gewöhnt sein an** to be accustomed to.
4. **schmal** narrow. (5. **ganz** *here* way.)

282

„So, das wußte ich gar nicht.[6] Ich habe nur den Kahlenberg gesehen."

„Der Kahlenberg liegt hier, am Ende der Alpen, Wien liegt am Fuße der Alpen, und gleich[7] hier ist der Wienerwald. Sie kennen sicherlich den schönen Walzer ‚Geschichten aus dem Wiener Wald'." 5

„Ja, den kenne ich, und den Walzer ‚An der schönen blauen Donau' kenne ich auch. Aber die Donau, die ich gesehen habe, ist grau. Nun, für Verliebte[8] ist sie sicherlich blau." Larry sieht Inge an, aber Inge merkt es nicht. Sie sieht den alten Herrn mit 10 ernsten Augen an.

serious

„Sie kennen unsere Walzer gut", sagt der alte Herr, „die ganze Welt kennt unsere Walzer gut, und die ganze Welt denkt, in Österreich wird nur getanzt[9] und gelacht. Wissen Sie, das ist eine ganz falsche Vorstellung.[10] Der Österreicher ist eigentlich 15 traurig oder, besser, ein wenig[11] melancholisch.—Waren Sie einmal in der Schatzkammer[12] der Hofburg?"[13]

„Ja, gestern erst", sagt Larry.

„Das ist schön. Erinnern Sie sich[14] noch an die alte Krone des Heiligen Römischen Reiches Deutscher Nation?"[15] 20

very well *crown*

„O ja, ich habe sie mir lange angesehen."

looked at it for a long time? 21

„Diese Krone hat von 1438-1806 uns Österreichern gehört. Dann kam Napoleon, dieser unruhige Mensch, der nicht wußte, wie man eine Tasse Kaffee in Frieden[16] trinkt; da war es aus mit dem alten Reich." 25

belong *restless*

---

3. Was hat Larry vom Turm der Stephanskirche gesehen?
4. Warum sieht Inge den alten Herrn mit ernsten Augen an?
5. Was für eine Vorstellung macht sich die Welt von Österreich?
6. Was hat Larry in der Schatzkammer besonders interessiert?
7. Was bedeuteten die Napoleonischen Kriege für Österreich?

---

6. **gar nicht** not at all. (7. **gleich** *here* right.) (8. lovers.) (9. **wird nur getanzt** = **tanzen die Leute nur.**) (10. **die Vorstellung** notion.) 11. **ein wenig** a little. (12. **die Schatzkammer** jewel room.) (13. **die Hofburg** imperial palace.) 14. **sich erinnern an** to remember. (15. *Holy Roman Empire of German Nationality*, which began with the papal crowning of Charlemagne in 800 A.D. and ended with the resignation of Francis II of Austria in 1806.) 16. **der Friede** peace.

gestern - yesterday

Larry spielt mit dem Bleistift, mit dem der alte Herr die Karte gezeichnet hat, und Inge versucht, Larry ein Signal zu geben, aber diesmal sieht Larry seine Freundin nicht, denn er zeichnet mit dem Bleistift ein Bildchen auf die Papierserviette.

5 Der alte Herr hat sich mit einem Schluck[17] Kaffee gestärkt.[18] ,,Na, und dann kam das Kaiserreich Österreich und bald auch unser Kaiser Franzel, d.h. Franz Joseph. Damals hatten wir unser Burgtheater[19] in Wien, das feinste Theater in Europa. Und was für Dramatiker wir damals hatten! Da waren Ferdinand Rai-
10 mund und Franz Grillparzer und Johann Nestroy und viele andere bis zu Hofmannsthal und Schnitzler. Und dann unsere Wiener Musik. Sie ist unsterblich[20] geworden, und die ganze Welt kennt sie. Da hatten wir den Walzerkönig Strauß und Schubert Franzel, d.h. Franz Schubert, wie Sie sagen würden, und Richard Strauß
15 und Gustav Mahler. Wissen Sie übrigens, daß Österreich der Welt auch das berühmteste Weihnachtslied[21] geschenkt hat: ,Stille Nacht', Melodie von Franz Gruber, Text von Joseph Mohr?

Ja, als unser Kaiser Franz Joseph am 30. November 1916 zu
20 Grabe[22] getragen wurde, da wußten wir alle, daß die gute alte Zeit mit ihm gestorben war. Der gute Kaiser, er hat so viel Unglück gehabt! Sein ältester Sohn, der Kronprinz Rudolf, erschoß sich und das Mädchen, das er nicht heiraten durfte, auf Schloß Mayerling. Sein Bruder Maximilian, der Kaiser von
25 Mexiko, wurde als ,Kriegsverbrecher'[23] erschossen. Ein Anarchist ermordete seine Frau, die schöne Kaiserin Elisabeth, und schließlich wurden der Thronfolger Franz Ferdinand und seine Frau 1914 in Sarajewo von einem politischen Fanatiker erschossen.—Dann kam der erste Weltkrieg, und am 12. November 1918

---

8. Warum sieht Larry Inges Signal nicht?
9. Welche Komponisten haben Österreich berühmt gemacht?
10. Worin bestand Kaiser Franz Josephs Unglück?

---

17. **der Schluck** sip. 18. **sich stärken** to strengthen, refresh oneself. (19. *Famous theater founded by Maria Theresa in 1741*.) (20. immortal.) 21. **Weihnachten** Christmas. 22. **das Grab** grave. (23. **der Kriegsverbrecher** war criminal.)

wurde Österreich eine Republik. Ja, und dann kamen schwere
Zeiten für unser armes Land."

Larry sieht Inge traurig an. Inge spielt nervös mit ihrer Kaffeetasse.

„O, ich will Sie nicht traurig machen", sagt der alte Herr. 5
„Es ist zwar traurig, daß Österreich seine Rolle auf der Weltbühne[24] ausgespielt hat. Aber was soll man da machen? Unser
Dichter Nestroy[25] sagte einmal: ‚Die beste Nation ist die Resignation.' In diesem Sinn sind wir die beste Nation, das können Sie
mir glauben. Kennen Sie die hübsche Melodie aus der Fleder- 10
maus[26] von Johann Strauß? (Er singt)

> ‚Glücklich ist,
> wer vergißt,
> was doch[27] nicht zu ändern ist.'[28]

Das könnte unsere Nationalhymne sein.—Nation? Das kleine 15
Österreich mit seinen sieben Millionen Einwohnern hat die Weltstadt Wien zur Hauptstadt, und Wien hat zwei Millionen Einwohner. Das macht doch unser kleines Ländchen oberlastig,
nicht wahr?"

Larry lächelt und sagt mit Resignation in der Stimme:[29] 20
„Oberlastig? Das Wort verstehe ich nicht."

„Wissen Sie, oberlastig bedeutet—also wenn ein kleiner Mann
einen sehr großen Kopf hat, dann ist er oberlastig."

„Ach so", sagt Larry „jetzt verstehe ich Sie. Auf englisch
wäre das ‚top-heavy', und wenn . . ." 25

---

11. In welchem Sinn ist Österreich „die beste Nation"?
12. Wie oft hat der alte Herr den Komponisten der Fledermaus
    erwähnt?
13. Inwiefern ist Österreich „oberlastig"?

---

24. **die Bühne** stage. (25. *Austrian comedian and writer of farcical comedies.*) (26. **die
Fledermaus** bat.) 27. *Here* **doch** *is equivalent to English* anyway. 28. **ist nicht zu
ändern:** *a form of* **sein** *followed by* **zu** *plus an infinitive is usually equivalent to a passive
construction in English:* cannot be changed. 29. **die Stimme** voice.

Da unterbricht ihn Inge: „Larry, du hast mir doch versprochen, heute mit mir in den Prater zu gehen. Es ist schon halb fünf.”

„O, o”, sagt der alte Herr und geht an seinen Tisch zurück, „ich sehe, ich halte Sie auf.”

„O nein”, sagt Larry. „Die junge Dame ist Wienerin, aber sie   5
hat einen Zeitsinn wie eine Amerikanerin. Wir sind aber wirklich viel zu lange hier im Café geblieben. Ober, zahlen bitte! Übrigens vielen Dank für diesen historischen Vortrag.³⁰ Ich habe viel gelernt.”

Der Ober erscheint und bekommt sein Geld und ein Trinkgeld.   10
Er will wieder gehen. Aber dann hebt er die Papierserviette mit der Karte Österreichs und dem Bild des Napfkuchens auf³¹ und sagt bewundernd: „Der Herr Student ist wirklich ein Künstler.”   _admiringly_
Und jetzt sieht auch Inge, was Larry auf die Serviette gezeichnet hat, während der alte Herr sprach. Sie nimmt Larrys Arm und   15
sagt: „Aber Larry, du bist ja ein richtiger Künstler. Das wußte ich gar nicht. Ich weiß überhaupt³² so wenig von dir. Erzähl mir etwas von dir!”

„Da ist nicht viel zu erzählen. Das erste große Ereignis meines Lebens ist meine Reise nach Europa.”   20

Mit diesen Worten treten die beiden auf die Straße hinaus. Eine Weile gehen sie Arm in Arm und schweigen.   _silent_

„Erzähl mir doch etwas von deiner Reise”, bittet Inge nach einer Weile, „aber von Anfang an. Beginn mit der Ozeanreise auf dem Schiff!”   25

„Ich habe eine Idee”, sagt Larry, „wie wär’s, wenn ich dir ein paar Seiten gäbe, auf denen ich versucht habe, meine Eindrücke³³

---

14. Warum vergleicht Larry Inge mit einer Amerikanerin?
15. Warum geht der Ober nicht, nachdem er sein Geld bekommen hat?
16. In welchem Punkt denkt Inge wie der Ober?
17. Wofür hat Inge Interesse?

---

30. **der Vortrag** lecture. 31. **auf-heben** to pick up. 32. _Another of the particles which helps the speaker express feelings without attaching a particular meaning to the particle itself. Here_ **überhaupt** _suggests:_ come to think of it. 33. **der Eindruck** impression.

von der Deutschlandreise aufzuschreiben. Du kannst sie dann in Ruhe[34] lesen, und ich brauche nicht immer von mir selbst zu sprechen. And now tell me something about yourself."

Da sprechen die beiden wieder Englisch, und ihre englische Unterhaltung interessiert uns nicht. Wir überspringen[35] also einen Tag und zeigen Inge am Abend des nächsten Tages auf ihrem Zimmer. Sie hat sich eine Tasse Kaffee gemacht und liest . . .

conversation

---

18. Warum will Larry nichts von seinen Eindrücken erzählen?

---

34. **die Ruhe** quiet, peace.   35. **überspringen** to pass over, skip.

4

AUF DEM DAMPFER

DER Wind ist stärker geworden, die Wellen[1] donnern gegen
den Dampfer, und dann und wann[2] kommen die Propeller
aus dem Wasser; dann zittert[3] das Schiff, als ob eine Riesenhand es
schüttele.[4] Obgleich unsere Kabine ziemlich hoch liegt, spritzen[5]
die Wellen über unser Kabinenfenster. Kabinenfenster?—Das
ist sicherlich nicht der richtige Ausdruck.—Da kommt der Steward, ich werde ihn fragen. Er sagt mir, dieses runde Ding heiße
„Bullauge". Ich werde „Bullauge" sofort auf die Liste meiner
neugelernten Wörter setzen.—So, da steht es jetzt unter B hinter
Breitwand[6]-Film. Dieses Wort habe ich eben in einer deutschen   10
Filmzeitschrift gelesen, die ich in der Schiffsbibliothek[7] fand. In
dieser Zeitschrift steht ein Aufsatz[8] über eine deutsche Filmschauspielerin[9] und ihre amerikanischen Filme und einer über
eine amerikanische Filmschauspielerin, die die Hauptrolle in
einem deutschen Film spielt. Einen kulturellen Austausch[10]   15
zwischen Deutschland und Amerika gibt es also nicht nur für
Studenten, Lehrer, Professoren und Fachleute,[11] sondern auch
für Filmschauspieler. Ich würde gern mit Bill darüber sprechen,
aber der[12] liegt im oberen Bett und versucht zu schlafen. Der
arme Kerl[13] ist seekrank.   20

---

1. Warum zittert das Schiff?
2. Wie heißt Larrys „Sprachlehrer" an Bord?
3. Was tut Larry, um sein Vokabular zu vergrößern?
4. Hat die Schiffsbibliothek nur Bücher?
5. Warum kann Larry nicht mit Bill sprechen?

---

1. **die Welle** wave. 2. **dann und wann** now and then. 3. **zittern** to tremble, vibrate.
(4. **schütteln** to shake.) (5. **spritzen** to splash, spray.) (6. cinemascope.) 7. **die
Bibliothek** library. 8. **der Aufsatz** article. 9. **die Schauspielerin** actress. (10. **der
Austausch** exchange.) 11. **der Fachmann** expert, specialist. 12. *Forms of* **der, die,
das** *may be used as demonstrative pronouns, meaning* he, she, it, *etc. Note: When a form
of* **der, die, das** *is used without a noun, look for the position of the inflected verb. If the
verb is in normal or inverted order, the form of* **der, die, das** *is a demonstrative pronoun.
If the verb is at the end of the clause, the form of* **der, die, das** *is a relative pronoun,
meaning* who, which, that, *etc.* (13. **der Kerl** fellow.)

289

Da sitze ich hier, lese Filmzeitschriften und schreibe neue
Wörter auf, anstatt das Wichtigste zu beschreiben, den Anfang
meiner Reise. Wir sind schon zwei Tage auf hoher See, und ich
habe immer[14] noch nichts über den Beginn meines großen Aben-
5   teuers[15] aufgeschrieben. Wie begann es eigentlich?

Sobald ich wußte, daß ich nach Deutschland reisen würde,
hatte ich nur einen Wunsch: Wenn nur der Augenblick der
Abreise[16] schon hier wäre! Ich habe mich auf diesen Augenblick
gefreut,[17] aber auch ein wenig vor ihm gefürchtet.[18] Dies ist keine
10   Reise wie irgendeine[19] andere in meinem Leben. Ich werde ein
ganzes Jahr auf einem fremden Kontinent, in einem fremden
Lande leben, wo man eine fremde Sprache spricht, und wo
vieles anders ist als in Amerika. Wie ich das schreibe merke ich
auch schon, daß ich übertreibe.[20] Ich reise doch[21] nicht ins Innere
15   Asiens. Man hört immer wieder, daß Deutschland in vielem[22]
Amerika ähnlich ist und daß Amerikaner sich in der Regel[23]
auch in Deutschland ganz[24] zu Hause fühlen.

Aber da komme ich schon wieder vom Thema ab.[25] Ich wollte
doch den Beginn meines großen Abenteuers, den Augenblick der
20   Abreise beschreiben.—Zunächst einmal:[26] Es gab verschiedene[27]
Augenblicke. Als ich von den Eltern in Chikago Abschied
nahm,[28] war ich noch tief in Amerika. Die Reise nach New York
war mir auch nichts Neues, denn ich habe ja Onkel Max oft in
New Jersey besucht. Onkel Max brachte mich zum Dampfer,
25   und ich dachte: Wenn du das Schiff betrittst,[29] wenn du nicht

---

6. Welche neuen Wörter hat Larry aufgeschrieben?
7. Warum hat sich Larry ein wenig vor der Abreise gefürchtet?
8. Inwiefern hat er ein bißchen übertrieben?
9. Warum ist der Abschied von den Eltern nicht der Augenblick der
   Abreise?

---

14. **ich habe immer noch nichts aufgeschrieben: immer** *emphasizes* **noch:** I still
haven't written down a thing. 15. **das Abenteuer** adventure. 16. **die Abreise**
departure. 17. **sich freuen auf** to look forward to. 18. **sich fürchten vor** to be
afraid of. 19. **irgendeine** any. (20. **übertreiben** to exaggerate.) 21. after all.
(22. **in vielem** in many respects.) 23. **in der Regel** as a rule. 24. quite. (25. **ab-
kommen** to get away.) 26. **zunächst einmal** first of all, to begin with. 27. **verschieden**
different, various. 28. **Abschied nehmen** to say good-by. (29. **betreten** to set foot on.)

mehr auf amerikanischem Boden[30] stehst, das wird der Augenblick der Abreise sein. Es war aber nicht so. Die Besucher
waren auch an Bord, und Onkel Max stand neben mir. Er sprach
von der Familie, von Kalifornien, wo er längere Zeit gewohnt
hatte, und von Freunden der Familie, an die ich mich nicht   5
erinnern kann. Er sagte, ich solle nicht vergessen zu schreiben,
und schließlich drückte[31] er mir[32] einen Umschlag[33] mit zwei
Zehndollarscheinen[34] in die Hand und flüsterte mir ins Ohr: *whispers*
„Für unerwartete Ausgaben[35] auf dem Schiff." Nein, das bloße[36]
Anbordkommen kann ich nicht den Augenblick der Abreise   10
nennen.

Anders war es schon, als über das Lautsprechersystem des
Schiffes angesagt wurde:[37] „Alle Besucher müssen jetzt das
Schiff verlassen." Da fühlte ich einen kleinen Trennungs-
schmerz.[38] Die bleiben, und du gehst. Das wurde mir jetzt klar.   15

Dann kam ein wenig später das erwartete und doch immer ein
bißchen überraschende Heulen[39] der Schiffssirene. Von meinem   *a little bit*
Platz an der Reling konnte ich Onkel Max in der winkenden[40]
Menschenmenge gut sehen. Gleichzeitig beobachtete ich, was
auf dem Pier und auf dem Schiff geschah. Zwei Hafenarbeiter   *takes place*
machten das letzte Seil[41] los, das uns mit dem Pier verband. Es *connected*
fiel klatschend[42] ins Wasser und wurde von unserem Schiff
aufgezogen[43] wie ein langes Stück Spaghetti von einem hungrigen
Mann, den niemand beobachtet. Der Schlepper[44] am Bug[45]
unseres Schiffes begann gewaltig zu rauchen,[46] und langsam,   *intense*
ganz langsam wurde die Entfernung zwischen dem Schiff und
very

---

10. Hat Onkel Max auch einmal eine Reise gemacht?
11. Wozu soll Larry die zwanzig Dollar gebrauchen?
12. „Die bleiben, und du gehst." Wer sind diese „die"?
13. Wo steht Larry bei der Abfahrt des Schiffes?

---

30. **der Boden** soil. 31. **drücken** to press. 32. **mir in die Hand** in my hand; *with
parts of the body and articles of clothing the dative of the personal pronoun expresses
possession.* (33. **der Umschlag** envelope.) 34. **der Schein** note, bill. 35. **Ausgaben**
expenses. 36. **bloß** mere. (37. **angesagt wurde** the announcement was made.)
(38. **der Trennungsschmerz** pain of separation.) (39. **das Heulen** hooting.)
(40. **winkend** waving). 41. **das Seil** rope. (42. splashing.) (43. **auf-ziehen** to pull in.)
(44. tugboat.) (45. **der Bug** bow.) 46. **rauchen** to smoke.

dem Pier größer. Jetzt könntest du noch hinüberspringen, dachte ich—jetzt auch noch, jetzt nicht mehr. Das Winken und Rufen an Bord und an Land verstärkte sich, die Schiffskapelle spielte einen Marsch, und viele Taschentücher wurden jetzt
5 nicht mehr zum Winken benutzt,[47] sondern an die Augen gedrückt. Ich gebrauchte mein Taschentuch natürlich nur zum Winken. Ich muß aber gestehen,[48] daß ich doch ein bißchen traurig war. Ich sagte mir aber: Larry Wainwright, das größte Abenteuer deines Lebens beginnt. Werde bitte nicht sentimental.
10 —Da fühlte ich mich besser.

Während ich das dachte und mechanisch weiterwinkte,[49] merkte ich auf einmal,[50] daß ich Onkel Max aus den Augen verloren hatte, und daß ich die Gesichter in der Menge nicht mehr deutlich unterscheiden[51] konnte. Da drehte sich[52] unser Schiff
15 etwas, und ich konnte den Pier nicht mehr sehen. Der kleine Schlepper rauchte jetzt wie ein Vulkan, und bald waren wir in der Mitte des Hudson. Dies ist der eigentliche Augenblick der Abreise, dachte ich. Unser Schiff hat seine lange Reise begonnen. Ich starrte auf das Wasser und dann auf die Möwen,[53] die dem
20 Schiff folgten. Plötzlich ging eine Bewegung[54] durch die Passagiere: Wir fuhren an der Freiheitsstatue, dem letzten Gruß unseres Landes an die Abschiednehmenden, vorüber. Ein wenig später hielten wir an. Der Lotse[55] kletterte[56] in sein kleines Motorboot hinab. Er winkte, die Propeller arbeiteten wieder,
25 und nun ging es Volldampf voraus nach Osten. Der letzte Augenblick, der noch zur Abreise gehört, war vorüber.

---

14. Was nennt Larry seine Deutschlandreise?
15. Mit welchem Wort sagt uns Larry, daß er nicht mehr an Onkel Max gedacht hat?
16. Wie weiß Larry, daß die Schlepper das Schiff nicht mehr ziehen?
17. Was steht am Eingang zum New Yorker Hafen?
18. Was war nun wirklich der letzte Augenblick der Abreise?

---

47. **benutzen** to use. (48. **gestehen** to confess.) (49. continued to wave my handkerchief.) 50. **auf einmal** suddenly. 51. **unterscheiden** to distinguish. (52. **sich drehen** to turn.) (53. **die Möve** sea gull.) 54. **die Bewegung** movement, stir. (55. pilot.) 56. **hinab-klettern** to climb down.

Jetzt hätte ich vielleicht Heimweh[57] haben sollen. Ich habe aber kein Heimweh gefühlt. Ich hatte einfach keine Zeit dazu. Erst mußte ich in die Kabine hinunter, um mir einen Mantel anzuziehen, denn der Wind war kalt. Etwas später wurden wir in den Speisesaal[58] gerufen, um unsere Tischkarte zu holen.[59]   5
Da standen wir Passagiere, meistens Amerikaner, aber auch viele Deutschamerikaner, und sprachen von unseren Reiseplänen. Durch ein—wie hieß das Fenster doch?—ja richtig, durch ein Bullauge des Speisesaales sah ich in rhythmischem Wechsel[60] den hellblauen Himmel und dann wieder das dunkelblaue Meer.   10
Fast mechanisch und bestimmt[61] etwas verspätet sagte ich mir, was man kurz nach der Abreise zu sagen pflegt: We're off! Ich glaube, das heißt auf deutsch: Jetzt geht's los!

---

19. Warum wurde er in den Speisesaal gerufen?
20. Wen lernte er dort kennen?

---

57. **Heimweh haben** to be homesick.   58. **der Speisesaal** dining room.   59. **holen** to get, pick up.   (60. **der Wechsel** change.)   61. **bestimmt** definitely.

5

DIE LEIDEN EINES UNTERMIETERS![1]

JETZT bin ich schon einen Monat in München, aber es scheint mir, als[2] wohnte ich schon viel länger hier. Amerika ist so weit von hier und nicht nur im geographischen Sinn. Ich kann es mir gar nicht vorstellen, daß ich vor etwa sieben Wochen
5 jeden Tag in meinem Auto fuhr. Jetzt ist die Straßenbahn[3] mein Haupttransportmittel,[4] und manchmal höre ich im Schlaf den Schaffner[5] rufen: „Fahrscheine, bitte . . . Sonst noch jemand zugestiegen?"[6]

Jeden Morgen springe ich also vom zweiten Wagen, denn der
10 erste ist gewöhnlich[7] voll, und eile ins Universitätsgebäude, um im Hörsaal[8] noch einen Sitzplatz zu bekommen. Es scheint mir jetzt schon ganz selbstverständlich[9] zu sein, daß ich in Hörsaal 108 eine Vorlesung über moderne deutsche Literatur und in Hörsaal 34 eine andere über Goethes „Faust" höre. Ich sitze an
15 meinem Pult,[10] das Kollegheft[11] vor mir und warte mit dem Kugelschreiber[12] in der Hand auf den ersten aufschreibenswerten[13] Gedanken des Herrn Professors. Manchmal kommen diese Gedanken zu schnell zum Nachschreiben,[14] manchmal kann ich ein paar wichtige Wörter nicht verstehen, aber ich mache
20 Fortschritte.[15]

tickets (margin gloss, line 7)

hurry (margin gloss, line 10)

---

1. Welchen Unterschied zwischen Amerika und Deutschland merkt Larry zuerst?
2. Was studiert Larry an der Universität?
3. Warum verliert er nicht den Mut bei den Vorlesungen?

---

1. The sorrows of a roomer. 2. **als wohnte ich** as if I had been living; **als** *at the beginning of a clause and immediately followed by the verb means* as if; *with the verb at the end of the clause,* **als** *means* when. 3. streetcar. 4. **das Haupt** head; *in compounds* main, chief; **das Mittel** means. 5. **der Schaffner** conductor. (6. **Sonst noch jemand zugestiegen?** Has anyone else gotten on?) 7. usually. 8. **der Hörsaal** lecture room. (9. **ganz selbstverständlich** very much a matter of course.) 10. **das Pult** desk. 11. lecture notebook. 12. **der Kugelschreiber** ball-point pen. (13. **aufschreibenswert,** *read as a relative clause:* **der wert** (worth) **ist aufgeschrieben zu werden.**) (14. **zum Nachschreiben** for taking notes.) 15. **der Fortschritt** progress.

Auch bin ich ein richtiger Konditorei- und Cafébesucher[16] geworden. Wer kann aber auch[17] diesen wunderbaren deutschen Konditoreien widerstehen![18] Zwischen Vorlesungen oder an freien Nachmittagen kann man immer einige von uns in einer der Konditoreien finden. Bill hat uns einen schönen Caféwitz[19] erzählt. Er behauptet, es wäre ihm passiert,[20] was[21] möglich ist, obwohl ich es bezweifle.[22] Ich wiederhole den Witz, wie Bill ihn uns erzählt hat: „Ich sitze im Café und esse ein Stück Torte. Da kommt ein Herr, verbeugt sich, sagt ,Mahlzeit'[23] und setzt sich an meinen Tisch. Ich dachte, der Mann hätte sich vorgestellt. Ich stand also auf und sagte ,Bill Watkins'. Der Mann sah mich erstaunt an, dann lächelte er, stand auch auf und sagte: ,Kurt Kröger. Entschuldigen Sie, wenn ich frage: Sind sie amerikanischer Student?' Ich fragte verwundert,[24] woher er das wüßte. ,Nun',[25] sagte er, ,daß Sie Amerikaner sind, ist leicht zu sehen, denn Sie halten die Gabel[26] in der rechten Hand. Da die Universität hier in der Nähe ist, war es nicht schwer zu raten,[27] daß Sie Student sind.' Dann erklärte er mir, was ,Mahlzeit' bedeutet, und wir mußten beide lachen." So sagt Bill.

Wenn ich nach Hause schreibe, daß ich gern im Café oder in der Konditorei sitze, werden sich meine Eltern Sorgen machen, daß ich meine Zeit nicht richtig gebrauche. Aber das ist nicht wahr. Bei einer Tasse Kaffee habe ich oft mehr gelernt als im Hörsaal. Deutsche Studenten diskutieren gerne, und bei solchen Café-Diskussionen lerne ich oft gerade die Dinge über deutsches Leben, Denken und Fühlen, von denen die Vorlesungen nicht

---

4. Wohin geht Larry oft an freien Nachmittagen?
5. Woran erkennen Europäer einen Amerikaner?
6. Was lernt Larry in der Konditorei?

---

16. **Konditorei- und Cafébesucher** frequenter of confectioner's shops and cafés. *If the last part of two compound nouns is the same, it is indicated by a hyphen after the first noun.* 17. *As a particle,* **auch** *conveys a feeling of reassurance:* Who can really . . . ? (18. to resist.) 19. **der Witz** joke. 20. **passieren** to happen. 21. **was** which; *the relative pronoun* **was** *restates the thought of an entire antecedent clause.* 22. **bezweifeln** to doubt. 23. **Mahlzeit** (*literally, mealtime*) *is used as a greeting around noontime.* 24. **verwundert** surprised. 25. **nun** well; **nun,** *set off by a comma, is a particle; otherwise it means* now. 26. **die Gabel** fork. 27. **raten** to guess.

handeln. Deshalb bin ich auch froh, daß ich ein Studentenheim[28] gewählt[29] habe, und nicht eine Privatwohnung, denn dort bin ich beständig in der Gesellschaft[30] von Studenten. Heute las ich übrigens in einer Studentenzeitung, daß nur zweitausend von 5 zwölftausend Münchener Studenten in Studentenheimen wohnen. Die anderen wohnen als Untermieter[31] in Privatwohnungen. „Dormitories", wie wir sie zu Hause haben, gibt es in Deutschland nicht, und nur eine kleine Zahl Studenten kann in den Verbindungshäusern[32] wohnen.

10 Ich habe das Für und Wider[33] der beiden Arten[34] des Wohnens mit einigen Studenten besprochen und das Folgende erfahren: In einem Studentenheim hat man immer Ruhe, Ordnung und Sauberkeit.[35] In einem gemieteten[36] Zimmer aber manchmal nicht. Außerdem zeigt die Wirtin[37] oft zu großes Interesse für 15 die Post und die Telephongespräche des Untermieters.

Barbara Stenton, eine Studentin, die schon über ein Jahr hier studiert, hatte interessante Erfahrungen[38] als Untermieterin gemacht. Erst, so erzählte sie uns, wohnte sie bei der Familie Müller, und das war eine reizende[39] Familie. Papa Müller las 20 ihr abends immer die interessantesten Stellen aus der Zeitung vor. Mama Müller behandelte[40] sie wie ihre Tochter, und außerdem[41] aßen die Müllers Schwarzbrot,[42] das Mama Müller auf dem Lande[43] einkaufte.—Ach, das gute deutsche Schwarzbrot! Im Anfang ist es zu schwer für einen amerikanischen Magen.[44] 25 Hat[45] man sich aber einmal daran gewöhnt,[46] so versteht man

---

7. Warum wohnt er lieber in einem Studentenheim als in einer Privatwohnung?

8. Was gefällt einem Studenten nicht, der in einem gemieteten Zimmer wohnt?

---

28. **das Heim** *here* dormitory.   29. **wählen** to choose.   30. **die Gesellschaft** company. (31. **der Untermieter** roomer.) 32. **die Verbindung** fraternity. (33. **das Für und Wider** the pros and cons.) 34. **die Art** kind, type, mode. 35. **die Sauberkeit** cleanliness. 36. **mieten** to rent. 37. **die Wirtin** landlady. 38. **die Erfahrung** experience. 39. **reizend** charming. 40. **behandeln** to treat. 41. besides, moreover. 42. **das Schwarzbrot** rye bread. 43. **auf dem Lande** in the country. (44. **der Magen** stomach.) 45. **Hat man** = **Wenn man . . . hat:** *Wenn may be omitted; however, inverted word order is then used; the main clause is usually introduced by* **so** *or* **dann.** 46. **sich gewöhnen an** to become accustomed to.

nicht, wie man je[47] ein anderes Brot hat essen mögen. Alles war
also schön bei den Müllers, nur konnte Barbaras Zimmer nicht
geheizt[48] werden, und die mütterliche Liebe der Frau Müller
ersetzte[49] leider nicht die fehlende Heizung.

Barbara zog um.[50] Ihre zweite Wohnung war schön gelegen,
mit Balkon, hatte moderne Möbel,[51] aber die Wirtin war weder
schön noch modern. Den ganzen Tag kritisierte sie die arme
Barbara: „Gestern haben Sie das elektrische Licht bis zwei Uhr
morgens brennen lassen."—„Ich habe studiert."—„Junge Mädchen sollten um zehn Uhr zu Bett gehen und morgens früher auf-   10
stehen, als Sie das tun. Heute früh[52] haben Sie zu viel warmes
Wasser für Ihr Bad gebraucht. Warmes Wasser kostet Geld,
und wir haben nicht so viel Geld wie Sie in Amerika." Das
wurde der armen Barbara bald zuviel, und so zog sie wieder um.

Ich habe oft Klagen[53] über geizige[54] Wirtinnen von den Studen-   15
ten gehört. Es gibt offenbar[55] viele dieser Art in Deutschland.
Deutsche Kommilitonen,[56] mit denen ich dieses Problem im Studentenheim besprochen habe, sagten, ich hätte recht. Übertrie-
bene[57] Sparsamkeit[58] sei[59] eine der schlechten Eigenschaften[60]
der Deutschen. Sie habe aber ihren guten historischen Grund.   20
Der deutsche Mittelstand sei lange sehr arm gewesen. Diese
Armut habe die Deutschen immer wieder gezwungen,[61] arbeitsam[62] zu sein und gegen ihre Armut anzukämpfen. So könnte
man verstehen, daß sich eine schlechte Eigenschaft wie übertrie-

---

9. Warum wollte Barbara nicht länger bei der Familie Müller wohnen?
10. Was war schön in Barbaras zweitem gemieteten Zimmer?
11. Bevor man die schlechten Eigenschaften eines Volkes kritisiert,
     sollte man was verstehen?
12. Welchen geschichtlichen Grund hat die deutsche Sparsamkeit?

(47. ever.) 48. **heizen** to heat. (49. **ersetzen** to take the place of, make up for.)
50. **um-ziehen** to move. 51. **das Möbel** furniture. 52. **heute früh** this morning.
(53. **die Klage** complaint.) (54. **geizig** stingy, miserly.) (55. evidently.) 56. **der
Kommilitone** fellow student. (57. **übertrieben** excessive.) (58. **die Sparsamkeit**
thrift.) 59. *The subjunctive form* **sei** *indicates indirect discourse; the writer is simply
reporting what the students have said. In English we would begin the sentence by such
phrases as:* They went on to say that . . ., They also said that . . . *Observe also the
subjunctive forms in the following sentences.* (60. **die Eigenschaft** quality.)
(61. **zwingen** to force.) 62. **arbeitsam** hard-working, industrious.

bene Sparsamkeit entwickeln konnte. Das sei für uns Amerikaner, die im reichsten Lande der Welt wohnen, vielleicht schwer zu verstehen.—Nein, das verstehe ich sehr gut. So viel weiß ich nun auch, daß jedes Land durch seine Vergangenheit beeinflußt

5   ist. Da rede ich wieder wie ein Philosoph. Aber das ist die deutsche Atmosphäre. Wer unter deutschen Studenten lebt, der beginnt zu philosophieren. Und wer im Studentenheim wohnt, der lebt unter Studenten. Ich kann es nicht oft genug sagen, wie wohl ich mich hier fühle.[63] Es gibt kaum Lärm. Wer studieren

10   will, wird nicht durch Geschrei[64] oder Radiospielen gestört.[65] Wer sich unterhalten will, geht in das Gesellschaftszimmer,[66] wo es eine Bibliothek und oft eine interessante Debatte gibt.

Wenn ich meinen deutschen Kommilitonen erzähle, wie wohl ich mich im Studentenheim fühle, dann nicken[67] sie mit den

15   Köpfen und sagen, das verständen sie schon, aber als Untermieter zu wohnen, hätte auch seine Vorteile.[68] Manchmal sei nämlich die Wirtin eine richtige Studentenmutter, die die Leiden und Freuden des Studenten gut kenne, da schon manche Studentengeneration bei ihr gewohnt habe. So ein Studentenzimmer oder

20   „Bude", wie es in der deutschen Studentensprache heißt, sei mit seinem altmodischen Sofa, seinem Federbett[69] und dem altmodischen Spiegel[70] an der Wand doch sehr gemütlich.[71] Die Bude gehöre zur Tradition des alten Studentenlebens, von der wir Amerikaner uns keinen Begriff mehr machen[72] könnten,

25   und das sei eigentlich schade.[73]

---

13. Warum können Amerikaner oft nicht die deutsche Sparsamkeit verstehen?

14. Warum gefällt Larry ein deutsches Studentenheim besser als ein amerikanisches?

15. Was ist eine richtige Studentenmutter?

16. Was findet man in einer deutschen Studentenwohnung, das es in Amerika nicht gibt?

---

63. **sich wohl fühlen** to feel content. (64. **das Geschrei** shouting.) 65. **stören** to disturb. 66. **das Gesellschaftszimmer** social room. 67. **nicken** to nod. 68. **der Vorteil** advantage. (69. **das Federbett** thick eider-down comforter.) 70. **der Spiegel** mirror. 71. **gemütlich** cozy. 72. **sich einen Begriff machen** to form an idea. 73. **schade sein** to be a pity.

6

IM WALDE

GESTERN abend kam ich von einer langen Wanderung[1] mit Bill und ein paar deutschen Kommilitonen zurück. Ich war todmüde und bin heute am Sonntag erst[2] um zehn Uhr aufgewacht. Was für eine herrliche Wanderung das war! Jetzt verstehe ich, warum die Deutschen das Wandern so lieben und warum „wandern" ein Wort ist, das in keine andere Sprache übersetzt werden kann.

Wir waren mit dem Bus von München nach Süden gefahren, zum Kochelsee und von da hinauf zum Walchensee. Wilhelm Bunge, der auch deutsche Literatur studiert, erzählte mir, daß es dieselbe Straße wäre, auf der einst[3] keuchende[4] Pferde Goethes Reisewagen[5] gezogen hätten. Das regte mich sehr auf,[6] und ich sah aus dem Fenster, um dieselbe Landschaft zu sehen, die Goethe gesehen hatte.

drawn (drew)

In Amerika hätte mich so etwas nicht aufgeregt. Diese Andacht[7] vor Ruinen oder vor den irdischen Spuren[8] großer Männer ist zwar ein internationales Gefühl, aber ich glaube die Deutschen haben es besonders entwickelt. Nun, ich habe es in Deutschland in kurzer Zeit gelernt, wenn „lernen" das richtige Wort ist für die Entwicklung eines Gefühles, das man vorher[9] nicht kannte.

knew

---

1. Warum war Larry so müde?
2. Was hat er auf dieser Wanderung gelernt?
3. Was hat Larry auf der Busfahrt gesehen?
4. Warum denkt Larry an Goethe während der Fahrt zum Walchensee?
5. Wie reiste Goethe?

---

1. **die Wanderung** hike. 2. *In expressions of time* **erst** *means* not until *or, less often,* only. 3. once. (4. **keuchen** to pant.) 5. **der Reisewagen** (travelling) carriage. 6. **auf-regen** to excite. (7. **die Andacht** feeling of devotion.) (8. **irdische Spuren** earthly footsteps.) 9. previously.

Beim Walchensee stiegen wir aus[10] und wanderten dann, geführt[11] von einem unserer bayrischen Kommilitonen, auf einem Waldpfad weiter. Jedesmal, wenn ich die wunderbaren Wälder sehe, wundere ich mich, wie ein so hoch industrialisiertes und so dicht[12] bevölkertes Land wie Deutschland seine Wälder so beschützen[13] kann. Ich habe hier ein Buch: „Facts about Germany". Darin steht:[14] In der Bundesrepublik Deutschland leben jetzt mehr als 53 Millionen Menschen, d. h. 32mal mehr als im Staate Oregon, der ungefähr so groß ist wie die Bundesrepublik. Und trotzdem[15] diese großen Wälder!

Ich sprach mit den deutschen Kommilitonen darüber, während wir durch den dunklen Wald marschierten, und die[16] hatten verschiedene Erklärungen. Fritz—den Familiennamen habe ich vergessen—, der Nationalökonomie[17] studiert, sagte: „Die vielen Fürsten, die Deutschland so sehr geschadet[18] haben, weil das Land in viele kleine Fürstentümer[19] aufgeteilt und also politisch ohne Macht war, haben doch auch manches Gute für Deutschland getan. Die Jagdleidenschaft[20] dieser Herren machte es nötig,[21] daß die Wälder und das Wild[22] geschützt wurden, und als es keine Fürsten mehr gab, war es den Deutschen eine Selbstverständlichkeit,[23] ihre Wälder und alles darin zu schützen. Sie haben. . . ."

„Glauben Sie meinem Freund nicht", unterbrach ihn Wilhelm

---

6. Wie findet Larry seinen Weg durch den Wald?
7. Warum ist es so überraschend, daß ein Land wie Deutschland noch so viele Wälder hat?
8. Vergleichen Sie die Größe der Bundesrepublik mit einem der amerikanischen Staaten!
9. Warum hatte Deutschland so viele Fürsten?
10. Warum schützten die Fürsten die Wälder?

---

10. **aus-steigen** to get off. 11. **führen** to lead, guide. (12. **densely**.) (13. **beschützen** to protect.) 14. **steht** it says. *Literally, of course,* **steht** *means* stands, *in the sense of* "stands printed." 15. **trotzdem** in spite of it. 16. **die** they. *Notice that* **die** *is followed by the verb, indicating that it is used as a demonstrative pronoun.* (17. economics.) (18. **schaden** to harm.) (19. **das Fürstentum** principality.) (20. **die Jagdleidenschaft** passion for hunting.) 21. necessary. (22. game.) (23. **die Selbstverständlichkeit** matter of course.)

Bunge, „was er Ihnen da gesagt hat, ist nur die eine Hälfte,[24]
die kleinere Hälfte der Wahrheit. Das deutsche Volk hat seine
Wälder schon[25] immer geliebt. Sie rauschen[26] im deutschen
Volkslied, und der dunkle Wald voll sprechender Tiere,[27] Hexen
und Riesen[28] lebt im deutschen Märchen. Die deutschen Roman- 5
tiker, besonders Tieck und Eichendorff, haben ihn in der Dichtung[29] verherrlicht.[30]   Tieck hat das Wort Waldeinsamkeit[31]
geschaffen, und Eichendorff ist der Dichter des deutschen Wal-
des.”

Er zitierte ein Gedicht von der deutschen Landschaft mit ihren 10
Feldern und Wäldern. Es ist von Eichendorff und eins der
schönsten deutschen Gedichte, die ich bis jetzt kenne:

Mondnacht[32]

Es war, als hätt' der Himmel
Die Erde still geküßt, 15
Daß sie im Blütenschimmer[33]
Von ihm nun träumen müßt'.

Die Luft[34] ging durch die Felder,
Die Ähren wogten sacht,[35]
Es[36] rauschten leis' die Wälder: 20
So sternklar[37] war die Nacht.

Und meine Seele[38] spannte[39]
Weit ihre Flügel[40] aus,
Flog durch die stillen Lande,
Als flöge sie nach Haus. 25

---

11. Wo in der deutschen Literatur spielt der Wald eine Rolle?
12. Welche Tageszeit und welche Jahreszeit erkennen wir in dem
     Gedicht?

---

24. **die Hälfte** half.   25. *As a particle*, **schon** *emphasizes* **immer** *in this context.*   (26. to
rustle.) 27. **das Tier** animal. (28. **der Riese** giant.) 29. **die Dichtung** poetry;
literature. (30. **verherrlichen** to glorify.) (31. forest solitude.) (32. moonlit night.)
(33. luster of flowers.) (34. breeze.) (35. the stalks of grain swayed gently to and
fro.) 36. *Impersonal* **es** *(no English equivalent), followed by the verb and real subject*
(**die Wälder**), *emphasizes the statement.* (37. star-bright.) 38. soul. (39. **aus-**
spannen to spread.) 40. **der Flügel** wing.

Ich wünschte, ich könnte die Landschaften beschreiben, durch die wir wanderten, aber dazu[41] muß man ein Dichter sein. Zum Glück[49] hatte ich genug Farbfilme mitgenommen. Von dem herrlichen Waldesduft,[43] dem Waldesrauschen,[44] der Waldeinsamkeit, dem Wechsel von Sonnenwärme und Schattenkühle,[45] von all dem können diese Bilder aber leider keinen Begriff geben.

Aber noch etwas gehört in den deutschen Wald, das kleine Dorf und das Dorfwirtshaus.[46] Die Rast[47] im Dorfwirtshaus war einer der Höhepunkte dieser Wanderung. Ich muß Wilhelm Bunge fragen, wie das kleine Dorf und das Dorfwirtshaus hieß, in dem wir zu Mittag aßen.

Wir hatten uns warm gewandert, waren hungrig, durstig und ein bißchen müde, als wir in einem kleinen Tal[48] das Dörfchen und das Wirtshaus erkannten. Die Nachmittagssonne schien auf die Federbetten, die im ersten Stock[49] zur Lüftung[50] aus dem Fenster hingen, die Hühner gackerten,[51] und als wir näher kamen, begann ein großer brauner Jagdhund,[52] der sich vor dem Wirtshaus gesonnt hatte, zu bellen.[53] Da rief jemand aus dem Haus im bayrischen Dialekt: „No wos hascht denn, Fido? Soi still! Die Herrn tun dir nix. (Na, was hast du denn,[54] Fido? Sei still! Die Herren tun dir nichts.[55])"

Wir traten in das kühle Gastzimmer[56] und setzten uns auf eine

---

13. Inwiefern war Larry gut auf diese Wanderung vorbereitet?
14. Larry hat den Namen des Dorfwirtshauses vergessen. Was hat er **aber** nicht vergessen?
15. Was sieht er am Dorfwirtshaus, was typisch deutsch ist?
16. **Warum braucht Fido seinen Herrn nicht zu warnen?**

---

41. to do that. **42. zum Glück** fortunately. (43. fragrance of the forest.) (44. rustling of the forest.) (45. coolness of the shade.) 46. village inn. (47. **die Rast** stop.) 48. **das Tal** valley. 49. **im ersten Stock** on the second floor. *The first floor is called* **Erdgeschoß** ground floor. (50. for an airing.) (51. **gackern** to cackle.) (52. **der Jagdhund** setter.) (53. to bark.) 54. *As a particle,* **denn** *is used primarily in questions and indicates lively interest or impatience, feelings which, in English, can be expressed only by tone of voice:* **Na, was hast du denn?** Well, what's the matter? (*stressing matter*). 55. **tun dir nichts** won't harm you. (56. **das Gastzimmer** tap room.)

Holzbank[57] an einen der langen Tische. Das bayrische Bier schmeckte wunderbar nach der langen Wanderung. Wir bewunderten die Hirschgeweihe[58] an der Wand und den Duft,[59] der aus der Küche kam. Der Wirt[60] saß mit drei Holzhauern[61] an einem anderen Tisch und spielte Karten. Alle hatten die berühmten Lederhosen an und von Zeit zu Zeit knallten[62] sie die Karten mit ihren kräftigen braunen Fäusten[63] auf den Tisch, wie das hier Sitte ist.

Wir bestellten uns Rehbraten,[64] mit Kartoffeln[65] und Pilzen.[66] Als Nachspeise aßen wir Walderdbeeren.[67] Wilhelm machte mich darauf aufmerksam,[68] daß das Reh,[69] die Pilze und Erdbeeren alle in diesen herrlichen Wäldern aufgewachsen wären. Fritz, der Nationalökonom, sagte, das wäre ein schöner romantischer Gedanke. Er fragte dann die Wirtin, ob sie einen Tiefkühler[70] hätte, und richtig, sie hatte einen. ,,Siehst du Wilhelm'', sagte Fritz triumphierend, ,,Elektrizität und ein Tiefkühler in diesem verschlafenen[71] Walddörfchen machen es möglich, daß du hier zu jeder Zeit etwas Gutes zu essen bekommst. Draußen[72] im Walde hast du dich aufgeregt, als du die elektrische Leitung[73] sahst.''

Auf dem Nachhauseweg ging die Debatte über das Thema ,,die Technik ist die Todfeindin[74] der Natur'' weiter, und ich weiß jetzt, daß dies ein Lieblingsthema der Deutschen ist. Ich sagte nichts, denn ich wollte die schöne Landschaft genießen. Nach einer Weile wurde ich aber doch in die Debatte gezogen. ,,Weißt du'', fragte mich Wilhelm, ,,warum bei euch in Amerika Humuserde in Sandstürmen fortfliegt und durch Hochwasser ins Meer

---

17. Beschreiben Sie den Wirt!
18. Welchen romantischen Gedanken hat Wilhelm?
19. Was hat Wilhelm im Wald gestört?

---

57. **die Holzbank** wooden bench. (58. antlers.) (59. **der Duft** aroma.) 60. innkeeper. (61. **der Holzhauer** lumberjack.) (62. **knallen** to slam.) (63. **die Faust** fist.) (64. roast venison.) 65. **die Kartoffel** potato. (66. **der Pilz** mushroom.) (67. wild strawberries.) 68. **machte mich darauf aufmerksam** called my attention to the fact. (69. doe; deer.) 70. **der Tiefkühler** freezer. (71. **verschlafen** sleepy.) 72. outside. (73. wire, line.) (74. mortal enemy.)

getragen wird?" Ich wußte es nicht, und er sagte mit blitzenden[75]
Augen: „Weil ihr Amerikaner eure Wälder nicht liebt und ehrt,[76]
weil ihr so viele Wälder vernichtet[77] habt."

    „Ich bin unschuldig",[78] antwortete ich. „Ich habe nicht einen
5   Baum gefällt. Außerdem haben wir Amerikaner keine Fürsten
gehabt, die unsere Wälder hätten beschützen können." Fritz
rief lachend: „Ein Connecticut Yankee im germanischen Urwald!"[79] Da fragte ich ihn, ob er wisse, wo Connecticut auf der
Karte läge. Er glaubte allen Ernstes, es läge im wilden Westen,
10   und nun hatte ich die Lacher auf meiner Seite. So ging es weiter,
bis wir bei einbrechender Dunkelheit[80] wieder in den Bus stiegen.
Von da an weiß ich nichts mehr, denn ich schlief sofort auf
meinem Sitz ein. Ich habe für Central High Fußball gespielt und
bin ein Varsity Baseball Spieler und nicht der schlechteste, aber
15   nichts hat mich so müde gemacht wie diese Wanderung—und
nichts in meinem Leben hat mir so viel Freude gemacht.

---

20. Welches Problem haben wir in Amerika, weil so viele unserer
     Wälder vernichtet worden sind?
21. Worüber lachen Larrys Freunde?

(75. **blitzend** flashing.)   76. **ehren** to respect.   77. **vernichten** to destroy.   (78. inno-
cent.) (79. **im germanischen Urwald** in the Teutonic primeval forest.) (80. **bei
einbrechender Dunkelheit** at nightfall.)

7

EINKÄUFE[1] UND PREISE

WIR haben auf jedem Stock des Studentenheims eine Küche, und wer wie ich von Zeit zu Zeit das einfache Essen der Mensa durch etwas Besseres ersetzen will, kann sich dort sein eigenes Essen kochen. Ich habe mich mit der theoretischen Hilfe einiger Kommilitoninnen zu einem ganz guten Koch entwickelt. Wer aber kocht, der muß auch einkaufen, und in Deutschland Einkäufe machen, will gelernt sein.

Wer wie ich guten Appetit hat und auf kulinarischem Gebiet etwas Neues versuchen will, der geht nicht in einen der großen Selbstbedienungsläden,[2] die es nach amerikanischem Muster[3] nun auch in Deutschland gibt, sondern in ein Spezialgeschäft.[4] In einer deutschen Metzgerei[5] z. B. habe ich mir die Namen von vierundzwanzig verschiedenen Wurstsorten[6] aufgeschrieben. Ich habe noch nicht alle diese vierundzwanzig Sorten gekostet, aber mit der Zeit werde ich das tun. Es überrascht mich übrigens in den Lebensmittelgeschäften,[7] wenn ich Leute sehe, die sich nur vier Eier oder nur hundert Gramm Butter kaufen, aber inzwischen[8] habe ich erfahren, daß die meisten Deutschen keine Kühlschränke[9] haben.

Beim Einkaufen[10] gibt es für uns Amerikaner oft sprachliche Schwierigkeiten,[11] besonders in Bayern, wo oft nur Dialekt gesprochen wird. Da fällt mir ein,[12] was mir am Tage meiner

---

1. Was hat Larry Neues gelernt?
2. Warum geht Larry lieber in ein Spezialgeschäft als in einen Selbstbedienungsladen?

---

1. **der Einkauf** purchase. 2. **der Selbstbedienungsladen** self-service store. 3. **das Muster** model. (4. **das Spezialgeschäft** *store specializing in a particular type of merchandise.*) 5. **die Metzgerei** butchershop. (6. **die Wurstsorte** kind of sausage.) 7. **die Lebensmittel** food, groceries. 8. **inzwischen** in the meantime. 9. **der Kühlschrank** refrigerator. 10. when shopping. 11. **die Schwierigkeit** difficulty. 12. **einfallen** to occur.

305

Ankunft[13] in München geschehen war. Ich wollte mich rasieren und merkte, daß ich einen Transformator für meinen elektrischen Rasierapparat brauchte, denn in Deutschland, wie in Europa überhaupt, hat man meist[14] 220 Volt. Mein amerikanischer Rassierapparat gebraucht aber 110 Volt. Das ist so eine typische Kleinigkeit,[15] die man gewöhnlich auch beim Vorbereiten auf eine Europareise übersieht. Ich ging also am nächsten Morgen in ein Geschäft für elektrische Gebrauchsartikel.[16] Als ich die Ladentür öffnete, klingelte,[17] wie oft in deutschen Läden, ein Glöckchen[18] oben an der Tür, und bald darauf[19] erschien ein riesiger alter Mann. Er hatte einen buschigen weißen Schnurrbart[20] wie ein Walroß und erinnerte[21] mich auch sonst in seinen Körperdimensionen an dieses arktische Tier. Auch ohne seine Lederhosen hätte ich in dem Mann einen typischen alten Bayern erkannt. Ich hatte nämlich auf dem Zug Geschichten des bayrischen Dichters Ludwig Thoma gelesen, der seine alten Bayern immer so beschreibt. Der alte Mann sah mich forschend[22] an, und ich sagte in meinem besten Hochdeutsch: „Ich möchte einen Transformator von 220 auf 110 Volt." Da sagte der riesige Ladenbesitzer[23] auf bayrisch: „I hob Eanan net verstandn (Ich habe [Ihnen] Sie nicht verstanden)." Das verstand ich nun nicht sofort, und so wiederholte er langsam und laut: „I versteh Eanan net (Ich verstehe [Ihnen] Sie nicht)." Da kam mir aber ein etwa vierzehn Jahre altes Mädchen zur Hilfe.[24] Sie sprach sehr gut Englisch, wenn sie auch[25] langsam sprach, und mit ihrer Hilfe hatte ich in wenigen Minuten meinen Transformator. Auf meine erstaunte Frage, wie sie denn schon so gut Englisch könne, da sie doch noch sehr jung sei, antwortete sie mir, sie lerne schon

---

3. Was hatte Larry übersehen, als er sich auf seine Reise nach Deutschland vorbereitete?
4. Beschreiben Sie den alten Bayern!

---

13. **die Ankunft** arrival.   (14. generally.)   (15. **die Kleinigkeit** small matter, detail.) 16. **der Gebrauchsartikel** appliance.   (17. **klingeln** to ring.)   (18. **das Glöckchen** small bell.)   19. after.   (20. **der Schnurrbart** mustache.)   21. **erinnern** to remind. (22. searchingly.)   23. **der Besitzer** owner.   24. **mir zur Hilfe** to my aid.   25. **wenn auch** even though.

drei Jahre Englisch auf der Oberschule.[26] Man sagte mir später, daß diese alten Münchner, die nur Bayrisch sprechen, am Aussterben sind,[27] was eigentlich schade ist.

Eben kommt ein langer Brief von zu Hause. Mutter wundert sich darüber,[28] daß ich Kochen gelernt habe, Vater, daß ich mit dem Geld so gut auskomme.[29] Er lobt mich und fragt mich, ob die deutsche Luft mich sparsam[30] gemacht hätte. Das Lob ist unverdient, denn mit den 100 Dollar oder 400 DM, die ich monatlich von zu Hause bekomme, kann ich gut leben und, wenn ich sparsam bin, auch noch eine kleine Reise nach Österreich, Frankreich oder Italien machen.

Das Teuerste in Deutschland, wie überhaupt in Europa, scheint das Benzin zu sein. Es kostet etwa viermal so viel wie bei uns. Trotzdem kaufen sich die Deutschen kleine Motorräder, aber auch viele Volkswagen. Allerdings verbrauchen diese kleinen Transportmittel viel weniger Benzin als die amerikanischen Straßenkreuzer,[31] wie man unsere langen, modernen Autos hier nennt.

Ich weiß, wenn ich nach Hause zurückkomme, werden mich viele fragen: Haben die Deutschen so viele Autos wie wir? Sind ihre Autos so gut wie unsere? Und wer nach den Autos fragt, fragt auch nach dem Lebensstandard, der ja bei uns beinahe mit der Zahl und Qualität der Autos identisch ist.

Ich muß gestehen, ich bin mit der Meinung[32] nach Deutschland gekommen, dort einen niedrigeren[33] Lebensstandard als bei uns zu finden. Dieses Vorurteil[34] habe ich aber bald aufgegeben, und zwar lange, bevor ich Fred Fletcher kennenlernte.

---

5. In welchem Alter beginnen die Schüler in Deutschland Englisch zu lernen?
6. Welches Lob ist unverdient?
7. Woran denken viele Amerikaner, wenn sie von Lebensstandard sprechen?

---

26. *Modern secondary school.* (27. are dying out.) 28. over the fact that. 29. **auskommen** to get along. 30. economical, thrifty. (31. **der Kreuzer** cruiser.) 32. **die Meinung** opinion. (33. **niedrig** low.) (34. **das Vorurteil** prejudice.)

8

VOM DEUTSCHEN LEBENSSTANDARD

FRED Fletcher kommt aus Minnesota. Er ist ein Fulbright
Stipendiat,[1] spricht fließend[2] Deutsch und Französisch
und ist sehr intelligent. Uns jüngeren Studenten gegenüber[3]
spielt er gern den Mephisto, der die Säure[4] seines Zynismus auf
unseren naiven Enthusiasmus gießt.[5] Ich hatte Fred, den Zyniker,
Wilhelm Bunge, den Romantiker, der mit uns durch die Wälder
am Kochelsee gewandert war, und Bill, den ich an Bord kennengelernt hatte, zum Essen[6] in einem Restaurant eingeladen, denn es
war mein Geburtstag. Ich weiß nicht mehr, wie es geschah, aber
bald sprachen wir vom deutschen Lebensstandard. Ich schreibe
unser Gespräch hier auf, soweit ich mich daran erinnern kann.

Bill: Ja, ja, das Essen war sehr gut. Larry, dieser Epikuräer,
hat Wildschweinbraten[7] gegessen, Wilhelm Gänsebraten,[8] Fred
Forelle[9] und ich Rehragout[10] in Rotwein, aber trotzdem hätte
ich lieber einmal wieder zwei gute „cheeseburgers" mit einem
„milkshake."

Ich: Du hast Heimweh, Bill.

Bill: Natürlich habe ich Heimweh. Ich möchte wieder einmal
Wolkenkratzer sehen und in einem Restaurant mit Klimaanlage[11]
essen, und außerdem habe ich letzten Winter in meiner oft kalten
Bude[12] von unseren schönen zentralgeheizten Häusern in Wiscon-
sin geträumt.

Wilhelm: Du könntest auch noch darüber klagen,[13] daß wir

---

1. Wie feiert Larry seinen Geburtstag?
2. Woher weiß Larry, daß Bill Heimweh hat?
3. Was hat Bill in München nicht gefallen?

(1. **der Stipendiat** scholarship holder.) 2. fluently. 3. **gegenüber** (*follows object it
governs*) in regard to, *here* with. (4. acid.) 5. **gießen** to pour. 6. **zum Essen** for
dinner. (7. wild boar roast.) (8. roast goose.) (9. trout.) (10. venison stew.)
(11. **die Klimaanlage** air conditioning.) 12. **die Bude** (*student slang*) room. 13. to
complain.

Deutsche oft noch kein Telephon im Hause haben, keine Kühlschränke, Waschmaschinen, Fernsehapparate und was der Kom-
fort des modernen Lebens sonst noch fordert.[14] In Amerika
habt ihr natürlich all das in fast jedem Hause.

Bill: Und warum habt ihr es hier in Deutschland nicht? 5

Fred: Du mußt fragen „noch nicht", denn es wird nicht lange
dauern,[15] dann haben die Deutschen auch alles, was wir in
Amerika haben. Es ist nur eine Frage der Zeit. Die alten Häuser
in Deutschland sehen zwar sehr romantisch aus, aber sie lassen
sich[16] nur schwer oder überhaupt nicht[17] modernisieren. In die 10
neuen Häuser werden aber Zentralheizung, Klimaanlage usw.
eingebaut, und die schießen wie Pilze aus der Erde.

Wilhelm: Du sprichst, als ob die Deutschen Amerikaner wären.
Wir haben aber unsere Kulturtradition, und die kennst du nicht.
Vielleicht will der Deutsche den materiellen Fortschritt nicht 15
mitmachen.[18] Hast du dir das schon einmal überlegt?[19]

Fred: Überlegt habe ich mir diese Frage gründlich[20] und bin
überzeugt,[21] daß der Deutsche dem modernen Fortschritt keinen
Widerstand leisten[22] wird. Er will unseren Lebensstandard haben,
und mit diesem Lebensstandard wird er auch sein Leben ändern, 20
er wird es amerikanisieren.

Wilhelm: Wir Deutsche sind stolz[23] auf unseren Wein, den
Generationen von Weinbauern[24] durch die Jahrhunderte gepflegt[25]
haben. Der gehört bei uns zu einem hohen Lebensstandard. Ihr
Amerikaner seid stolz auf eure Badewannen.[26] 25

---

4. Was ist nur „eine Frage der Zeit"?
5. Warum ist der materielle Fortschritt in Deutschland langsamer
   als in Amerika?
6. Warum gehört Wein zur Kulturtradition?

---

14. **fordern** to demand. 15. **dauern** to take. 16. **lassen sich modernisieren** can be
modernized: *In this common construction,* **lassen sich** *is normally equivalent to* can be,
and the German active infinitive (**modernisieren**) *to an English past participle.* 17. **überhaupt nicht** not at all. 18. to take part in. 19. **sich überlegen** to consider.
20. thoroughly. 21. convinced. (22. **keinen Widerstand leisten** to offer no
resistance.) 23. proud. (24. **der Weinbauer** winegrower.) (25. **pflegen** to cultivate.)
26. **die Badewanne** bathtub.

Fred: Eine glitzernde emaillierte Badewanne, in die heißes und kaltes Wasser in ungemessenen[27] Mengen[28] strömt,[29] ist genau so[30] ein Kulturprodukt wie ein guter Rheinwein, der eine Tradition von fast zweitausend Jahren hinter sich hat.

5 Wilhelm: Wie kannst du zwei solche Dinge als gleichwertig[31] betrachten? Die sind doch—

Ich: Anderswertig![32]

Fred: Hast du das Wort gestern in der Vorlesung gelernt und es dir gleich aufgeschrieben? Nun, hier paßt[33] es. Jawohl, das
10 sind anderswertige Dinge und deshalb ist jede Debatte, die das eine Ding über das andere setzt, sinnlos.

Ich: Hör mal[34] Fred, du gehst zu weit. Ich finde vieles, was typisch deutsch ist, sehr schön. Wie schön ist es z.B. daß mancher junge Deutsche, anstatt stundenlang in einem Nachtlokal[35] zu
15 sitzen, seine Skier auf die Schulter nimmt und mit Freund oder Freundin in die Alpen fährt. So ein junger Mann ist gesund,[36] kräftig, hat Naturgefühl und—

Fred: Muskeln.

Ich: Schön, auch Muskeln hat er, und seine Freundin mag ihn
20 oder liebt ihn, weil er „ein natürlicher Mensch" ist.

Fred: Was „ein natürlicher Mensch" ist, weiß ich nicht, aber um bei deinem deutschen Paar zu bleiben. Warum hast du nicht hinzugefügt,[37] daß die Mutter dieses Mädchens die Wäsche mit der Hand wäscht, weil Großmutter das auch getan hat, daß das
25 Mädchen sich nicht schminkt[38] wie amerikanische Mädchen usw.? Nun, ich will dir etwas sagen. Dieses Mädchen, wird sich bald eine Waschmaschine kaufen. In einem von Amerika beeinflußten

---

7. Welche zwei Dinge betrachtet Fred als gleichwertig?
8. Was betrachtet Larry als typisch deutsch?
9. Geben Sie ein Beispiel von Tradition!

(27. **ungemessen** unlimited.) 28. **die Menge** quantity. 29. **strömen** to stream, gush.
30. **genau so** just as. 31. of equal value. 32. of different value. 33. **passen** to fit.
34. **mal** (*shortened form of* **einmal**) once; **mal** *is used frequently as a particle for emphasis:* Now listen . . . ! (35. **das Nachtlokal** night club.) 36. healthy.
37. **hinzu-fügen** to add. 38. **sich schminken** to use make-up.

[margin notes: consider; yes indeed]

Modejournal[39] wird sie lernen, wie sie sich schminken und die
Haare frisieren muß, um mehr „glamour" (es gibt kein deutsches
Wort dafür) zu zeigen, und dann wird sie einen schlanken[40]
Jüngling, der sie in seinem Sportauto zu einem Nachtlokal fährt,
dem Romantiker mit den kräftigen Muskeln und dem tiefen   5
Naturgefühl vorziehen.[41]

Wilhelm: Das Mädchen, von dem du da sprichst, lebt nicht
mehr in Deutschland, sondern in einer amerikanischen Kulturkolonie. Wenn die Deutschen sich so stark amerikanisieren
sollten, was ich übrigens nicht glaube, dann gibt es nur noch   10
e i n e n Lebensstandard und e i n e Art zu leben, dann gibt es
nur noch „the American way".

Fred: Und warum nicht? Alle Menschen wollen es so bequem[42]
wie möglich im Leben haben und sich amüsieren. Das ist der
einzige Lebensstandard, und dem kommen wir Amerikaner heute   15
am nächsten. Morgen werden ihn vielleicht die Deutschen
erreichen, die mit ihrer fortgeschrittenen[43] Technik ja die Amerikaner Europas sind.

Ich: Halt, du sagst „alle Menschen wollen". Was heißt alle
Menschen? Auch bei uns in Amerika wollen die Menschen trotz   20
aller Standardisierung nicht das Gleiche. Du sagst, die Menschen
wollen es bequem haben. Alte Leute vielleicht. Im allgemeinen
will aber der Mensch viel mehr vom Leben als es nur bequem
haben, und da fangen die Kulturunterschiede an. Weder der
Skiläufer noch der Jüngling im Sportwagen, der die halbe Nacht   25
tanzt, haben es bequem. Und was heißt sich amüsieren? Der

---

10. Was für einen Freund wird das modernisierte deutsche Mädchen
    vorziehen?
11. Was meint Wilhelm mit „amerikanische Kulturkolonie"?
12. Warum werden die Deutschen nach Freds Meinung den amerika-
    nischen Lebensstandard bald erreichen?

---

39. **in einem von Amerika beeinflußten Modejournal:** *In this construction, the noun*
(**Modejournal** fashion magazine) *is modified by a phrase* (**von Amerika beeinflußt**)
which is called a "complex attribute." Read the complex attribute as a relative clause:
In einem Modejournal, das von Amerika beeinflußt ist.   40. **schlank** slender.   41. to
prefer.   42. comfortable.   43. **fortgeschritten** advanced.

Ausdruck paßt auch nicht auf alle Freuden des Kulturlebens.
Der tanzende Jüngling amüsiert sich, der Skiläufer, der über den
frisch gefallenen Schnee der bayrischen Berge fährt, hat ein tiefes
Naturerlebnis.[44] Viele Deutsche gehen jede Woche ins Kino, um
5   sich zu amüsieren, und andere gehen ins Theater oder in die Oper,
um dramatische Kunst zu erleben. Ich kann das sogar mit einer
interessanten statistischen Tatsache[45] beweisen.[46] Einen Augenblick, ich habe mir die Zahlen auf einen Zettel[47] geschrieben.—
Hier ist er: Von 1948 bis Anfang 1950 wurden auf vierundachtzig
10   deutschen Theatern in siebenundsiebzig Städten 1675 Vorstel-
lungen[48] von einundzwanzig verschiedenen Shakespearedramen
gegeben. Wer „Othello" oder den „Kaufmann von Venedig"
sieht, will sich doch nicht amüsieren!—Heute abend sehe ich
Wagners „Walküre". So eine Oper kann sich in Deutschland
15   der Durchschnittsverdiener[49] leisten.[50] Das ist auch ein hoher
Lebensstandard. Genug davon. Heute habe ich Geburtstag und
will mich nicht mit dir Minnesota-Mephisto streiten.[51]

---

13. Wie amüsieren sich die Leute in Deutschland?
14. Inwiefern zeigen die statistischen Zahlen, daß manche deutschen
    Städte mehr als ein Theater haben?

---

44. **das Naturerlebnis** experience with nature. 45. **die Tatsache** fact. 46. **beweisen**
to prove. 47. **der Zettel** slip of paper. 48. **die Vorstellung** performance. (49. average wage earner.) 50. **sich leisten** to afford. 51. **sich streiten** to quarrel.

9

EIN BRIEF AN FRÄULEIN JETTNER

GESTERN kam ein Brief von zu Hause, in dem Fräulein
Jettner wissen wollte, was so ein Aufenthalt[1] in Deutschland einem amerikanischen Studenten bietet. Das gute Fräulein
Jettner! Wie sie sich bemüht[2] hat, uns die deutschen Adjektiv-
endungen zu erklären, und wie schwer wir vierzehn Halbwüchsige[3] 5
von Central High ihr das gemacht haben. Wenn ich heute, ohne
lange nachzudenken, ,,deutsche Studenten'' und ,,unsere deutschen
Studenten'' sagen kann, so verdanke ich das nur der Engelsgeduld[4]
des guten Fräulein Jettner.

Ich habe ihr auch einen langen Brief geschrieben und werde 10
mir den Durchschlag[5] einiger Stellen aus diesem Brief aufheben:[6]
. . . Wissen Sie noch, wie sehr Sie immer darüber klagten, daß
wir zwar Deutsch lernen wollten, daß uns aber der richtige
,,Antrieb'' (ist das richtig für ,,motivation''?) fehle? Nun, wo die
fremde Sprache die Landessprache ist, fehlt es dem Ausländer 15
natürlich nicht an Antrieb, die Sprache so schnell und so gut wie
möglich zu lernen. Von morgens bis abends müssen wir unsere
Wünsche auf deutsch ausdrücken.[7] Da muß man z.B. dem
Kellner erklären, daß man Amerikaner ist und seinen Durst
nicht mit Bier oder Wein, sondern mit kaltem Wasser löschen[8] 20
möchte. Abends liest man in der Zeitung eine Kritik von einem
Theaterstück, das einem[9] vielleicht am Vorabend sehr gefallen
hat. Dann die Vorlesungen! Je[10] mehr wir verstehen und in

---

1. Wer ist Fräulein Jettner?
2. Wozu hat sie Engelsgeduld gebraucht?
3. Was verstehen deutsche Kellner nicht leicht?

---

1. **der Aufenthalt** stay.   2. **sich bemühen** to try hard.   3. **der Halbwüchsige** adolescent.
(4. **die Engelsgeduld** patience of an angel.)   (5. **der Durchschlag** carbon copy.)   (6. to
keep.)   7. to express.   (8. to quench.)   9. *Dative of* **man.**   10. je . . . desto the . . .
the.

unser Kollegheft schreiben können, desto mehr Nutzen[11] haben
wir von unseren Studien.

Liebes Fräulein Jettner, wenn ich alles aufzählen[12] wollte, was
München uns bietet, dann würde dieser Brief ein Buch. Außer[13]
5 der ausgezeichneten[14] Universität haben wir hier Theater, Opern,
Museen, Konzerte, Kunstausstellungen,[15] Vorträge usw. Es wird
so viel geboten, daß man immer etwas Interessantes während
seiner freien Zeit tun kann. Außerdem sind die Alpen nur ein
paar Autostunden von München entfernt.[16] Dort können wir
10 wandern oder Wintersport treiben.[17]

Auf meinem Schreibtisch liegt die heutige Zeitung. Ich will
einmal sehen, was heute abend geboten wird. Da ist zunächst
eine lange Liste für den Musikfreund, der heute abend das
Folgende hören kann: Ein Streichquartett,[18] ein philharmonisches
15 Konzert, das bayrische Rundfunkorchester, Brahms Requiem;
auf dem Gebiet der Operette und Oper den „Zigeunerbaron"[19]
von Johann Strauß und Verdis „Aida".

Was gibt es heute abend im Theater? Eins unserer kleineren
Theater führt heute abend Tennessee Williams' „Endstation
20 Sehnsucht" auf. Und all das ist gar nicht teuer. Besonders für
uns Studenten nicht. Wir bezahlen nur zwei Mark, was ungefähr
soviel ist wie fünfzig Cents zu Hause. Heute abend werde ich
aber nicht ins Theater gehen, sondern zu einem der vielen interessanten Vorträge, die fast jeden Abend geboten werden. Ehe ich
25 es vergesse, München ist natürlich auch die Stadt der Museen
und Kunstausstellungen. Früher hätten mich keine zehn Pferde
in eine Kunstausstellung gebracht. Jetzt gehe ich freiwillig,[20]

---

4. Wo lernt Larry das meiste Deutsch?
5. Was bietet München?
6. Wie weit sind die Alpen von München entfernt?
7. Welche Operette hat Johann Strauß geschrieben?
8. Was haben die zehn Pferde mit einer Kunstausstellung zu tun?

(11. **der Nutzen** benefit.) (12. to enumerate.) 13. besides. 14. **ausgezeichnet**
excellent. 15. **die Kunstausstellung** art exhibition. (16. distant, *here* away.) (17. to
engage in.) (18. **das Streichquartett** string quartet.) (19. **der Zigeuner** gipsy.)
20. voluntarily.

und es macht mir sogar Freude. Ich glaube, der Grund dafür sind
die ausgezeichneten Vorlesungen unseres Professors für moderne
Kunst, die ich auch höre. Er liest nur einmal die Woche, Mittwoch
morgens von 10 bis 11. Zur gleichen Stunde habe ich täglich eine
Vorlesung über Phonetik, aber ich schwänze[21] diese eine Vorlesung   5
und borge mir später das Kollegheft eines deutschen Kommilitonen. Die Kunstvorlesung will ich aber auf keinen Fall[22] ver-
säumen.[23] In Amerika könnte ich so etwas[24] nicht so leicht tun.
Das ist der Vorteil der deutschen „akademischen Freiheit" . . .
Noch eins,[25] Fräulein Jettner. München, aber wohl auch jede   10
andere deutsche Stadt, bietet einem Amerikaner unerwartete
Reisemöglichkeiten. Von München sind es nur 400 oder 450
Meilen Luftlinie[26] nach Hamburg, Paris oder Rom. Von München
bis Wien z.B. sind es nur etwa 230 Meilen. Ich weiß das so
genau,[27] da ich während der Weihnachtsferien verreisen[28] will.   15
Gestern bekam ich aber einen Brief von Joe Wilkens, meinem alten
Zimmergenossen im Dormitory, der als Austauschstudent in
Hamburg studiert. Er wohnt bei einer sehr netten[29] deutschen
Familie namens Schlüter. Die älteste Tochter der Familie Schlüter
hat gerade geheiratet, und Dr. Schlüter, ein höherer Beamter[30]   20
in der Stadtverwaltung[31] Hamburgs, hat mich eingeladen,
während der Weihnachtsferien in seinem Hause zu wohnen, da
ja das Zimmer seiner Tochter jetzt frei sei. Joe schreibt, die
Care-Pakete nach dem Kriege hätten Dr. Schlüters jüngstem Kind
das Leben gerettet, und er zeige so seine Dankbarkeit.   25

---

9. Warum schwänzt Larry manchmal die Vorlesung über Phonetik?
10. Welchen Vorteil bietet Münchens geographische Lage (*location*)?
11. Warum lädt Dr. Schlüter einen fremden Amerikaner ein, in seinem
     Hause zu wohnen?

---

21. **schwänzen** (*student slang*) to cut (*a class*).   22. **auf keinen Fall** on no account.
23. to miss.   24. **so etwas** something like that.   25. **noch eins** one thing more.
(26. **Luftlinie** by air.)   27. exactly, well.   28. to take a trip.   29. **nett** nice.   30. **ein**
Beamter official.   (31. **die Verwaltung** administration.)

10

DEUTSCHE GEBRÄUCHE[1]

MEINE Reise nach Hamburg war eine ausgezeichnete Idee.
Ich bin nun so lange in Süddeutschland gewesen, daß es
Zeit wurde, auch ein paar norddeutsche Eindrücke zu sammeln.[2]
Hamburg hat einen sehr günstigen[3] Eindruck auf mich gemacht,
5 aber das werde ich später beschreiben. Zum ersten Mal wohne
ich jetzt bei einer deutschen Familie und finde es sehr interessant.
Wie es hierzulande[4] Gebrauch ist, brachte ich der Dame des
Hauses bei meinem ersten Besuch Blumen[5] mit. Sie zeigte sich
sehr überrascht darüber, daß ich die deutschen Bräuche so gut
10 kannte. Manche deutschen Bräuche kannte ich aber noch nicht.
So sprach ich z.B. während der Tischunterhaltung mehr mit der
Dame des Hauses als mit dem Hausherrn,[6] merkte aber bald,
daß das nicht richtig war. In Deutschland beherrscht der Herr
des Hauses die Unterhaltung. Auch die Kinder warteten geduldig[7]
15 auf Gesprächspausen, um ein paar Fragen über Amerika an
mich zu richten.[8] Wenn Papa sprach, hörten sie still zu. Joe sagte
mir, daß sei typisch deutsch. Es scheint mir, als ob die Tatsache,
daß der Hausherr hier das Gespräch beherrscht, dem Gespräch
einen ernsteren, fast möchte ich sagen gelehrteren[9] Charakter
20 gäbe als bei uns, wo oft die Frauen und sogar die Kinder die
Unterhaltung beherrschen. So wurde also fast nur über meine
Eindrücke von Deutschland, über politische Probleme, das Ham-

---

1. Warum bringt Larry der Dame des Hauses Blumen mit?
2. Wie merkt Larry, daß in einer deutschen Familie der Vater der
   Herr des Hauses ist?
3. Wann dürfen in dieser deutschen Familie die Kinder sprechen?

---

1. **der Gebrauch** custom. 2. to gather. 3. **günstig** favorable. 4. in this country.
5. **die Blume** flower. 6. **der Hausherr** head of the family. 7. patiently. (8. to
direct.) 9. **gelehrt** learned, scholarly.

burger Theater und dergleichen[10] ernste Gesprächsgegenstände[11]
gesprochen. Was wir in Amerika „small talk" nennen, scheint es
bei den Familien des oberen Mittelstandes[12] nicht zu geben. Es
gibt auch keinen entsprechenden[13] deutschen Ausdruck dafür.
Vergeblich[14] versuchte ich, über Dinge zu sprechen, für die sich
die Kinder interessierten. Dr. Schlüter brachte die Unterhaltung
immer wieder auf die erwähnten Themen zurück. Jetzt erst
verstand ich, was ich oft gehört hatte, wie patriarchalisch die
deutsche Familie im Vergleich mit der amerikanischen ist.

Wenn ich auch[15] nicht recht[16] weiß, was ich von patriarcha-
lischen Gebräuchen halten[17] soll, so gefällt mir eine andere deutsche
Sitte sehr. Ich meine den deutschen Sonntagnachmittagsspazier-
gang. An diesen Spaziergängen nimmt die ganze Familie teil,
und oft werden auch noch Freunde dazu eingelanden. Man
wandert eine bis zwei Stunden gewöhnlich zu einem schönen
Gartenrestaurant, ißt etwas, unterhält sich und wandert wieder
zurück. Vergangenen[18] Sonntag bin ich mit Schlüters und den
ihnen[19] befreundeten Hoffstedters die Elbe entlang gewandert.
Wir unterhielten uns über die Schiffe, die auf der Elbe fuhren
und über die Länder, aus denen sie kamen. Immer diese ernsten
deutschen Gespräche! Schließlich landeten wir in einem Café,
und hier, bei Kaffee und ausgezeichneter Kirschtorte,[20] wurde
die Unterhaltung etwas lustiger.[21]

Natürlich habe ich auch negative Eindrücke von Deutschland.
Gar nicht gewöhnen kann ich mich an die steifen[22] deutschen
Anreden[23] und den Gebrauch von Titeln. Dr. Schlüter hat einen
Doktortitel, und obgleich ich nun schon über eine Woche sein
Gast bin, muß ich ihn immer mit „Herr Doktor" anreden und

---

4. Wovon handelte die Unterhaltung?
5. Welche Sitte gefiel Larry?
6. Wohin gehen die Deutschen oft auf ihren Spaziergängen?

---

10. similar. (11. **der Gesprächsgegenstand** topic of conversation.) (12. **der Mittelstand** middle class.) (13. **entsprechend** corresponding. (14. in vain.) 15. **wenn
. . . auch** even if. 16. quite. 17. **halten von** to think of. 18. **vergangen** past, last.
19. **den Hoffstedters, die ihnen befreundet sind; befreundet sein** to be friends of.
20. cherry cake. 21. **lustig** gay. 22. **steif** stiff; formal. 23. **die Anrede** form of
address.

seine Frau mit „Frau Doktor" oder „Gnädige Frau".[24] Wenn ich
Frau Schlüter ihm gegenüber[25] im Gespräch erwähne, so sage
ich „Ihre Gemahlin", was auch im Deutschen ungefähr so steif
klingt,[26] wie wenn ich im Englischen sagte „your spouse".

5   Natürlich bin ich selbst für die Kinder immer nur „Herr Wainright", und da ich die deutschen Sitten kenne, bitte ich die
Familie auch nicht, mich Larry zu nennen.

Joe erzählte mir, daß er von den zwanzig Studenten, mit denen
er dreimal wöchentlich Labor[27] hat, nur zwei duzt,[28] und das

10   nach Monaten gemeinsamer[29] Arbeit! Dabei[30] ist Joe einer, den
jeder gern mag.   Joe erklärte mir den Unterschied zwischen
Deutschen und Amerikanern, was gesellschaftliche[31] Steifheit
betrifft,[32] mit Hilfe einer kleinen Zeichnung, die mir die Sache
klar gemacht hat:

15   der Deutsche   der Amerikaner

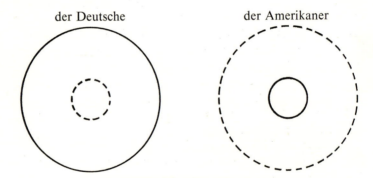

Der Deutsche schließt[33] sich gegen die Außenwelt[34] gesellschaftlich durch einen geschlossenen Ring von Formalitäten ab, er

---

7. Inwiefern ist das gesellschaftliche Leben in Deutschland steifer als
    in Amerika?
8. Wie oft hat Joe Labor?

(24. *literally* Gracious Lady.)   25. **ihm gegenüber** to him.)   26. **klingen** to sound.
27. *short form of* **Laboratorium.**   28. **duzen** to address with **du (dein, dich,** *etc.*)
29. **gemeinsam** common; **gemeinsamer Arbeit** of working together.   30. moreover.
31. **gesellschaftlich** social.   32. **was . . . betrifft** with respect to.   (33. outside world.)
(34. **sich ab-schließen** to seclude oneself.)

trägt sozusagen einen Panzer, der aus Formalitäten besteht.
Deshalb ist der gesellschaftliche Verkehr[35] in Deutschland—nach
amerikanischen Begriffen—steif. Sein Inneres[36] aber schließt der
Deutsche nicht ab, da ist er weich,[37] romantisch, sentimental,
verwundbar,[38] wie man es auch[39] nennen will. Es ist manchmal
leichter, das Innenleben eines Deutschen kennenzulernen oder
zu beeinflussen als mit ihm gesellschaftlich auszukommen. Der
Amerikaner andererseits ist der Außenwelt gegenüber[40] offen. Es
ist sehr leicht, mit ihm gesellschaftlich auszukommen. Wenn der
Deutsche der Außenwelt gegenüber einen Panzer trägt, so trägt
der Amerikaner ein leichtes Sporthemd. Sein Inneres aber schließt
er ab. Zwar sagt er zum anderen sehr bald Joe und Fred und Liz
und Honey, aber Freundschaft, Sympathie oder Liebe drücken
diese Anreden nicht aus. In allen wichtigen Angelegenheiten[41]
seines Innenlebens hält der Amerikaner seine Distanz, sei es aus
Zurückhaltung,[42] sei es aus Stolz.[43]

Etwas Gutes hat aber die Anrede „Sie" doch. Es kommt die
Zeit, wo man das steife Sie mit dem vertraulichen[44] Du ver-
tauscht.[45] Das ist dann eine richtige Zeremonie. Der Ältere muß
den Anfang machen. Er bietet[46] dem anderen an, daß sie sich
von nun an duzen wollen. Dann stoßen[47] die beiden mit einem
Glas Wein an, wobei sie die Arme, die die Gläser halten, ineinander-
haken.[48] Das nennt man Brüderschaft trinken.[49] Wenn aber
Herr Soundso und Fräulein Soundso zum Duzen übergehen,
dann gehört auch ein Kuß[50] zur Zeremonie.

---

9. Was meint Joe, wenn er sagt: Der Deutsche trägt einen Panzer.
10. Warum kommt man gesellschaftlich leichter mit einem Amerikaner aus?
11. Was bedeutet es, wenn ein Deutscher einem anderen das vertrau-
liche Du anbietet?

---

35. **der gesellschaftliche Verkehr** social intercourse. 36. his inner self. 37. soft, sensitive. (38. vulnerable.) (39. **wie . . . auch** however.) (40. toward.) (41. **die Angelegenheit** matter, affair. (42. modesty.) 43. pride. (44. **vertraulich** intimate.) (45. **vertauschen** to exchange.) 46. **an-bieten** to offer. (47. **an-stoßen** to touch glasses.) (48. to link.) (49. **Brüderschaft trinken** *literally* to drink brotherhood.) 50. **der Kuß** kiss.

EIN DEUTSCHER
ERLEBT AMERIKA

(Aus dem Tagebuch eines deutschen Austauschstudenten)

1

IM HOTEL

step

ALS ich heute früh in mein Hotelzimmer trat, war ich ganz
verwirrt[1] von den neuen Erlebnissen. Ich ging ans Fenster
und sagte mir: Vielleicht ist das alles ein Traum. Du bist noch
in Hamburg. Deine Amerikareise hat noch gar nicht begonnen.
5 Ich sah von meinem Fenster aus[2] einen breiten Fluß mit vielen
Dampfern und Booten und Rauchwolken über dem glitzernden
Wasser. Das könnte die Elbe bei Hamburg sein, dachte ich in
meiner Verwirrung. Doch dann sah ich die riesigen Reklame-
plakate[3] auf beiden Ufern und wußte: Dies ist der Hudson. Ich
opened 10 machte das Fenster auf und sah tief, tief unter mir eine Straße
voller Autos, und Autos in solchen Mengen gibt es auch nicht
in Hamburg. Dies war New York. Es war kein Traum. Ich war
jetzt wirklich in Amerika.

1. Warum kann der Fluß, den der junge Deutsche von seinem Hotel-
   fenster sieht, nicht die Elbe sein?
2. Woran erkennt er, daß er nicht in Hamburg, sondern in New York
   ist?

(1. confused.) 2. **von meinem Fenster aus** from my window. *Compare this construction with English from now on; normally, however, the adverb* (**aus**) *following such a
prepositional phrase merely indicates direction without affecting the meaning of the
preposition.* (3. **das Reklameplakat** billboard.)

320

Die Straße vor meinem Hotel ist eine schöne, breite Straße mit
Bäumen, und diese Bäume da unten sehen so herbstlich[4] aus wie
die Bäume in Deutschland jetzt im September. Ich habe trotz
der Höhe[5] ein kleines Mädchen auf der Straße gesehen, die mit
ihrem Dackel[6] spazierenging.[7] So wird es wohl immer sein: 5
Amerika wird mich oft an Deutschland erinnern. Aber die
Unterschiede sind doch gewaltig,[8] so gewaltig wie diese Wolkenkratzerstraße, die es in Deutschland, ja in ganz Europa nicht gibt.
Die Welt sieht nicht nur anders aus, wenn man sie aus dem
Fenster eines Hochhauses[9] sieht, man hat auch ein anderes Gefühl   10
ihr gegenüber. Als Deutscher, als Europäer fühle ich mich im
Augenblick verloren, eine Null[10], ein Nichts in dieser gigantischen
Stadt. Für den Amerikaner ist das wohl anders. Der ist an Hochhäuser und kilometerlange Großstadtstraßen, an riesige Flüsse
und Gebirge gewöhnt. Alles hierzulande hat riesige Dimensionen,   15
und das muß einen Einfluß[11] auf die amerikanische Seele[12] haben.
    Da philosophiere ich und will den amerikanischen Volks-
charakter[13] erklären und habe doch heute zum ersten Mal in
meinem Leben die Nase aus einem amerikanischen Fenster
gesteckt.[14] Das würde einen Amerikaner sicherlich amüsieren.   20
Wir Deutschen spekulieren eben gern, aber hier will ich der
amerikanischen Methode folgen und zunächst Erfahrungen
sammeln. Welche Erfahrung habe ich z.B. heute früh gemacht
nach meinem ersten Blick auf eine amerikanische Straße —ja, das
eiskalte Trinkwasser in meinem Badezimmer und dazu die   25
hygienischen Papierbecher[15], das war etwas Neues! Da erkannte
ich das reiche Amerika, das hygienische Amerika und die „effi-

---

3. Was erinnert ihn an Deutschland?
4. Welche zwei deutschen Wörter gibt es für „skyscraper"?
5. Welches Gefühl hat er an diesem ersten Morgen in New York?
6. Was ist ihm neu in seinem Hotelzimmer?

(4. like fall.)   5. **die Höhe** height, altitude.   (6. **der Dackel** *colloquial for* **Dachshund.**)
7. **spazieren-gehen** to go for a walk.   (8. enormous).   9. **das Hochhaus** skyscraper.
(10. **eine Null** a zero; a nobody.) 11. **der Einfluß** influence.   12. **die Seele** soul.
(13. **der Volkscharakter** national character.) 14. **stecken** to stick.   (15. **der Becher**
cup.)

ciency" dieses Landes. Wir haben im Deutschen, und ich glaube in den anderen europäischen Sprachen, kein Wort für „efficiency". „Efficiency" ist unübersetzbar. Das ist wichtig. Ich werde mir solche Wörter auf eine Liste schreiben, denn unübersetzbare Wörter zeigen einem manchmal den Charakter eines fremden Volkes besser als lange Kommentare. Leider rebelliert mein deutscher Magen gegen das eiskalte Wasser, aber er wird sich wohl daran gewöhnen müssen.

Jetzt möchte ich sofort in die Cafeteria (wieder ein unübersetzbares Wort) des Hotels laufen oder, besser, im Fahrstuhl[16] hinuntergleiten und frühstücken.[17] Ich werde das weltberühmte amerikanische Frühstück, Schinken mit Eiern, bestellen und dazu den weltberühmten Apfelsinensaft[18] trinken. Aber erst muß ich noch an meiner Schreibmaschine bleiben. Ich will die Eindrücke von meiner Ankunft in New York gestern nacht[19] und heute früh aufschreiben, während sie noch frisch sind.

---

7. Warum will er sich unübersetzbare Wörter sammeln?
8. Worauf hat er Appetit?

---

16. **der Fahrstuhl** elevator.   17. **frühstücken** to eat breakfast.   18. orange juice.
19. **gestern nacht** last night.

2

DIE ANKUNFT

MEINE Ankunft in New York! Der New Yorker Hafen ist ja
eins der sieben Weltwunder für den modernen Menschen.
Auch wenn[1] man nicht, wie ich, das Glück hat, die lange Reise
über den Atlantik zu machen, kennt man als Europäer Manhattan
aus den vielen Photographien der illustrierten Zeitschriften. Auch 5
amerikanische Filme zeigen ja oft den Helden oder die Heldin
auf dem luxuriösen Dampfer, der, aus Europa zurückkehrend[2]
oder nach Europa fahrend, majestätisch an der Wolkenkratzersilhouette vorübergleitet. So war mir der New Yorker Hafen
bekannt wie einem die Pyramiden oder die Alpen bekannt sind, 10
auch wenn man nie in Ägypten oder in der Schweiz gewesen ist.

Wie oberflächlich[3] so eine Bekanntschaft ist, wenn man dann
die Wirklichkeit erlebt, sollte ich bei meiner Ankunft in New
York erfahren. Zunächst kamen wir, durch schlechtes Wetter
verspätet,[4] spät abends an und mußten vor dem Hafeneingang[5] 15
ankern.

Ich stand mit vielen anderen Europäern auf dem Deck und
starrte in das verwirrende Lichtermeer,[6] in das sich die dunkle
See verwandelt[7] hatte. Ein älterer Amerikaner erklärte mir:
„Dort liegt New Jersey, in dieser Richtung liegt Manhattan, die 20
Lichterreihe dort ist Long Island." Ich konnte mir aber das alles
in der Nacht nicht richtig vorstellen. Nur die Freiheitsstatue, die
im hellen Licht ihrer Scheinwerfer[8] stand, erkannte ich deutlich.[9]

---

1. Wie kann ein Europäer wissen, wie der New Yorker Hafen aussieht?
2. Warum hatte sich der Dampfer verspätet?
3. Was sieht man vom Dampfer, der vor dem Hafen ankern muß?
4. Warum kann man die Freiheitsstatue bei Nacht sehen?

---

1. **auch wenn** even if. 2. **zurück-kehren** to return. (3. superficial.) 4. delayed.
5. **der Eingang** entrance. (6. **das Lichtermeer** sea *or* blaze of lights.) (7. **sich ver-
wandeln** to be transformed.) (8. **der Scheinwerfer** floodlight.) 9. clearly.

Ich sah die Zackenkrone[10] um ihr Haupt und mußte an eine Beschreibung der Göttin denken, die ich in irgendeinem[11] Amerikabuch gelesen hatte: „Die Krone sieht manchmal wie eine Dornenkrone[12] aus. Wer die Freiheit schützt, muß auch 5 eine Dornenkrone tragen." Ich dachte auch an Thomas Manns Beschreibung seiner Ankunft im Hafen von New York, in der er —aber da sagte ich mir: Austauschstudent Karl Heffner, du machst einen großen Fehler. Denk nicht an das, was du gelesen hast, wenn du die Wirklichkeit vor Augen hast, sondern versuche, 10 erst diese Wirklichkeit selbst zu verstehen. Für mich als Deutschen ist das nicht einfach. Wir haben eine so große Amerikaliteratur in Deutschland, so viele Amerikaerlebnisse sind in Reisebeschreibungen und Romanen beschrieben, daß wohl jeder Deutsche bewußt[13] versuchen muß, Amerika selbst zu erleben und nicht 15 das Amerika seiner Lektüre.[14]

Ich werde jetzt also einmal die Bücher vergessen und nur das aufschreiben, was ich wirklich selbst gesehen und selbst gefühlt habe.

Nach einer Weile wünschte ich dem amerikanischen Herrn, 20 der mir alles so schön erklärt hatte, eine gute Nacht, und er rief mir lächelnd nach:[15] „Take it easy, young man." Das läßt sich natürlich auch nicht übersetzen, denn hinter dieser Redensart[16] steht eine typisch amerikanische Lebensphilosophie, das amerikanische Temperament, ja man könnte sogar sagen amerikanische 25 Lebensweisheit.[17] Ich wollte, ich könnte das Lächeln des Herrn und den Klang[18] seiner Stimme auf dem Papier festhalten,[19] wie ich diese unübersetzbare Redensart hier aufschreibe. „Young man" hat er mich genannt. Was für eine Beleidigung[20] das in Deutschland wäre, wenn mich einer „junger Mann" nennen

---

5. Was darf Karl nicht tun, wenn er Amerika wirklich erleben und verstehen will?

(10. indented crown.)   11. **irgendein** some.   (12. **die Dornenkrone** crown of thorns.) (13. consciously.)   14. **die Lektüre** reading.   (15. **rief mir nach** called after me.) 16. **die Redensart** expression.   (17. **die Lebensweisheit** practical wisdom.)   (18. **der Klang** tone.)   (19. to capture.)   (20. **die Beleidigung** insult.)

würde! Aber der „young man" stammt[21] aus der sehr mensch-
lichen demokratischen Auffassung,[22] daß ich, der Herr Student,
zunächst einmal ein Mensch bin und zwar ein junger Mensch,
der noch viel lernen muß.

Diese und ähnliche Gedanken gingen mir durch den Kopf, und
natürlich mußte ich immer wieder an den kommenden Morgen
denken, wo ich New York im hellen Sonnenlicht sehen sollte.
So konnte ich lange[23] nicht einschlafen. Ich erwachte erst, als
die steigende Ankerkette gegen das Schiff donnerte. Nie habe ich
mich so schnell gewaschen und angezogen. Ich flog die Treppe[24]
hinauf, und dann stand ich auf dem Deck und starrte meinen
erfüllten Traum an. Im Licht der eben aufgegangenen Sonne[25]
ragten die Riesengebäude von Manhattan vor mir auf,[26] Gebirge,
von Menschen geschaffen. Keine Photographie kann den Eindruck wiedergeben,[27] den sie machen. Man muß als kleiner
Mensch an ihnen hinaufschauen,[28] man muß dabei den
Lärm der Riesenstadt hören und dieses Gemisch[29] von Seeluft
und Benzingas riechen. Soweit mein Auge reichte, sah ich Hochhäuser, Fabriken, Schiffe, Autos, Züge und in der Luft, hoch
über den Möwen, Flugzeuge und hoch über den Flugzeugen ein
paar weiße Wolken, wie sie auch über meiner Heimatstadt in
Bayern dahinziehen. Dabei ging mir der Gedanke durch den
Kopf, daß zwölf Millionen Menschen in Groß-New York wohnen,
mehr als ein Viertel der Gesamtbevölkerung[30] der Bundesrepublik
Deutschland. Immer wieder starrte ich die Manhattaninsel an,
die sich weiter nach Norden im Dunst[31] verlor.[32] Ich fühlte eine

---

6. Welchen Unterschied zwischen deutschen und amerikanischen
   Sitten erkennt Karl in der Redensart: „Take it easy, young man"?
7. Wie wissen wir, daß Karl sehr früh aufgestanden ist?
8. Wie erlebt Karl New York mit dem Ohr und der Nase?
9. Was kann man in einer bayrischen Stadt genau so gut sehen wie
   in New York?

---

21. **stammen aus** to originate from. (22. **die Auffassung** conception.) 23. for a long
time. 24. **die Treppe** (flight of) stairs. (25. **Im Licht der Sonne, die eben aufgegangen
war.**) (26. **auf-ragen** to rise high.) (27. to reproduce.) 28. to look up. 29. **das
Gemisch** mixture. (30. **die Gesamtbevölkerung** total population.) (31. **der Dunst**
haze.) 32. **sich verlieren** to disappear.

gewisse[33] Ehrfurcht.[34] Ich wußte, in diesen Hochhäusern sind
Büros, in denen Schreibmaschinen klappern,[35] in denen Legionen
von Sekretärinnen Millionen von Geschäftsbriefen schreiben. In
diesen Straßen schiebt sich eine Großstadtmenge entlang,[36] die

5 im Wesentlichen[37] dieselben Leiden und Freuden hat wie
Bewohner[38] von Hamburg oder London oder Paris. Ich wußte
all das, aber trotzdem! Das Ganze ist mehr als die Teile, und
dieses Ganze überwältigte[39] mich, wie einen der erste Anblick[40]
des Meeres oder eines hohen Gebirges überwältigt.

10 Lange konnte ich allerdings nicht auf Deck bleiben, denn auch
im Lande der Freiheit herrscht[41] bürokratische Ordnung. Aber
schließlich hatte ich alle Formulare ausgefüllt und alle Fragen
beantwortet.

Nun durfte ich das Schiff verlassen und von den Einwanderungs-

15 beamten[42] zu den Zollbeamten[43] wandern. Auf dem Gymnasium[44]
hatte ich nur des Königs Englisch gelernt. Das Englisch der
Vereinigten Staaten war nur erwähnt worden. Die Zollbeamten
sprachen aber weder des Königs Englisch noch verstanden sie
es ohne Schwierigkeiten. Dem Gepäckträger war mein Englisch

20 ganz unverständlich, und auch ich hatte Schwierigkeiten, ihn zu
verstehen. Ich gab ihm ein Trinkgeld, und er fragte mich, ob
ich eine Taxe nehmen wolle. Ich verstand die Frage, obgleich
die Wörter „want a" wie das deutsche Wort „Wonne"[45] klangen.
Ich wollte aber keine Taxe nehmen und gebrauchte die neugelernte

25 Kombination „wonne" in meiner Antwort. Ich wollte New York

---

10. In welchen Punkten ist New York wie eine europäische Großstadt?
11. Was müssen die Passagiere tun, ehe sie das Schiff verlassen dürfen?
12. Warum hat einer, der des Königs Englisch spricht, Schwierigkeiten
bei der Ankunft in New York?

---

33. **gewiß** certain. (34. **die Ehrfurcht** awe.) (35. to click.) (36. **sich entlang-schieben**
to push along.) (37. **im Wesentlichen** essentially.) 38. **der Bewohner** inhabitant.
(39. **überwältigen** to overwhelm.) 40. **der Anblick** view. 41. **herrschen** to prevail,
exist. 42. **der Einwanderungsbeamte** immigration official. 43. **der Zoll** customs.
44. **das Gymnasium** *German secondary school, roughly equivalent to an American
high school plus junior college.* (45. delight.)

zu Fuß betreten,[46] damit ich mir alles in Ruhe ansehen konnte.
Ich merkte aber bald, daß man sich in New York nichts in Ruhe
ansehen kann.   In Deutschland hatte mir ein amerikanischer
Freund gesagt, daß man in Amerika vieles im Laufen[47] lernen
müsse. Das merkte ich jetzt. Während ich nach oben[48] blickend   5
und die Hochhäuser bestaunend[49] langsam zu gehen versuchte,
wurde ich so viel gestoßen[50] und geschoben,[51] daß ich meinen
Plan aufgab und mich in eine Taxe flüchtete.[52]—Jetzt aber
hinunter in die Cafeteria!   _downstairs_

---

13. Warum will Karl zunächst keine Taxe nehmen?
14. Welchen Plan gibt er bald auf?

---

46. to enter.   (47. **im Laufen** on the run.)   48. **nach oben** up.   49. **bestaunen** to look
at in astonishment.   50. **stoßen** to push.   51. **schieben** to shove.   52. **sich flüchten**
to take refuge.

3

MEINE WOHNUNG

D̲AS wird also meine Studentenbude für das kommende
akademische Jahr sein: Ein freundliches Zimmer in
Professor Wellivers Haus. Professor Welliver ist verheiratet[1] und
hat zwei halberwachsene[2] Töchter. Er lehrt Geschichte an unserer
5 Alma Mater. Sein Spezialgebiet ist deutsche Geschichte zur Zeit
der Reformation. Er kann Deutsch und spricht es gern mit mir,
aber sein Hauptgrund, einen deutschen Austauschstudenten ins
Haus zu nehmen, war offenbar dieser typisch amerikanische
Idealismus, etwas für das bessere Verständnis[3] der Völker unter-
10 einander[4] zu tun. Ich bin überzeugt, daß dieser Idealismus echt[5]
ist und nicht nur, wie manche Zyniker behaupten, aus Angst[6]
vor dem Weltkommunismus geboren ist. Lange ehe der
Kommunismus eine Weltmacht war, haben die Amerikaner als
Nation und als Privatleute[7] versucht, die Welt besser zu verstehen
15 und besser von der Welt verstanden zu werden. Auch der persönliche Kontakt mit Amerikanern wie Professor Welliver
überzeugt einen bald, daß man es mit warmherzigen idealistischen
Menschen zu tun hat, und nicht mit schlauen,[8] berechnenden[9]
Politikern.
20 Ich schreibe „warmherzig" und ein recht prosaischer Gedanke
geht mir durch den Kopf. Selbst[10] mein Stübchen unter dem
Dach[11] ist immer gemütlich[12] warm, manchmal sogar zu warm.

---

1. Wo Wohnt Karl?
2. Wie zeigen viele Amerikaner ihren Idealismus auf internationalem
   Gebiet?
3. Wie erklären manche Zyniker diesen Idealismus?
4. Was gefällt Karl besonders an seinem Stübchen?

---

1. married. 2. **halberwachsen** teen-age. 3. **das Verständnis** understanding. 4. among
themselves. 5. genuine. 6. **die Angst** fear. 7. **der Privatmann** private individual.
8. **schlau** cunning. 9. **berechnen** to calculate. 10. **selbst** even: *observe the position
and meaning of* **selbst: selbst mein Stübchen** even my small room; **mein Stübchen
selbst** my small room itself. 11. **das Dach** roof. 12. comfortably.

Bei uns in Deutschland würde man nicht daran denken, schon im *back home*
September zu heizen, selbst wenn der September uns ein paar
Tage kaltes Wetter bringt. Dieses Zimmer, so sagte mir der
Herr Professor, hat er vor ein paar Monaten selbst tapeziert.[13]
„Tu es selbst" ist im Augenblick ein Modewort,[14] das man in 5
den Läden sieht, wo Handwerkszeug,[15] kleine Elektromotoren
und Farben[16] zum Anstreichen[17] verkauft werden. Das ist aber
nichts Neues in Amerika. Viel mehr Menschen als bei uns, auch
aus den sogenannten unteren Gesellschaftsschichten,[18] haben hier
ihr eigenes Haus. Häuser müssen nun oft repariert werden, und 10
gelernte[19] Arbeiter sind in Amerika sehr teuer. Da ist es verständlich, daß die Amerikaner viele Arbeiten in Haus und Garten
selbst tun, für die wir in Deutschland gelernte Arbeiter herbei-
holen[20] würden. Ich sehe gerade aus dem Fenster wie Professor
Welliver einen großen Busch aus der Erde gräbt.[21] Er trägt 15
„blue jeans" und ein altes Hemd. Ich werde hinuntergehen und
ihn fragen, ob ich ihm helfen kann. Ein altes Hemd und eine
alte Hose[22] habe ich schließlich[23] auch.

---

5. Warum tun die Amerikaner viele Arbeiten selbst?
6. Wie zeigt Karl, daß er sich schon ein bißchen amerikanisiert hat?

(13. **tapezieren** to paper.) (14. **das Modewort** vogue word, slogan.) (15. **das
Handwerkszeug** tools.) (16. **die Farbe** paint.) (17. **zum Anstreichen** for painting.)
(18. **die Gesellschaftsschicht** social stratum.) 19. **gelernt** skilled. (20. to call in.)
(21. **graben** to dig.) 22. **die Hose** trousers. 23. after all.

4

EINE GESELLSCHAFT[1]

ES wäre eine interessante Aufgabe,[2] die Superlative über
Amerika in einem deutschen Amerikabuch aufzuschreiben.
Viele solcher Superlative sind übertrieben, das weiß heute jeder
gebildete[3] Europäer. Einen Superlativ verdienen die Amerikaner
5 aber ganz gewiß: Sie sind das gastfreundlichste[4] Kulturvolk[5] der
Erde.

Ich bin kein Weltreisender und kenne England, Frankreich
und Italien nur von meinen Ferienreisen auf dem Motorrad.
Trotzdem möchte ich sagen: Nirgends,[6] auch bei uns nicht, sind
10 die Menschen so gastfreundlich wie hierzulande. Das merkt man
als Ausländer sofort. So ist es z.B. sehr leicht, Bekanntschaften
zu machen. Hat man mit einem neuen Bekannten ein bißchen
geplaudert,[7] so geschieht es oft, daß er einen zum Abendessen
oder zu einer Gesellschaft einlädt.

15 Diese Gesellschaften, zu denen ich eingeladen werde, sind wohl
nur für den gebildeten Mittelstand typisch, aber zu dem gehören
hier so viele Menschen, daß man ihn auch typisch amerikanisch
nennen darf.

Solche Gesellschaften unterscheiden sich von unseren deutschen
20 Gesellschaften. Der auffälligste[8] Unterschied ist die große Zahl
der Besucher. Nicht nur beim Dekan,[9] der mich neulich[10] einlud,
auch bei jungen Instruktoren sind oft so viele Leute anwesend,[11]
daß man sich nicht hinsetzen kann. So steht man in kleinen
Gruppen herum, trinkt sein Bier oder seinen Cocktail, plaudert
25 und amüsiert sich.

---

1. Warum ist es in Amerika so leicht, eingeladen zu werden?
2. Was ist ein Unterschied zwischen einer deutschen und einer
amerikanischen Gesellschaft?

---

1. **die Gesellschaft** party. 2. **die Aufgabe** task. 3. **gebildet** educated. 4. **gastfreundlich** hospitable. 5. **das Kulturvolk** civilized nation. 6. **nowhere.** 7. **plaudern** to
chat. 8. **auffällig** striking, conspicuous. 9. dean. 10. the other day. 11. present.

330

Als Austauschstudent, der sozusagen gerade „vom Schiff
kommt", bin ich eine Attraktion, eine kleine allerdings, denn hier
ist man an Fremde[12] gewöhnt. Vorgestern[13] z.B. war ich bei
einer Abendgesellschaft der Familie Wilson. Ich hatte kaum
meinen Mantel ausgezogen,[14] da umgab[15] mich schon eine Gruppe   5
lächelnder Matronen, und ich wurde gebeten, von Deutschland
zu erzählen. „We want to hear all about it!" Alles? denke ich
erschrocken[16] und trinke einen Schluck, um mir meine Rede
überlegen[17] zu können. Vielleicht ist es das Beste, wenn ich den
Damen einen kurzen Überblick[18] über die gegenwärtige[19]   10
politische Lage[20] in Deutschland gebe. Ich beginne also: "Das
Problem der Wiedervereinigung[21] Deutschlands ist heute von
besonderem Interesse. Man ist allgemein der Meinung, daß . . . "
Niemand[22] hört mir mehr zu. Ein Herr Sweet ist eben angekommen und wird mit Hallos und Händeschütteln von unserer   15
kleinen Gruppe begrüßt. Vergessen ist der allumfassende[23]
Kurzbericht[24] über Deutschland. Herr Sweet spricht nämlich
von seinem Haus, das er sich vor einem Jahr gekauft hat, und
dessen Dach schon repariert werden muß. Erst hätte er selbst
das Dach reparieren wollen, aber dann hätte ihm doch die Zeit   20
dazu gefehlt, und so hätte er Joe Soundso angerufen,[25] den ihm
sein Zahnarzt[26] empfohlen hätte. Erst hätte Joe die Arbeit nicht
übernehmen[27] wollen, da er zu viel zu tun hätte, schließlich hätte
er aber doch zugesagt,[28] das Sweetsche[29] Dach zu reparieren.
Dann beschrieb Herr Sweet die Reparatur des Daches in allen   25
Einzelheiten.[30] Die älteren Damen hörten genau[31] zu, und ihre

---

3. Warum hat das Wort „der Fremde" nicht nur die Bedeutung
    „stranger", sondern auch „visitor, guest"?
4. Warum dachte Karl, daß er eine Rede halten müßte?
5. Warum hört ihm niemand zu?

---

12. **der Fremde** stranger, visitor, guest. 13. day before yesterday. 14. **aus-ziehen**
to take off. (15. **umgeben** to surround.) (16. startled.) 17. **sich überlegen** to think
over. (18. **der Überblick** general view.) 19. **gegenwärtig** present. 20. **die Lage**
situation. (21. **die Wiedervereinigung** reunification.) 22. nobody. (23. **allum-
fassend** comprehensive.) 24. **der Bericht** report. 25. **an-rufen** to call up. 26. **der
Zahnarzt** dentist. (27. to take on.) (28. **zu-sagen** to agree.) 29. **Sweetsche** (*the
suffix* **-sche** *is added to a personal noun when the latter is used as an adjective*). 30. **die
Einzelheit** detail. 31. closely.

detaillierten Fragen bewiesen, daß sie sich wirklich für diese
Reparaturen interessierten.

Erst wurde ich etwas ärgerlich, aber dann sah ich das lächelnde
Gesicht meines Bekannten vom Schiff vor mir und hörte ihn
5   sagen: ,,Take it easy, young man.'' Ich nahm also mein Glas,
trat langsam zurück und ging an einen Tisch mit den großen
Tellern voller Brot, mit allerlei[32] Käse,[33] Wurst, Schinken und mir
unbekannten Dingen.

Ich war gerade dabei, mir ein Schinkenbrot zu machen, als mich
10   eine Gruppe von Herren und Damen in ihre Mitte nahm und
wissen wollte, wie meine Heimatstadt hieße. Ich sagte Ebrach
und fügte erklärend hinzu, daß es ein kleines bayrisches Städtchen
in der Nähe von Bamberg sei. ,,Bamberg?'' rief einer der Herren
der Gruppe, ,,da war ich im Kriege als Besatzungssoldat!''[34]
15   Und nun gab er eine begeisterte[35] Beschreibung nicht von
Bamberg, sondern von Nürnberg. Ich aß mein Schinkenbrot und
unterbrach ihn nicht. Nürnberg ist ja schließlich auch eine sehr
schöne Stadt, und man soll es den Menschen nicht immer zeigen,
daß man etwas besser weiß als sie, auch wenn man recht hat.
20   Wie heißt doch die gute amerikanische Eheregel:[36]   ,,I'd rather
be loved than right.'' Das gilt[37] auch für andere Lebenslagen.[38]

Zwei Schinkenbrote später hatte ich noch einmal Gelegenheit,
meinen neugelernten amerikanischen Gleichmut[39] auf die Probe
zu stellen.[40] Die Dame des Hauses fragte mich: ,,How do you
25   like America?'' Ich wollte sagen: ,,Liebe Frau Wilson, ich bin
Ihr Nachbar. Sie sehen mich jeden Tag auf der Straße oder im
Garten hinter dem Hause. Sie wissen, ich bin erst ungefähr einen
Monat im Lande. Sie wissen auch, daß Amerika sehr groß ist.
Was weiß ich von den Automobilfabriken in Detroit, den

---

6. Wofür zeigt Karl besonderes Interesse?
7. Warum hätte Karl den ehemaligen (*former*) Besatzungssoldaten
unterbrechen können?

---

32. all kinds of.   33. **der Käse** cheese.   (34. **die Besatzung** occupation.)   35. **begeistert**
enthusiastic.   (36. marriage rule.)   37. **gelten für** to apply to.   (38. circumstances
of life.)   (39. **der Gleichmut** equanimity.)   40. **auf die Probe stellen** to put to a test.

Alligatorenfarmen Floridas, dem Musikleben Clevelands, den
Baumwollfeldern[41] Georgias, den Farmen im Staate Iowa! Das
sind doch alles Dinge, die ich nur aus Büchern kenne, und von
vielen wichtigen amerikanischen Einrichtungen[42] weiß ich soviel
wie der Herr links von Ihnen von Bamberg weiß!" Das habe ich   5
natürlich nicht gesagt. Ich habe auch keinen Vortrag gehalten.
Ich habe den Rest meines Schinkenbrotes verschluckt[43] und mit
freundlichem Lächeln gesagt: „I like it very much." Das genügte[44]
auch. Schon ein paar Sekunden später sprach Frau Wilson von
ihrem Sohne Teddy, dem die Mathematik gar keine Freude mache.   10 *give joy*
Fräulein Smetters, seine Lehrerin, habe gesagt, daß . . . Ich hörte
nichts mehr, denn ich war wieder zu dem großen Teller gegangen,
um eine mir unbekannte Masse,[45] die sehr appetitlich aussah,
aufs Brot zu streichen.[46] Man sagte mir, das wäre ein Brotauf-
strich,[47] der zum größten Teil aus „cream cheese" bestände. Ich   15
konnte diesen Aufstrich bald mit gutem Gewissen[48] auf die Liste
der Dinge setzen, die mir in Amerika sehr gefielen.   *I liked*

Nun könnte ich Verallgemeinerungen[49] in mein Tagebuch
schreiben, wie man sie in manchem europäischen Amerikabuch
findet: Der Amerikaner hat kein wirkliches Interesse für   20
geistige[50] Fragen. Sein Interesse für Kultur ist nur eine gesellschaftliche Geste[51] usw.

Es ist wahr, bei uns in Deutschland bewegt sich die Unterhaltung in Gesellschaften oft auf einem höheren Niveau.[52]
Außerdem gibt es oft interessante, aber peinliche[53] Debatten über   25
politische oder religiöse Fragen. So etwas, sagte mir Professor
Welliver, vermeidet[54] der Amerikaner. Bei seinen Gesellschaften

---

8. Warum sollte Frau Wilson Karl nicht fragen, wie ihm Amerika
   gefiele?
9. Welche Sorgen hat Frau Wilson?
10. Was schmeckt Karl besonders gut?

(41. **die Baumwolle** cotton.) (42. **die Einrichtung** institution.) (43. **verschlucken** to
swallow.) 44. **genügen** to be enough, suffice. (45. **die Masse** substance, paste.)
(46. to spread.) (47. **der Aufstrich** spread.) (48. **das Gewissen** conscience.) (49. **die
Verallgemeinerung** generalization.) 50. **geistig** intellectual. (51. **die Geste** gesture.)
(52. level.) (53. **peinlich** embarrassing.) 54. **vermeiden** to avoid.

wolle er sich amüsieren. Nichts weiter![55] Gelehrte Vorträge gebe
es genug, und sie seien auch meistens gut besucht.

    Es scheint, Amerika ist ein Land, das zu falschen Verallge-
meinerungen einlädt. So glaubte ich z.B. in den ersten Wochen
5 meines Aufenthaltes hier, daß die Amerikabücher recht hätten,
die behaupten, daß Amerika nicht genug Theater hätte, und daß
zu oft nur wertlose Unterhaltungsstücke[56] aufgeführt würden.
Ein Blick in die großen amerikanischen Zeitungen scheint dieser
Kritik recht zu geben.[57] Zu meiner Überraschung sah ich aber
10 dann auf unserer Universitätsbühne eine ausgezeichnete Aufführung vom „Merchant of Venice" und war so begeistert, daß ich
nach der Vorstellung dem Regisseur[58] gratulierte. Der lud mich
ein, mit ihm und einigen der Schauspieler—Studenten unserer
Universität—in ein benachbartes Restaurant zu gehen. Da habe
15 ich bei einer Flasche Coca-Cola und einem „hamburger" Dinge
über das amerikanische Amateurtheater gehört, die mir sehr
imponiert[59] haben. Er erzählte mir von anderen Universitäts-
theatern, von den dramatischen Experimenten, die man in
Amerika macht, den Sommertheatern, den Versuchen, in den
20 großen Städten eine Repertoirebühne einzuführen usw. Das
waren alles Dinge, von denen ich und die Autoren der kritischen
Amerikabücher keine Ahnung[60] hatten.

---

11. Warum spricht man in Amerika bei Gesellschaften im allgemeinen
über andere Dinge als in Deutschland?
12. Welche falschen Verallgemeinerungen findet man oft in europäischen Amerikabüchern?

---

55. **nichts weiter** nothing more. (56. **die Unterhaltung** entertainment; **das Unter-
haltungsstück** light play.) 57. **recht geben** to prove right. (58. **der Regisseur**
director.) 59. **imponieren** to impress. 60. **die Ahnung** notion.

5

WER IST HERR IM HAUSE?

VORGESTERN machte sich Professor Welliver, der ein leidenschaftlicher[1] Jäger[2] ist, einen Tag frei, um auf die Fasanenjagd[3] zu gehen. Ein Nachbar, der auch Jäger ist, kam um halb sieben Uhr morgens, um ihn abzuholen.[4] Um sechs Uhr war der Professor in der Küche, um sich ein paar Eier zum Frühstück zu braten. Ich war wegen einer Semesterarbeit auch schon auf, und er lud mich ein, mit ihm zu frühstücken. Es wunderte mich, daß weder Frau Welliver noch eine seiner Töchter aufgestanden war, um ihm zu helfen.

Er mußte meine Gedanken gelesen haben, denn er sagte: ,,Ja, meine Frau und Töchter halten nicht viel von der Jagd und finden meine Jagdleidenschaft[5] ein bißchen komisch.[6] Da kann ich nicht erwarten, daß sie schon um fünf Uhr dreißig aufstehen. Bei Ihnen in Deutschland kann sich ein Professor ein Dienstmädchen[7] leisten. Ich kann das aber nicht. Unsere amerikanischen Mädchen und Frauen arbeiten lieber in Fabriken und Büros als im Haushalt fremder Leute. Das läßt sich verstehen.[8] Natürlich können Dienstmädchen dann so viel Geld verlangen,[9] daß es für einen Universitätsprofessor nicht möglich ist, sich eins zu halten.

Ich fragte ihn darauf: ,,Darf ich mir eine persönliche Frage erlauben?"

,,Schießen Sie los!" lächelte er.

,,Ich kann mir denken, daß Ihre Gattin[10] müde ist", sagte ich,

[margin notes: 5; fry; on acct of; term paper; astonished; 10; neither—nor; think of; afford; 15; household; 20; shoot]

---

1. Was hätte Frau Welliver oder eine ihrer Töchter tun können?
2. Warum will Professor Welliver nicht, daß seine Frau oder seine Töchter an diesem Tage früh aufstehen?

---

1. **leidenschaftlich** (passionate) enthusiastic. 2. **der Jäger** hunter. (3. **die Fasanenjagd** pheasant hunt.) 4. **ab-holen** to call for, pick up. (5. **die Jagdleidenschaft** enthusiasm for hunting.) 6. queer. 7. **das Dienstmädchen** maid. 8. **das läßt sich verstehen** (that can be understood) that is understandable. 9. to demand, ask. 10. **Ihre Gattin** (your wife) Mrs. Welliver.

[margin note: Vorgestern - day before yesterday]

„aber warum ist keine Ihrer beiden Töchter aufgestanden, um Ihnen das Frühstück zu bereiten?"

Professor Welliver lachte: „Die sind auch zu müde. Das Leben eines amerikanischen Mädchens in einer höheren[11] Schule

5 ist anstrengender,[12] als Sie denken."

Ich sah ihn erstaunt an, denn ich wußte, daß die Schüler hier in den höheren Schulen lange nicht so schwer[13] arbeiten wie bei uns. Aber er erklärte mir dann das intensive gesellschaftliche Leben der Schule. Seine Töchter seien sehr beliebt, und das

10 bedeute, daß sie bei allem dabei[14] sein müßten. Da sah Professor Welliver, daß ich nichts mehr auf dem Teller hatte. „Noch etwas Toast, Karl, noch ein Ei?" Ehe ich antworten konnte, hatte er schon das Brot in die Toastmaschine geschoben und ein Ei in die Pfanne geschlagen.[15]—Wie freundlich und herzlich[16] das

15 klingt, wenn mich dieser Professor mit grauen Haaren, dessen Spezialgebiet Reformation ist, Karl nennt! Und was für ein liebenswürdiger[17] Gastgeber[18] er ist! Bei solchen Gelegenheiten[19] fühle ich immer etwas von der Herzenswärme und wahren Menschlichkeit,[20] die sich so nur im demokratischen Amerika

20 entwickeln konnte.

Und wer ist Professor Wellivers Jagdpartner? Ein Dekan? Ein Kollege? Ein Akademiker?[21] Keineswegs![22] Der Nachbar ist der Manager eines Kolonialwarengeschäfts[23] im Zentrum unserer kleinen Universitätsstadt. Auch die beiden Männer

25 nannten sich mit Vornamen, wie ich bemerkte, als der Professor in den glitzernden Straßenkreuzer stieg.[24]

Ich hatte ihm angeboten, das Geschirr zu spülen.[25] Wie schnell

---

3. Warum sind die Töchter müde?
4. Was hört Karl gerne?
5. Welches Beispiel demokratischer Sitten wird hier erwähnt?
6. Wie zeigt Karl wieder, daß er sich etwas amerikanisiert hat?

(11. **die höhere Schule** high school.) 12. **anstrengend** strenuous. 13. hard. 14. **dabei sein** to be present, participate. (15. **schlagen** here to break.) 16. affectionate. 17. **liebenswürdig** charming. 18. **der Gastgeber** host. 19. **die Gelegenheit** occasion. 20. **die Menschlichkeit** human nature. 21. member of a learned profession. 22. by no means. 23. **das Kolonialwarengeschäft** grocery store. 24. **steigen** to climb in, get in. 25. **das Geschirr spülen** to wash the dishes.

man sich an den amerikanischen Lebensstil[26] gewöhnt! In
Deutschland hätte ich nicht gewagt,[27] einem Professor meine
Hilfe im Hause anzubieten, denn es hätte ihn geniert,[28] auch
wenn kein Dienstmädchen dagewesen wäre. Das mit dem
Dienstmädchen ist übrigens nicht so tragisch. Frau Welliver hat   5
keine Haushilfe, aber sie hat einen Kühlschrank, einen Tiefkühler,
einen Staubsauger,[29] eine Waschmaschine mit automatischem
Trockner,[30] einen elektrischen Geschirrspüler, kurz alles, was die
Technik der amerikanischen Hausfrau zu bieten vermag.[31]
Nun ist es aber nicht so, daß sie mehr Freizeit hätte als eine   10
deutsche Hausfrau. Sie hat viele gesellschaftliche Verpflich-
tungen.[32] Schule, Kirche, Klubs und das gesellschaftliche Leben
der beiden Töchter füllen ihre Tage und manche ihrer Abende aus.
Mir gefiel es nicht recht, daß keins der beiden Mädchen auf-
gestanden war, um ihrem Vater zu helfen. Auch daß sie sich   15
über sein Jagen lustig machen,[33] schien mir bei ihrem jugendlichen
Alter Respektlosigkeit[34] zu zeigen. Dies Fehlen der väterlichen
und überhaupt der männlichen[35] Autorität stört mich als
Deutschen besonders. Ich weiß, die absolute Autorität des
Mannes, wie sie in Deutschland, besonders im Deutschland vor   20
dem ersten Weltkriege als selbstverständlich galt,[36] ist auch nichts
Ideales. Ich selbst kenne deutsche Familien, in denen die Tochter
dem Vater und den Brüdern sonntags morgens die Schuhe
putzt,[37] während die „Männer" noch friedlich[38] schlummern.
Wenn ich so etwas sehe, schüttle ich als Kulturkritiker traurig   25
mein weises Haupt. Ich muß es auch schütteln, wenn ich Professor
Wellivers Töchter mit ihren „boy friends" hier im Hause sehe.
So ein Besuch der „boy friends" wird durch lange Telephongespräche vorbereitet. Wenn die Mädels[39] mit ihren jungen

---

7. Wer oder was spielt in einem amerikanischen Haushalt die Rolle
des Dienstmädchens?

(26. **der Lebensstil** mode of life.) 27. **wagen** to dare. 28. **genieren** to embarrass.)
(29. **der Staubsauger** vacuum cleaner.) (30. **der Trockner** dryer.) 31. **vermögen** to
be able to. (32. **die Verpflichtung** obligation.) 33. **sich lustig machen über** to make
fun of. (34. **die Respektlosigkeit** lack of respect.) 35. **männlich** man's. 36. **gelten**
to be considered. 37. **putzen** *here* to shine. 38. peacefully. 39. **das Mädel** *originally
a South German form of* **Mädchen.**

Männern sprechen, dann kann weder der Professor noch Frau Welliver noch ich ans Telephon, denn diese Unterhaltungen dauern[40] stundenlang. Es wird gekichert[41] und die trivialsten Dinge werden mit Ernst[42] besprochen, so daß man denken
5 könnte, die Mädels wären nicht ganz normal. Das stimmt[43] aber nicht. Sie reden nur so mit ihren jungen Freunden. Wenn ich mit ihnen rede, sind sie auf einmal ganz andere Menschen, sehr reif,[44] sehr intelligent und voll Interesse für alles Wissenswerte.[45]

Kommen dann die „dates" ins Haus, dann wird auf niemand
10 Rücksicht genommen.[46] Die jungen Leute lachen und schreien[47] und tanzen zur lauten Musik des Plattenspielers. Daß ihr Vater im ersten Stock in seinem Arbeitszimmer sitzt und an einer seiner Veröffentlichungen[48] arbeitet, stört sie offenbar gar nicht, und auch der Vater sagt nichts. Ich erwarte immer, daß die Tür
15 zu seinem Arbeitszimmer auffliegt und er mit donnernder Stimme Ruhe verlangt. Das ist aber eine deutsche Erwartung. Die Tür zum Arbeitszimmer öffnet sich, aber der Professor geht nur hinunter, um seine jungen Gäste zu begrüßen und ihnen ein „Have a good time!" zu wünschen.

20 Eins sollte ich aber doch noch erwähnen. Die langen Telephongespräche der Mädchen hindern mich zwar am Telephonieren, aber sie nützen[49] mir trotzdem. Ich muß zuhören, da das Telephon am Fuß der Treppe zu meinem Zimmer liegt. Auf diese Weise[50] kann ich mein amerikanisches Vokabular und die Liste
25 der unübersetzbaren Wörter immer wieder vergrößern. Bis heute weiß ich aber nicht, warum ein gewisser Bill „a card", ein gewisser Joe „a square", ein gewisser Bob „a doll" und ein gewisser Hank „a creep" ist.

---

8. Warum kann Karl oft nicht das Telephon gebrauchen?
9. Welchen Unterschied bemerkt Karl im Gespräch der Mädchen mit ihren Freunden und mit ihm?
10. Was stört den Professor offenbar nicht?

---

40. to last.   41. **es wird gekichert** there is giggling; they giggle; *the passive in German is often used in an impersonal construction introduced by* **es.**   42. **der Ernst** seriousness.   43. **das stimmt nicht** that is not so.   44. mature.   45. **alles Wissenswerte** everything worth knowing.   46. **Rücksicht nehmen auf** to have consideration for.   47. to shout.   (48. **die Veröffentlichung** publication.)   49. **nützen** to be of use.   50. **auf diese Weise** in this way.

6

DAS AMERIKANISCHE FUSSBALLSPIEL

ICH hätte nie gedacht, daß mich das amerikanische Fußballspiel
so interessieren würde. Aber schon nach dem ersten Spiel
war ich so begeistert, daß ich keins verpasse.[1] Das letzte hat
mich sogar deprimiert.[2] Unsere Mannschaft[3] verlor 6 zu 7. Dieser
eine Punkt hat uns die Meisterschaft gekostet. „Uns"—ich   5
spreche schon wie ein amerikanischer Student. Noch nicht drei
Monate bin ich im Lande, und schon schreibe ich, denke ich, fühle
ich, daß das auch meine Mannschaft ist. Sonderbarer[4] Zauber
des amerikanischen Fußballspiels! O, ich weiß alles, was sich
dagegen sagen läßt. Wie kann der Ruf[5] unserer Alma Mater von   10
ein paar Dutzend ausgesuchter,[6] stark gebauter junger Männer
abhängen? Ist es gerecht,[7] daß der Coach der Fußballmannschaft
mehr verdient als unser Shakespearespezialist Professor Layter?
Ist es nicht traurig, daß von zwanzig Studenten die Hälfte sich
in seinen glänzenden[8] Vorlesungen langweilt,[9] während sich   15
zwanzigtausend heiser[10] schreien, wenn unser Fullback durch die
gegnerische[11] Linie bricht und sieben Meter erobert.[12] Ich habe
solche Kritik oft gehört, aber sie hat mir meine Begeisterung nicht
nehmen können.

Gestern nachmittag balancierte ich gerade eine Tasse Kaffee   20
und ein Stück Kuchen mit dem poetischen Namen „Engelspeise"[13]
durch die Cafeteria, als mich einige Studenten einluden, mich an
ihren Tisch zu setzen.

Auf die Frage, was ich während des Wochenendes gemacht

---

1. Inwiefern hat sich Karl wieder ein bißchen mehr amerikanisiert?
2. Inwiefern hat es der Coach besser als Professor Layter?
3. Welche Art Kuchen scheint Karl gern zu essen?

---

1. **verpassen** to miss. (2. **deprimieren** to depress.) 3. **die Mannschaft** team. 4. **sonderbar** strange. 5. reputation. 6. **ausgesucht** picked, chosen. 7. just, fair. 8. **glän-
zend** brilliant. 9. **sich langweilen** to be bored. 10. hoarse. 11. **gegnerisch** opposing,
opponent's. 12. **erobern** to conquer, gain. 13. angel food.

339

hätte, antwortete ich, daß ich natürlich zum Fußballspiel
gegangen wäre. Und als sie von meiner begeisterten Beschreibung
merkten, daß ich etwas vom Spiel verstand, fragte mich einer:
„Wie können Sie als Deutscher unser Fußballspiel verstehen? Es
5   ist so typisch amerikanisch."

quite certainly   „Ganz gewiß", antwortete ich, „aber deshalb bin ich doch hier,
um Dinge verstehenzulernen, die typisch amerikanisch sind.
Solche Dinge muß man mit dem Gefühl verstehen."

„Mit dem Gefühl?" wiederholte der andere, „das müssen Sie
10   uns erklären, was Sie bei unserem Fußballspiel fühlen."

Es ist schwer, Gefühle in Worten auszudrücken, wenn man
kein Dichter ist, aber ich habe es trotzdem versucht.—Das
amerikanische Fußballspiel ist für mich ein Volksfest.[14] In allen
Staaten wird im Herbst College-Fußball vor Millionen von
15   begeisterten Zuschauern gespielt; man könnte auch sagen,
celebrate   Millionen feiern das Fußballspielfest. Bei diesem Fest erleben
die Zuschauer[15] sich selbst in idealisierter Form, denn hier ist
ein einfaches Symbol des viel diskutierten Amerikatums.[16]
Alles ist groß und mächtig[17] bei diesem Spiel, die Spieler selbst,
band   20   die Kapellen, die Stadien, die Gehälter[18] der Coaches. Das
amerikanische Volk hat seine Freude an „bigness" (unübersetzbares Wort).

qualities   Aber dieses Spiel symbolisiert mehr. Die Eigenschaften, die
hier zum Siege[19] führen, sind Kraft, Vitalität, unermüdlicher[20]
25   Angriffsgeist,[21] „good sportsmanship". Das alles sind Eigenschaften, die man bei diesem Spiel im Gefühl erlebt.

flows   Wie bei jedem richtigen Volksfest fließt das Nationalgetränk,[22]
in unserem Falle Coca-Cola. Es wird aber auch gegessen, und

---

4. Was hatte Karl während des Wochenendes erlebt?
5. Was meint Karl, wenn er sagt: „Solche Dinge muß man mit
   Gefühl erleben."
6. Was ist für Karl besonders auffällig am Fußballspiel?

---

14. **das Volksfest** national festival. 15. **der Zuschauer** spectator. 16. **das Amerikatum**
American national characteristics. 17. mighty, powerful. (18. **das Gehalt** salary.)
19. **der Sieg** victory. 20. **unermüdlich** untiring. (21. **der Angriffsgeist** aggressive-
ness.) 22. **das Getränk** drink, beverage.

zwar werden ganze Berge von „hamburgers" und warmen Würstchen[23] verzehrt.[24] Zu diesem Fest gehören auch die laute Musik,
die Mädchen in ihren Rollen als „cheer leaders", und die riesigen
Parkplätze voller Autos.

So ein[25] den Volkscharakter ausdrückendes, im ganzen Lande   5
beliebtes Volksfest haben wir in Deutschland nicht. Der Kölner
Karneval, das Münchener Oktoberfest, die Weinfeste im Rheinland und viele andere kleine Feste sind doch zunächst Heimat-
feste,[26] die der in einem anderen Teil Deutschlands wohnende
Deutsche nur als Außenseiter, als Tourist genießen kann.   10

beloved

living
enjoy

---

7. Was gehört zu einem Volksfest?
8. Warum ist der Kölner Karneval kein Volksfest?

---

23. **das warme Würstchen** hot dog. (24. **verzehren** to consume.) (25. **So ein Volksfest, das den Volkscharakter ausdrückt und im ganzen Lande beliebt ist, . . .**) 26. **das
Heimatfest** regional festival.

7

RELIGION

ICH muß noch immer an meine Unterhaltung von gestern über das Fußballspiel denken. Etwas hatte ich ganz vergessen zu erwähnen: Die Rolle, die Patriotismus und Religion bei diesem Volksfest spielen. Als ich mein erstes Fußballspiel sah, war ich sehr erstaunt, eine feierliche[1] Flaggenzeremonie zu sehen. Als man die Nationalhymne sang, erwartete ich etwas ganz anderes als einen Sportwettkampf.[2] Nach solchen Vorbereitungen, dachte ich, sollte der Präsident der Vereinigten Staaten eine Rede halten. Aber sobald das Singen der Nationalhymne beendet war, wurde der Beginn des Spieles mit donnerähnlichem Gebrüll[3] begrüßt.

Trotz aller guten Absichten,[4] amerikanische Dinge vom amerikanischen und nicht vom deutschen Standpunkt[5] aus zu betrachten, war ich doch sehr überrascht, als ich sah, daß auch die Religion beim College-Fußball nicht fehlt. Die Zeitschrift „Life" zeigte Zuschauer und Spieler vor einem Wettkampf beim Gebet.[6] Gott um den Sieg bei einem Fußballspiel bitten—nein, das scheint mir sonderbar. Man kann doch in so einem Fall nicht für den Sieg der gerechten Sache[7] beten. Andererseits zeigt dieses sonderbare Fußballgebet, wie tief die Religion das amerikanische Leben durchdringt.[8]

Bei uns in Deutschland spielt die Religion eine andere Rolle als in Amerika. Gott ist für uns der Weltrichter,[9] das tiefe Mysterium

---

1. Warum dachte Karl, der Präsident der Vereinigten Staaten sollte jetzt eine Rede halten?
2. Warum erscheint es Karl nicht richtig, Gott um den Sieg im Fußballspiel zu bitten?

---

1. **feierlich** solemn. (2. **der Sportwettkampf** athletic contest.) (3. **das Gebrüll** roaring.) 4. **die Absicht** intention. 5. **der Standpunkt** point of view. 6. **das Gebet** prayer. 7. **die gerechte Sache** the just cause. (8. **durchdringen** to penetrate.) 9. **der Richter** judge.

alles Seins,[10] das „Ganz Andere", wie ihn Karl Barth[11] einmal definiert hat. Das ist das Gegenteil[12] von dem, was Gott dem Amerikaner ist. Dem ist er in erster Linie[13] der liebende Vater, der deshalb auch im Alltag[14] seinen Platz hat, und den man auch um den Sieg im Fußballspiel bittet. Der Unterschied zeigt sich schon, wenn man amerikanische und deutsche Kirchen vergleicht.

Die amerikanische Kirche war und ist heute noch, hauptsächlich auf dem Lande und in kleineren Städten, das gesellschaftliche und kulturelle Zentrum der Gemeinde.[15] Ein Pastor an so einer kleineren Kirche hat viele andere Aufgaben neben seinen Gottesdiensten[16] zu verrichten.[17]

Ganz anders ist die Stellung der Kirche bei uns in Deutschland. Das hat verschiedene Gründe, und einer dieser Gründe ist das Kirchengebäude selbst.

Wie überall in Europa so stehen auch auf deutschem Boden noch die gewaltigen Dome und Kirchen des Mittelalters. Sie stehen auf den Marktplätzen, die so alt sind wie die Kirchen selbst. Auf diesen Marktplätzen herrscht der Alltag. Da kaufen die Hausfrauen, was sie zum Mittagessen brauchen. In den Verkaufsständen sieht man frisches Gemüse,[18] Obst,[19] Blumen, Eier, Hühner, Fische. Ein Verkäufer steht hinter seinem dampfenden Kessel[20] und verkauft warme Würstchen. Gleich am Rande[21] des Marktplatzes beginnt die moderne Welt. Da klingeln[22] die Straßenbahnen, hupen[23] die Autos und schimpfen[24]

---

3. Inwiefern unterscheidet sich die Gottesidee der Amerikaner von der der Deutschen?
4. Welche Rolle spielt eine amerikanische Kirche besonders auf dem Lande?
5. Was kann man auf einem Marktplatz sehen?

---

10. **alles Seins** of everything in existence. 11. *Swiss theologian, born in 1886; member of the Protestant Reformed Church and champion of dialectic theology; was removed from his chair as professor of theology at the University of Bonn because he refused to take an oath of allegiance to Hitler in 1934.* 12. **das Gegenteil** opposite. 13. **in erster Linie** first of all. 14. **im Alltag** in everyday life. (15. **die Gemeinde** community.) 16. **der Gottesdienst** (divine) service. (17. to perform.) 18. **das Gemüse** vegetable. 19. **das Obst** fruit. 20. **der Kessel** kettle. 21. **der Rand** edge. (22. to ring.) (23. to honk.) (24. to scold.)

die Schutzleute.[25]   Da beginnen die Geschäftsstraßen mit ihren eleganten Läden, Banken, Kinos usw.

Tritt man aber vom Marktplatz in den alten Dom hinein, dann tritt man in eine ganz andere Welt, eine Welt, die mit der lustigen, lauten, bunten[26] Welt da draußen nichts gemein[27] hat, nichts gemein haben soll.   Aus dem hellen Sonnenlicht tritt man ins Halbdunkel,[28] in dem sich hoch oben das gotische Gewölbe[29] verliert.   Der Lärm der Welt dringt nicht durch diese dicken Mauern,[30] und in der feierlichen Stille ertönen[31] wie aus einer anderen Welt die tiefen Töne der Orgel.   Vergessen ist der Marktplatz, vergessen sind die Autos, vergessen ist die ganze bunte Welt draußen.   Die Ewigkeit[32] spricht zum Menschen durch die großen Symbole mittelalterlicher Religiosität.[33]

Es gibt aber noch einen anderen Grund, warum Gott im religiösen Leben der Deutschen eine andere Rolle spielt als in dem der Amerikaner.   Religiöser Optimismus, wie ihn die Amerikaner kennen, ist in Deutschland undenkbar.   Stalingrad,[34] Bombenangriffe und das Gefühl einer kollektiven Schuld[35] haben bei den religiösen Deutschen eine ernste, oft tragische Auffassung des Christentums[36] entwickelt, wie man sie hierzulande nur ganz selten findet.

Daß die Religion in Amerika „funktioniert",[37] daran kann man nicht zweifeln.[38]   Kein Volk der Welt hat das christliche Gebot[39] der Nächstenliebe und das viel schwerere der Feindesliebe so erfüllt wie das amerikanische.   Lange ehe die Furcht[40] vor dem Weltkommunismus eine Rolle bei solchen Unternehmungen[41]

---

6. Warum gibt es in jeder modernen Stadt so viel Lärm?
7. Warum hört man den Lärm des Marktplatzes nicht im Dom?
8. Warum ist die deutsche Auffassung des Christentums nicht optimistisch?

---

25. der Schutzmann policeman. **26. bunt** colorful. (**27. gemein haben** to have in common.) (**28. das Halbdunkel** semidarkness.) (29. arched ceiling.) **30. die Mauer** wall. (31. to resound.) (32. eternity.) (33. **die Religiosität** religiosity, devotion to religion.) 34. *Russian city on the Volga, which was the scene of a decisive battle in World War II.* **35. die Schuld** guilt. **36. das Christentum** Christianity. (37. "works.") **38. zweifeln an** to doubt. 39. commandment. **40. fear.** (41. **die Unternehmung** undertaking.)

spielen konnte, haben die Amerikaner ärmeren und schwächeren[42] Völkern bei Überschwemmungen[43] und Hungersnöten[44] geholfen. Nach dem ersten Weltkrieg waren die amerikanischen Quäker die ersten, die den hungernden und frierenden[45] deutschen Kindern Essen und Kleidung brachten.

5

Wenn ich an all das denke, dann verstehe ich es ein wenig besser, daß Gott hierzulande auch der Siegesgott der Fußballarena ist, und daß man Kirchenräume[46] zu gesellschaftlichen Zwecken[47] benutzt.

---

9. Welches Beispiel der Nächstenliebe wird hier erwähnt?
10. Welches Beispiel der Feindesliebe wird erwähnt?
11. Beschreiben Sie die Funktion der deutschen Kirche im Vergleich zu der amerikanischen Kirche!

---

42. **schwach** weak.   43. **die Überschwemmung** flood.   44. **die Hungersnot** famine.
45. **frierend** freezing.   46. **der Raum** room.   47. **der Zweck** purpose.

8

DAS AKADEMISCHE LEBEN

TÄGLICH gehe ich jetzt über unseren schönen Campus. Einen Park mitten in der Stadt, in dem die Universitätsgebäude alle beieinander[1] liegen, gibt es bei uns in Deutschland nicht. So ein Campus ist nicht nur sehr schön, sondern auch sehr praktisch. Man spart[2] Zeit, da alle Gebäude schnell zu erreichen sind. Ich habe meine meisten Vorlesungen in Wittgen Hall. Von da bis zur Bibliothek sind es drei, bis zur Mensa[3] nur etwa fünf Minuten. Ach, die Mensa! Da fühle ich mich leider ganz zu Hause. Die wäßrigen[4] Suppen, die kalten Kartoffeln, das Fleisch, das trocken wie Pappe[5] ist, die ewigen[6] Spaghetti—all das kennen wir in unserer deutschen Mensa nur zu gut. Nur wenn es hier in der Student-Union dann und wann nach ,,hamburgers" riecht, weiß ich, daß ich nicht zu Hause, sondern in Amerika bin.

Die Arbeit an der Universität macht mir Freude. Die meisten meiner Professoren haben mir viel zu bieten. Nur einen gibt es, dessen Vorlesungen ich nicht gerne besuche, denn ich kann seine Weisheit[7] in zwei, drei Büchern nachlesen. Viel lieber ginge ich zur gleichen Stunde in eine Vorlesung über ältere amerikanische Literatur, die ausgezeichnet ist, aber das System hier erlaubt das nicht. Da vermisse ich meine akademische Freiheit. Die täglichen Hausaufgaben, die Semesterarbeiten und Prüfungen[8] lassen zu eigener Lektüre kaum Zeit. Oft scheint es mir, als würden die Studenten wie Sardinendosen[9] behandelt, in die man in möglichst

---

1. Warum fühlt sich Karl in der Mensa ganz zu Hause?
2. Was findet man nicht in einer deutschen Mensa?
3. Warum vermißt Karl die akademische Freiheit?
4. Warum kann er nicht das lesen, was er möchte?

(1. together.) 2. **sparen** to save. 3. **die Mensa** student cafeteria. 4. **wäßrig** watery. (5. **die Pappe** cardboard.) (6. **ewig** perpetual.) 7. **die Weisheit** wisdom. 8. **die Prüfung** examination. (9. **die Sardinendose** can of sardines.)

kurzer Zeit[10] ein Maximum hineinstopft.[11] Aber der Geist[12] ist
doch wie der Magen. Er kann nur eine gewisse Menge[13] auf-
nehmen,[14] und es dauert eine Weile, bis er das Aufgenommene[15]
verdaut[16] hat. Aber die amerikanischen Studenten sind an dieses
System gewöhnt, und es scheint ja ganz gut zu funktionieren. 5

Wie unterscheidet sich der amerikanische Student vom deutschen? Manchmal erinnern mich meine amerikanischen Kommilitonen an den deutschen Studenten „der guten alten Zeit", aus
den Tagen vor dem ersten Weltkrieg, wie man es mir erzählt hat.
Der war ja auch immer zu allerlei Streichen[17] und lärmenden 10
Umzügen[18] bereit.[19] Daran mußte ich kürzlich[20] denken, als
unsere Studenten den populärsten Studenten und die populärste
Studentin, den Hi-Guy und das Hello-Girl, wählten. Der Wahl-
kampf[21] wurde mit Eifer[22] geführt. Am letzten Tage der Wahl
fuhren geschmückte[23] Autos hupend auf den dem Campus 15
benachbarten Straßen umher, bemannt[24] mit schreienden An-
hängern[25] und einer Dixielandkapelle.

Wie gesagt, das ist Studentenulk[26] im riesigen, eben amerikanischen Ausmaß,[27] wie ihn in viel bescheidenerem[28] Maß[29] unsere
Väter und Großväter in Deutschland aus ihrer Studentenzeit 20
kannten.

Ähnliche Eindrücke hatte ich auch von der Mock Political
Convention. Eine ernsthafte Diskussion der politischen Fragen
gab es natürlich nicht, und selbst die prominenten Gäste, darunter
ein Gouverneur und zwei Senatoren, gaben sich große Mühe,[30] 25
nichts zu sagen. Es ist möglich, daß ich aus meiner deutschen
Perspektive diese Dinge zu ernst sehe, aber ich schreibe meine
Eindrücke auf, und das waren eben meine Eindrücke.

---

5. Inwiefern war der deutsche Student vor dem ersten Weltkrieg
   anders als der heutige Student?
6. Warum hat Karl die Mock Political Convention nicht gefallen?

---

10. in möglichst kurzer Zeit in the shortest possible time. (11. hinein-stopfen to
stuff.) 12. mind. 13. die Menge amount. (14. to absorb.) (15. that which it
has absorbed.) (16. verdauen to digest.) (17. der Streich prank.) (18. der Umzug
procession.) 19. ready. 20. recently. (21. election campaign.) (22. der Eifer
fervor, zeal.) (23. schmücken to decorate.) (24. manned.) 25. der Anhänger
supporter.) (26. der Ulk fun.) (27. das Ausmaß scale.) 28. bescheiden modest.
(29. das Maß extent, degree.) 30. sich Mühe geben to take pains.

Im Alltagsleben, auf dem Campus und in der Vorlesung ist der amerikanische Student ganz anders, als er bei den Rallies erscheint. Wenn auch die Probleme der großen und kleinen Politik den amerikanischen Studenten nicht so erhitzen[31] wie seine Kollegen in anderen Teilen der Welt, so interessiert er sich doch sehr ernsthaft für sie. Nicht in den Mock Political Conventions, wohl aber in der Arbeit kleinerer Gruppen und in Privatdiskussionen merkt man, daß sie tiefes Interesse für soziale und politische Probleme haben.

Und wie steht es[32] mit der Fakultät? Wie unterscheiden sich amerikanische Professoren von ihren deutschen Kollegen? Es gibt ausgezeichnete Gelehrte[33] und mittelmäßige[34] in beiden Ländern. Hier wie da gibt es gute Lehrer, die den Studenten begeistern können und langweilige,[35] die ihn einschläfern.[36] Einen großen Unterschied gibt es aber doch. Der amerikanische Professor steht seinen Studenten viel näher als der deutsche. In Deutschland spricht er oft wie ein König vor seinen Untertanen.[37] Das kommt in Amerika kaum vor.[38] Will man seinen Professor persönlich sprechen, so ist das gewöhnlich ziemlich leicht. Obgleich amerikanische Professoren auch dauernd[39] mit ihren wissenschaftlichen Arbeiten beschäftigt[40] sind, machen sie sich gewöhnlich frei, um einem Studenten auch außerhalb der Sprechstunde[41] zu helfen. Außerdem ist es keine Seltenheit,[42] daß Professoren ihre Studenten zu sich nach Hause einladen oder in der Mensa mit ihnen zu einer Tasse Kaffee zusammenkommen. Als Ausländer hilft mir diese Jovialität meiner Professoren sehr. Letzten Dienstag z.B. ging ich in die Mensa, um eine Tasse Kaffee zu trinken. Da saß Professor N., dessen Vorlesung über

---

7. In welchem Punkt unterscheidet sich der amerikanische Student von den Studenten in anderen Teilen der Welt?
8. Inwiefern ist das Verhältnis zwischen Professoren und Studenten persönlicher als in Deutschland?

(31. to excite.)   32. **wie steht es** what about.   33. **der Gelehrte** scholar.   34. **mittelmäßig** mediocre.   35. **langweilig** boring.   (36. to put to sleep.)   (37. **der Untertan** subject.)   38. **vor-kommen** to happen.   39. continuously.   40. **beschäftigen** to occupy.   41. **die Sprechstunde** office hours.   42. **die Seltenheit** rarity.

moderne amerikanische Literatur ich höre. Er lud mich ein,
mich zu ihm zu setzen, und bald hatte eine interessante Unterhaltung begonnen. Er lobte die Achtung,[43] die ein geistiger
Mensch in Deutschland, ja in ganz Europa genieße, und sagte,
es wäre ganz in der Ordnung, daß der Herr Professor in Deutschland wie ein kleiner Gott geehrt würde, denn die Kultur eines
Landes hinge zum großen Teil von seinen Forschern[44] und
Denkern ab. Ich lobte das demokratische Verhalten[45] der
Amerikaner ihren Professoren gegenüber und sagte, wie es mich
beeindruckt[46] habe, als ich einen Professor kürzlich auf der
Straße in einem Arbeitsanzug traf. Er trug einen Sack Zement
ins Haus eines Nachbars, dem er bei der Reparatur der Kellertreppe[47] half. Solche Arbeit, sagte Professor N., sei zwar gut als
körperliche Betätigung,[48] aber der Nachbar schätze[49] den Professor nur als Nachbar, nicht als Professor. Bei uns, sagte er
bitter, herrscht, man könnte fast sagen eine Feindschaft[50] gegen
den Intellektuellen, den Künstler, das Genie. Schon das ekelhafte[51]
Wort „egghead" zeige das. Er erklärte diese Feindschaft aus der
Gleichmacherei,[52] dem Druck,[53] sich der Masse anzupassen,[54]
dem der Intellektuelle natürlich widerstehe.
Dann sei da auch noch die Tradition der Grenzerzeit,[55] in der
nur der Mann der Tat[56] geachtet[57] wurde. Nur wer Rothäute[58]
erschlagen,[59] Bäume fällen und jagen konnte, galt[60] damals als
ein Mann. Kultur und Kunst hätten im amerikanischen Kolonial-
leben bei Männern nichts bedeutet, sie seien die Domäne der
Frauen gewesen.

---

9. Was lobt Professor N.?
10. Was tadelt (*criticize*) Professor N.?
11. Wie erklärt er „die Feindschaft gegen den Intellektuellen"?

---

43. respect. 44. **der Forscher** research worker. 45. attitude. 46. **beeindrucken** to
impress. (47. **die Kellertreppe** basement steps.) 48. **körperliche Betätigung** physical
exercise. (49. **schätzen** to appreciate.) 50. enmity. (51. **ekelhaft** loathsome.)
(52. **die Gleichmacherei** equalization.) (53. **der Druck** pressure.) 54. **sich an-passen**
to adapt oneself. 55. **die Grenzerzeit** frontier days. 56. **die Tat** deed, action.
57. **achten** to respect. 58. **die Rothaut** redskin. 59. to kill. 60 **gelten als** to be
looked upon as.

Er sah auf seine Armbanduhr, sprang auf und sagte verlegen:[61] „Entschuldigen Sie, Herr Heffner, ich muß zur Vorlesung."

Ich saß noch eine Weile auf meinem Platz und rührte nachdenklich[62] meinen Kaffee um.[63] Professor N. war ein sehr intelligenter Mann und gebürtiger[64] Amerikaner. Der mußte es doch wissen, wie es im Lande stand.[65] Und doch fühlte ich, daß diese Anklagen,[66] die ich auch in manchen Zeitschriften gelesen hatte, zu pessimistisch waren. Feindschaft gegen den Geist[67] haben wir in Deutschland, haben wir in Europa auch.

In unserem Zeitalter der Technik und des Welthandels[68] steht der praktische Mensch im Vordergrund. Er ist der Held unserer Zeit und nicht der Denker, Künstler oder Träumer. Auch den Sportshelden kennen mehr Menschen als den großen Dichter, Denker oder Künstler. Das ist nicht nur in Amerika so, sondern in der ganzen modernisierten Welt, und ganz gewiß bei uns in Deutschland. Eins steht aber fest:[69] Amerikanische Intellektuelle sind in der Kritik ihres eigenen Landes und ihrer eigenen Kultur viel schärfer als unsere Intellektuellen in Deutschland. Auch haben sie oft eine allzu[70] rosige Vorstellung[71] von dem geistigen Leben Europas.

---

12. Warum bricht er die Unterhaltung ab?
13. Warum betrachtet Karl Professor N.s Standpunkt als zu pessimistisch?
14. Welche Menschen werden heute am meisten geehrt?

---

61. embarrassed. 62. pensively. 63. **um-rühren** to stir. (64. **gebürtig** native.) 65. **wie es stand** how things were. (66. **die Anklage** indictment.) 67. **der Geist** intellect. 68. **der Welthandel** world trade. 69. **eins steht fest** one thing is certain. 70. altogether too. 71. **die Vorstellung** conception, notion.

9

DAS DEUTSCHTUM[1] IN AMERIKA

GESTERN ging ich mit ein paar amerikanischen Kommilitonen, die Deutsch sprechen, ins deutsche Kino. Wir fuhren alle in Larrys Auto, denn er war der einzige Autobesitzer in unserer Gruppe. Larry ist ein Senior, den ich vor ein paar Wochen kennengelernt habe. Er hat ein Jahr in München studiert. Er ist einer der nettesten und intelligentesten amerikanischen Studenten, die ich kenne.

Ich hatte eigentlich keine Lust,[2] ins Kino zu gehen, aber Larry will sein Deutsch bei jeder Gelegenheit üben, und ich wollte ihm und seinen Freunden nicht den Spaß verderben.[3] Die Titel der beiden Filme versprachen nichts Gutes: ,,Das Mädel vom Walchensee" (ein Farbfilm mit Liebe, Tanz und Humor) und ,,Gardeleutnant[4] auf Urlaub" (die schönste Liebesgeschichte des Jahres im alten Wien und seiner schönen Umgebung). Ich hatte recht. Der erste Film zeigte eine romantische Dorfgeschichte, wie man sie schon hundertmal in deutschen Kinos gesehen hat. Was in Amerika der Wildwestfilm ist, mit seinen stereotypen Rollen und dramatischen Situationen, das ist in Deutschland die romantische Dorfgeschichte. So zeigte uns auch dieser Film, daß die bayrischen Alpen sehr schön sind, was wahr ist, und daß die Bewohner dieser Dörfer Naturmenschen[5] ohne Fehler und die Frauen von großer Schönheit sind, was nur begrenzt[6] wahr ist. Der zweite Film war auch ein Klischeefilm. Da gab es Uniformen aus der Zeit des alten Kaisers Franz Joseph, Walzer, ein Picknick

---

1. Warum fuhren die Studenten in Larrys Auto?
2. Warum hatte Karl keine Lust, ins Kino zu gehen?
3. Was sind die Elemente einer romantischen Dorfgeschichte?

---

1. German element.   2. **keine Lust haben** to be in no mood.   3. **den Spaß verderben** to spoil somebody's fun.   (4. lieutenant of the guards.)   (5. **der Naturmensch** primitive man.)   (6. to a limited extent.)

im schönen Wiener Wald, und am Ende heiratete das schönste,
aber ärmste Mädel die glitzerndste Uniform. Als unsere Mütter
noch junge Mädchen waren, kamen sie nach solchen Filmen mit
tränennassen Wangen[7] aus dem Kino und seufzten:[8] „Ach, war
5   das schön!" Als Deutscher muß man sich vor seinen amerikanischen Freunden genieren, daß dieser sentimentale Kitsch[9]
immer wieder aufgewärmt wird.

Wir gingen, als wir aus dem Kino kamen, in ein deutsches
Restaurant, wo Larry, der die deutsche Küche liebt und dem auch
10   die deutschen Konditoreien sehr imponiert haben, einen Sauerbraten und zum Nachtisch Apfelstrudel mit Schlagsahne bestellte.
Wir anderen waren mit weniger[10] zufrieden.[11] Wir sprachen von
den Deutschamerikanern. Larry, der viele von ihnen kennt, gab
Beispiele dafür, wie schnell die Kinder der deutschen Einwande-
15   rer[12] wirkliche Amerikaner werden: „Das ist die Assimilations-
kraft[13] Amerikas. In dem großen Schmelztiegel[14] verschwindet[15]
Herr Krüger und heraus kommt ein Mr. Kruger, ein Vollamerikaner.[16] Das dauert nicht lange. Frag einmal einen der vielen
Studenten, die Meier, Schulz, Becker heißen, was er von Deutsch-
20   land weiß. Er ist dritte Generation und erinnert sich noch daran,
daß Großvater aus Schwetzingen kam. Daß Schwetzingen bei
Heidelberg liegt, weiß er aber nicht mehr. Vielleicht hat ihn die
Großmutter ein Kinderlied[17] gelehrt, das er noch singen kann."

Ein anderer in unserer Gruppe sagte, in seiner Klasse hätte
25   man ein Lesebuch gebraucht, das vom Leben des berühmten
Deutschamerikaners Carl Schurz handelte. Aus diesem Buch
und den Erklärungen seines Lehrers habe er interessante Dinge
über das Deutschamerikanertum gelernt, die in der amerika-

---

4. Was war das „happy end" im zweiten Film?
5. Warum geniert sich Karl?
6. Was hat Larry besonders in Deutschland gefallen?
7. Warum werden Deutschamerikaner so schnell Vollamerikaner?

(7. **tränennasse Wangen** cheeks wet with tears.) (8. **seufzen** to sigh.) (9. **der Kitsch**
rubbish.) 10. less. 11. satisfied. 12. **der Einwanderer** immigrant. 13. **die Kraft**
power. (14. **der Schmelztiegel** melting pot.) 15. **verschwinden** to disappear.
16. full-fledged American. 17. **das Kinderlied** nursery rhyme.

nischen Geschichte und Kultur sehr wichtig gewesen wären. So hätten z.B. achtundvierzig Generäle und 600 000 Mann deutscher Abkunft[18] während des Bürgerkrieges[19] in den Armeen der Nordstaaten gekämpft. Mehrere amerikanische Städte verdankten ihr Wachstum[20] deutschen Siedlern,[21] z.B. Milwaukee, Rochester, Cincinnati, and zum Teil Chicago. Das amerikanische Universitätssystem sei von dem deutschen stark beinflußt worden. Johns Hopkins z.B. sei ganz nach deutschem Vorbild[22] aufgebaut worden.

Ich selbst hatte schon gemerkt, daß es im amerikanischen Wortschatz[23] eine Anzahl[24] Wörter gibt, die aus diesen älteren Tagen stammen z.B. Kindergarten, Sauerbraten, Sauerkraut, Turnverein,[25] Maiwein, Stein. Das Wort Stein in der Bedeutung „ein Glas Bier" war mir übrigens vollkommen neu.

Zu Hause las ich über die Deutschamerikaner nach und will mir noch ein paar interessante Dinge aus dieser Lektüre aufschreiben. Der Statistik nach[26] sind 1776 bis zur Mitte unseres Jahrhunderts rund 41 Millionen Menschen eingewandert, darunter etwa zehn Millionen Deutsche. Heute leben in den Vereinigten Staaten etwa eine Million Menschen, die in Deutschland geboren sind und nicht ganz vier Millionen, deren Eltern Deutsche waren. Diese Zahl schließt[27] auch die ein, die aus Ehen[28] stammen, wo nur der Vater oder die Mutter deutsch ist. Eine weitere halbe Million sind in deutschsprachigen Gebieten, hauptsächlich in Österreich, geboren.

Wie sehr das Interesse an der Muttersprache bei den Deutschamerikanern nachgelassen[29] hat, zeigt das Verschwinden der deutschen Tageszeitungen. So gibt es heute nur noch sieben.

---

8. Auf welcher Seite kämpften die meisten Deutschen während des Bürgerkrieges?
9. Was haben deutsche Einwanderer für Amerika getan?

---

18. **die Abkunft** descent.   19. **der Bürgerkrieg** civil war.   20. **das Wachstum** growth.
21. **der Siedler** settler.   22. **das Vorbild** model.   23. **der Wortschatz** vocabulary.
24. **die Anzahl** number.   25. gymnastic society.   26. according to; *notice that the preposition* **nach** *may in the present sense follow the noun.*   27. **ein-schließen** to include.
(28. **die Ehe** marriage.)   (29. **nach-lassen** to decline.)

Allein in New York gab es vor dem ersten Weltkrieg sechs deutsche Tageszeitungen; heute nur noch eine. Sie heißt „Staatszeitung und Herold".

     An den Universitäten ist das Interesse am Deutschen wieder
5   ziemlich groß. Bezeichnend[30] für das wiedererwachte Interesse Amerikas an deutscher Kultur waren auch die Goethefeiern[31] zu Goethes zweihundertstem Geburtstag im Jahre 1949. Vertreter[32] amerikanischen und deutschen Geisteslebens,[33] unter ihnen Männer wie Albert Schweitzer, ehrten[34] den großen Deutschen
10   in einer imposanten[35] Feier, die in Aspen, Colorado, stattfand.[35]

---

10. Geben Sie ein Beispiel für das Nachlassen des Interesses der Deutschamerikaner für die deutsche Sprache!

11. Was hat Aspen in Colorado mit Goethe zu tun?

---

30. significant. (31. **die Feier** convocation.) 32. **der Vertreter** representative. 33. **das Geistesleben** intellectual life. 34. **ehren** to honor. (35. **imposant** impressive.) 36. **statt-finden** to take place.

10

DER ABSCHIED

DER Schlepper verließ uns, die Kapelle spielte und der Pier
mit den flatternden Taschentüchern und den lustigen und
traurigen Leuten war mir aus den Augen entschwunden.[1] Ich
stand an der Reling und starrte auf das Wasser und die kreischenden[2] Möwen. Ein Gedicht Heines ging mir durch den Kopf:

> Es ragt[3] ins Meer der Runenstein,[4]
> Da sitz ich mit meinen Träumen.
> Es pfeift[5] der Wind, die Möwen schrein,[6]
> Die Wellen, die wandern und schäumen.[7]
>
> Ich habe geliebt manch schönes Kind[8]   10
> Und manchen guten Gesellen[9]—
> Wo sind sie hin?[10] Es pfeift der Wind,
> Es schäumen und wandern die Wellen.

Nun habe ich zwar als Austauschstudent wenig Gelegenheit
gehabt, schöne amerikanische Mädchen zu lieben, aber mit   15
manchem guten Gesellen habe ich Freundschaft geschlossen.[11]
Werde ich diese Freunde je[12] wiedersehen, besonders den guten,
lustigen Larry?

Der Steward hat mir einen Deckstuhl gegeben, und nun sitze
ich mit meiner Schreibmaschine auf den Knien und schreibe   20
meine letzte Tagebuchseite. Jetzt kommen die Passagiere gelaufen[13] und drängen sich[14] an die Reling. Ich weiß, was sie

---

1. Was erinnert Karl an Heines Gedicht?

---

1. **entschwinden** to disappear, vanish. (2. **kreischen** to shriek.) (3. **ragen** to jut.)
(4. runic stone.) 5. **pfeifen** *here* to blow. (6. to shriek.) (7. to foam.) (8. *here* =
Mädchen.) (9. **der Geselle** fellow.) 10. What has become of them? 11. **Freundschaft schließen** to make friends. (12. ever.) 13. *The past participle is used with*
kommen *where English would use the present participle.* (14. **sich drängen** to crowd.)

355

sehen wollen.   Die Freiheitsstatue gleitet an uns vorüber, der
Augenblick des Abschieds von Amerika ist gekommen.   Ich
habe aber jetzt keine Zeit, traurig zu sein.   Ich will mein amerikanisches Tagebuch abschließen.[15]   Abschließen!—das heißt wohl,
5   etwas Zusammenfassendes[16] sagen.   Wie kann ich das aber!
Unten in der Kabine, im Handkoffer,[17] liegen über vierhundert
Schreibmaschinenseiten voll der verschiedensten Eindrücke,
Gedanken, Landschaftsschilderungen[18] u. dgl.[19]   Außerdem bin
ich nur ein Jahr in Amerika gewesen.   Kann ich da wirklich etwas
10   Zusammenfassendes sagen?   Kann ich über das ganze große
Land urteilen?[20]   Deutschamerikaner, die schon über dreißig
Jahre in den Staaten leben, intelligente Leute, die das Leben um
sich beobachten, haben mir gesagt, daß sie vieles in Amerika erst
jetzt zu verstehen anfingen.

15   Der Dampfer fährt sehr langsam und die Freiheitsstatue ist
uns noch nah und sieht riesengroß aus.   Mir ist träumerisch
zumute,[21] wie das bei solch einem Abschied verständlich ist.   So
überrascht es mich nicht besonders, daß mich die Statue anzu-
sehen und mit ihrem erhobenen[22] Arm zu winken scheint.   Trotz
20   Hafenlärm und kreischenden Möven höre ich sie sogar flüstern:
,,Young man, how did you like America?''

Ich möchte aufspringen und ihr eine kurze Antwort geben, wie
es hierzulande Sitte ist, wo man sein Herz nicht zur Schau stellt.[23]
Aber ich bin schließlich ein deutscher Student, und so gebe ich
25   ihr eine deutsche, d.h. eine lange, gründliche[24] Antwort, durch-
setzt[25] mit ein bißchen Philosophie und lyrischem Gefühl.[26]

Liebe Göttin—Ausländer und Einheimische[27] machen viele
Witze über dich, denn du stammst aus dem neunzehnten Jahr-

---

2. Warum kommen die Passagiere gelaufen?
3. Warum ist es so schwer für Karl, etwas Zusammenfassendes über
    Amerika zu sagen?
4. Warum kann er keine kurze Antwort geben?

(15. to conclude.)   (16. in the way of summing up.)   17. **der Handkoffer** suitcase.
18. **die Schilderung** description.   (19. **u. dgl.** = **und dergleichen** and the like.)   (20. to
have an opinion.)   (21. **mir ist träumerisch zumute** I am in a dreamy mood.)
(22. raised.)   23. **zur Schau stellen** to exhibit, reveal.   (24. **gründlich** profound.)
(25. mixed.)   26. **das Gefühl** sentiment.   27. **der Einheimische** native.

hundert, einem Jahrhundert, das große Gesten[28] liebte und auch
an sie glaubte. In unserem Jahrhundert macht man keine großen
Gesten mehr, und in dem Lande, dem dich die Franzosen
schenkten, waren große Gesten nie recht die Mode.[29] Du bist
aber so groß und gewaltig, daß man dies alles gern vergißt. Wenn
der Dampfer in den Hafen einfährt und man dich zum ersten Mal
sieht, klopft einem das Herz, denn du scheinst zu sagen: Willkommen im Land der Freiheit. Sieht man dich dann bei der
Ausfahrt[30] aus dem Hafen, dann wird man traurig und ein bißchen
ängstlich,[31] denn nun lebt man nicht mehr unter deinem Schutz.[32]
Doch all das ist keine direkte Antwort auf deine Frage: „How
did you like America?" Als ich diese Frage zum ersten Mal und
zwar im Präsens[33] hörte, kam sie auch von den Lippen einer
stattlichen Matrone, die aber nur eine Teetasse, nicht die Fackel[34]
der Freiheit in der Hand hielt. Damals hatte ich mich erst ein
wenig über diese Frage geärgert,[35] denn ich kam ja „gerade vom
Dampfer" und war, was man einmal in dem ausdrucksvollen
Slang deines Landes nannte, ein hundertprozentiges Greenhorn.
Ich wollte der Dame erklären, wie wenig Sinn ihre Frage hätte,
aber einer deiner Söhne, ein älterer Herr, hatte mich schon
früher ein wenig über die sehr humanen[36] Gesellschafsformen[37]
deines Landes aufgeklärt. Ich war also vielleicht doch kein
hundertprozentiges Greenhorn mehr. Ich gab ihr also die kurze
Antwort, die sie erwartete und sagte: „I like it very much",
und damit war sie zufrieden. Das war damals nur eine taktvolle
Redensart. Heute weiß ich, was ich dabei meine.

O, es gibt viele Dinge, die mir in deinem Lande mißfallen,[38]
und deine Kinder sagen, daß du manchmal die Fackel vor Scham
senken[39] würdest, wenn du sehen könntest, was in deinem eigenen
Land geschieht. Aber du hast das weite freie Meer und eine

---

5. Warum machen sich manche Leute über die Freiheitsstatue lustig?
6. Wer sind die zwei stattlichen Matronen, von denen Karl spricht?

(28. die Geste gesture.) 29. fashion.   30. bei der Ausfahrt aus while leaving.
31. uneasy.   32. der Schutz protection.   (33. das Präsens present tense.)   (34. torch.)
35. sich ärgern über to be annoyed by.   36. humane, affable.   37. die Gesellschafts-
form social convention.   38. to dislike.   (39. to lower, dip.)

göttliche Idee vor Augen. Von den Fehlern deines Landes möchte
ich in dieser Abschiedsstunde nicht sprechen. Sie scheinen mir
nicht das Wesentliche zu sein. Was hat mir nun in deinem Lande
sehr gefallen? So vieles, daß es unmöglich ist, alles aufzuzählen.[40]
5   Aber, da ist Larrys Lächeln; du weißt, Larry ist mein Freund.
Wenn er lächelt, dann denke ich immer, es gibt nichts Böses[41]
in der Welt. Ich habe dieses Lächeln auf den Gesichtern vieler
deiner Kinder gesehen und nicht nur auf den Gesichtern der
Jugend.[42] Ich bin auch jung, aber wir Deutschen sind älter als
10 ihr Amerikaner, und auch wenn wir jung sind, wissen wir schon
was Weltschmerz[43] ist. Ich wünschte, wir könnten von euch
lernen, so zu lächeln. Dann war da Professor Welliver. Eines
Morgens ging er jagen. Er nannte mich Karl und lud mich zum
Frühstück ein. Das scheint wenig zu sein, es bedeutete aber viel
15 für mich. Was noch?[44] Natürlich haben mir deine Fußballspiele
gefallen, die Farben, die Aufregung,[45] die Herbstluft,[46] die bunten
Ballons, die sich im blauen Himmel über dem Stadion verloren,
die Stimme aus dem Lautsprecher: ,,Wem gehört ein blauer
Chevrolet, Nummernschild[47] Soundso? Ihr Motor läuft." Das
20 war sehr schön, und dann natürlich meine Reise nach Kalifornien!
Was für eine Reise! Larry und ich—Aber der Dampfer fährt
schneller, und bald werde ich dich nur noch in der Erinnerung
sehen. Du fragtest mich: ,,How did you like America?" und ich
will dir eine direkte, kurze, amerikanische Antwort geben: ,,I
25 loved it."

---

7. Warum mag Karl Larrys Lächeln so gern?
8. Warum können die Deutschen nicht so lächeln wie Larry?
9. Warum erinnert sich Karl an Professor Welliver?
10. Was hat ihn besonders am Fußballspiel beeindruckt?

---

40. **auf-zählen** to enumerate. 41. **böse** bad, evil. 42. **die Jugend** young people.
(43. **der Weltschmerz** pessimistic outlook; *a feeling of sorrow accepted as a necessary portion of the world.*) 44. else. 45. excitement. 46. autumn air. 47. license plate.

GERMAN-ENGLISH
VOCABULARY

This vocabulary is complete for Part One and lists new words appearing more than once in Part Two.

The numbers 1 to 25 refer to the lesson in which a listed word appears for the first time. Words listed without number occur in Part Two only.

The plural of nouns is indicated as follows: **das Haus, ⸚er.** Genitive endings are given only for masculines and neuters forming their plural in **-(e)n: der Student, -en, -en; das Auge, -s, -n.**

Principal parts are given for strong and irregular verbs. A separable prefix is indicated by a hyphen: **aus-sehen.**

For words not stressed on the first syllable, an accent mark indicates the syllable having the main stress (**Kabi′ne**). However, for words with inseparable prefixes, which stress the root syllable, no accent is indicated. A light accent mark indicates a secondary stress in compound words whose last component is not stressed on the first or root syllable (**Dezimal′system′**).

ab-brechen, brach ab, abgebrochen, er bricht ab to break off
der Abend, –e evening (14); **zu — essen** to eat dinner
das Abendessen, — dinner
das Abendland Occident (17)
abends in the evening (14)
das Abenteuer, — adventure
aber, but, however (2)
ab-fahren, fuhr ab, ist abgefahren, er fährt ab to start; to leave
ab-halten, hielt ab, abgehalten, er hält ab to hold
ab-hängen, hing ab, abgehangen, er hängt ab to depend (17)
die Abreise, –n departure
der Abschied parting, departure; **— nehmen** to say good-by; **die Abschiednehmenden** those saying good-by
die Abschiedsstunde, –n hour of parting
sich ab-schließen, schloß sich ab, sich abgeschlossen to seclude oneself
der Absender, — sender (14)
das Abteil, –e compartment
ab-ziehen, zog ab, abgezogen to subtract (14)
ach ah, oh
acht eight (1)
addie'ren to add (14)
die Adjektivendung, –en adjective ending
die Adres'se, –n address (14)
ägyp'tisch Egyptian (17)
ähnlich similar (23); like
der Akade'miker, — member of a learned profession
akade'misch academic
der Akt, –e act
der Akzent', –e accent
alle all (1); **vor allem** above all (17)
die Allee', –n avenue (22)
allein' alone (7)
allerdings' to be sure (14)
allerlei' all kinds of
alles all, everything (1)
allgemein' general, universal; **im allgemeinen** in general
der Alltag everyday life
allzu altogether too
die Alpen (*pl.*) Alps (12)
als as, when (18); than (9)

also so, therefore (9)
die Alsterbrücke Alster bridge (21)
alt old (4); **älter** older; elderly; **ältest-** oldest (4)
das Alter age; **im — von** at the age of (17)
altmodisch old-fashioned
das Amateur'thea'ter, — amateur theater
(das) Ame'rika America (2)
das Ame'rikabuch, ⸗er book about America
das Ame'rikaerlebnis, . . . nisse experience in America
die Ame'rikaliteratur' literature on America
der Amerika'ner, — American (9)
die Amerika'nerin, –nen American (woman) (9)
amerika'nisch American (7)
amerikanisie'ren to Americanize
die Ame'rikareise, –n trip to America
amüsie'ren to amuse; **sich —** to have a good time (21)
an on, at, to (1)
der Anarchist', –en, –en anarchist
an-bieten, bot an, angeboten to offer
das Anbord'kommen getting on board ship
ander- other, different (9); **anders** differently (21); **etwas anderes** something else; **nichts anderes als** nothing else but (24)
andererseits on the other hand
ändern to change
die Anekdo'te, –n anecdote
der Anfang beginning
an-fangen, fing an, angefangen, er fängt an to begin, start (18)
der Angestellte, –n, –n employee (12)
angezogen dressed
an-greifen, griff an, angegriffen to attack (24)
an-haben, hatte an, angehabt, er hat an to wear
an-halten, hielt an, angehalten, er hält an to stop
an-kämpfen gegen to struggle against, combat
die Ankerkette, –n anchor chain
ankern to anchor
an-kommen, kam an, ist angekommen to arrive (21)
die Ankunft arrival

die **Anrede** form of addressing persons
an-reden to address
**an-sehen, sah an, angesehen, er sieht
an** to look (16)
an-starren to stare at
anstatt instead of (14)
der **Antrieb, –e** motivation
die **Antwort, –en** answer (3)
antworten to answer (1)
an-ziehen, zog an, angezogen to put
on; **sich —** to get dressed (18)
der **Anzug, ⸗e** suit
der **Apfelsi′nensaft** orange juice
der **Appetit′** appetite; **Guten —** ! I hope
you will enjoy the food (15)
appetit′lich appetizing
der **April′** April (11)
die **Arbeit, –en** work (17); job
arbeiten to work (14)
der **Arbeiter, —** worker, workman (23)
der **Arbeitsanzug, ⸗e** working clothes
das **Arbeitszimmer, —** study
ärgerlich angry
sich **ärgern** to be angry (15)
der **Aristokrat′, –en, –en** aristocrat
(19)
arm poor (12)
der **Arm, –e** arm
die **Armbanduhr, –en** wrist watch
die **Armee′, –n** army (24)
die **Armut** poverty (18)
die **Art, –en** type, kind; mode; way
der **Arzt, ⸗e** doctor, physician (18)
(das) **Asien** Asia
die **Aspirin′tablet′te, –n** aspirin tablet
(15)
der **Assistent′, –en, –en** assistant (21)
das **Asyl′, –e** refuge, asylum (16)
auch also (1); **— wenn** even if
auf on, upon (1)
auf-bauen to build up; rebuild (21)
der **Aufenthalt** stay
auffällig striking, conspicuous
die **Auffassung, –en** conception
auf-fliegen, flog auf, ist aufgeflogen
to fly open
auf-führen to perform (18)
die **Aufführung, –en** performance (18)
die **Aufgabe, –n** lesson, assignment (1);
task
**auf-geben, gab auf, aufgegeben, er
gibt auf** to give up

auf-gehen, ging auf, ist aufgegangen
to rise
**auf-halten, hielt auf, aufgehalten, er
hält auf** to keep, detain
auf-hören to stop (12)
auf-klären to explain, inform
auf-machen to open (13)
**auf-nehmen, nahm auf, aufgenommen,
er nimmt auf** to admit (18), absorb
auf-regen to excite; **sich —** to get
excited
der **Aufsatz, ⸗e** essay (16)
**auf-schreiben, schrieb auf, aufge-
schrieben** to write down (19)
**auf-sein, war auf, ist aufgewesen, er
ist auf** to be up
**auf-springen, sprang auf, ist aufge-
sprungen** to jump up
**auf-stehen, stand auf, ist aufge-
standen** to get up (18)
auf-teilen to divide up
auf-wachen (ist) to wake up (13)
**auf-wachsen, wuchs auf, ist aufge-
wachsen, er wächst auf** to grow up
auf-wärmen to warm up
das **Auge, –s, –n** eye (10)
der **Augenblick, –e** moment (8)
der **August′** August (14)
aus out of, from (4)
der **Ausdruck, ⸗e** expression (17)
aus-drücken to express
ausdrucksvoll expressive
aus-füllen to fill out, fill up
die **Ausgaben** (*pl.*) expenses
**aus-geben, gab aus, ausgegeben, er
gibt aus** to spend (22)
ausgezeichnet excellent
**aus-halten, hielt aus, ausgehalten,
er hält aus** to endure, stand (18)
**aus-kommen, kam aus, ist ausge-
kommen** to get along
das **Ausland** foreign country (9)
der **Ausländer, —** foreigner (17)
die **Ausnahme, –n** exception (17)
aus-rechnen to calculate (14)
aus-rufen, rief aus, ausgerufen to call
out
**aus-sehen, sah aus, ausgesehen, er
sieht aus** to appear, seem, look (24)
die **Außenalster** Outer Alster Lake (21)
der **Außenseiter, —** outsider
die **Außenwelt** outside world

außerdem besides, moreover
außerhalb outside of (18)
die **Aussicht** view (24)
aus-spielen to finish playing
die **Aussprache, –n** pronunciation (7)
der **Austausch** exchange
der **Aus'tauschstudent', –en, –en** exchange student
das **Auto, –s** automobile (3)
der **Autobesitzer, —** owner of a car
die **Automobil'fabrik', –en** automobile plant
der **Autoreisende, –n, –n** motorist (14)
die **Autorität'** authority
die **Autostunde, –n** hour by car

das **Bad, ⸗er** bath (14)
die **Badeinsel, –n** resort island (10)
das **Badezimmer, —** bathroom
der **Bahnhof, ⸗e** station
balancie'ren to balance
bald soon (14)
der **Balkon', –e** balcony
der **Ball, ⸗e** ball, dance (13)
der **Ballon', –s** balloon
das **Band, ⸗er** ribbon (8)
die **Bank, –en** bank (21)
der **Bank'direk'tor, –s, Bank'direkto'ren** bank director (23)
barba'risch barbarian, cruel (24)
der **Baron', –e** baron
der **Bau** construction (23)
der **Bauarbeiter, —** construction worker (23)
bauen to build (19)
der **Bauer, –s, –n** peasant, farmer (9)
bäuerlich rustic (23)
das **Bauernhaus, ⸗er** farmhouse (10)
der **Baum, ⸗e** tree (11)
das **Baumwollfeld, –er** cotton field
der **Bayer, –n, –n** Bavarian (23)
(das) **Bayern** Bavaria (12)
bayrisch Bavarian (9)
beantworten to answer (22)
bedecken to cover (11)
bedeuten to mean, signify (1)
bedeutend important (16)
die **Bedeutung, –en** meaning, significance (16)
sich **beeilen** to hurry (15)
beeindrucken to impress
beeinflussen to influence (17)

beenden to finish (17)
begeistern to inspire (18); **begeistert** enthusiastic
die **Begeisterung** enthusiasm
der **Beginn** beginning (19)
beginnen, begann, begonnen to begin, start (11)
der **Begriff** conception, idea
begrüßen to greet
behandeln to treat
behaupten to assert, declare (17); to claim
beherrschen to control, dominate (23)
bei near, at; with, at the home of (3)
beide both, two (8)
beinahe almost (7)
das **Beispiel, –e** example; **z.B. = zum Beispiel** for example (8)
bekannt (well) known (5)
Bekannte (*pl.*) acquaintances
die **Bekanntschaft, –en** acquaintance
bekommen, bekam, bekommen to get, receive (15)
der **Belagerer, —** besieger (24)
belagern to besiege (24)
die **Belagerung, –en** siege (24)
(das) **Belgien** Belgium (2)
beliebt popular (25)
bemerken to notice, observe
benachbart neighboring
benutzen to use
das **Benzin'** gasoline
die **Benzin'gase** (*pl.*) gasoline fumes
beobachten to observe
bereit ready (24)
bereiten to prepare
der **Berg, –e** mountain (7)
der **Beruf, –e** profession (18)
berühmt famous (5)
beschädigen to damage (22)
beschreiben, beschrieb, beschrieben to describe, write up (12)
die **Beschreibung, –en** description
beschützen to protect
besiegen to defeat (24)
die **Besitzung, –en** property, estate (19)
besonders especially (9); **besonder–** special
besprechen, besprach, besprochen, er bespricht to discuss
besser better (8)

best– best (8); **am besten** best (12)
beständig constantly
bestehen, bestand, bestanden to consist (9)
bestellen to order (8)
der **Besuch, –e** visit (16)
besuchen to visit (10); to attend
der **Besucher, —** visitor (16)
beten to pray (24)
betrachten to consider (23)
das **Bett, –es, –en** bed (13)
bevölkert populated
bevor' before (13)
sich **bewegen** to move
der **Bewohner, —** inhabitant
bewundern to admire (7)
bezahlen to pay
die **Bibel** Bible (16)
die **Bibliothek', –en** library
das **Bier** beer (23)
bieten, bot, geboten to offer (21)
das **Bild, –er** picture, photograph (3)
das **Bildchen, —** small picture
billig, cheap, inexpensive (11)
binden, band, gebunden to bind, tie (20)
die **Binnenalster** Inner Alster Lake (21)
die **Biographie', –n** biography (19)
bis up to, to, until (11)
bißchen: ein — a little bit
bitte please (1); **— schön** don't mention it (25)
bitten, bat, gebeten to ask, beg (20)
blau blue (21)
bleiben, blieb, ist geblieben to stay, remain (15)
der **Bleistift, –e** pencil (9)
der **Blick, –e** glance (12)
blicken to look
blinken to blink (13)
die **Blume, –n** flower
der **Boden** soil
der **Bombenangriff, –e** bombing (attack) (21)
das **Boot, –e** boat
borgen to borrow
braten, briet, gebraten, er brät to roast (23); to fry
der **Brauch, –e** custom
brauchen to need (14)
brauen to brew (23)
braun brown

brechen, brach, gebrochen, er bricht to break (20)
breit broad (21), wide
brennen, brannte, gebrannt to burn (18)
der **Brief, –e** letter (14)
der **Briefkasten, –** mailbox (14)
bringen, brachte, gebracht to bring, take (9)
das **Brot, –e** bread
die **Brücke, –n** bridge (10)
der **Bruder, –** brother (10)
das **Buch, –er** book (1)
der **Buchstabe, –n, –n** letter (of the alphabet)
die **Bude, –n** room
die **Bühne, –n** stage
das **Bullauge, –s, –n** porthole
das **Bundeshaus** Federal Building (5)
die **Bun'desrepublik'** Federal Republic
bunt colorful
die **Burg, –en** stronghold, castle (11)
der **Bürger, —** citizen (18)
das **Büro', –s** office (14)
der **Bus, –se** bus (3)
buschig bushy
die **Butter** butter (14)

das **Café, –s** café (12)
der **Charak'ter, . . . te're** character (9)
charakteri'stisch characteristic (23)
der **Christ, –en, –en** Christian (24)
das **Christentum** Christianity
christlich Christian

da there (9), then; since (19)
dabei' moreover; in so doing; at the same time
das **Dach, –er** roof
dafür' for it (15)
dage'gen against it; on the other hand (22)
dahin'-ziehen, zog dahin, ist dahingezogen to move along
damals then, at that time (21)
die **Dame, –n** lady (9)
damit' with that; so that (20)
dampfend steaming
der **Dampfer, —** (steam)ship, steamer, ocean liner (3)
die **Dankbarkeit** gratefulness

danke thank you (1); — schön thank you very much
danken to thank (4)
dann then (7); — und wann now and then
daran' in it (19)
darauf' on it, on them (15); thereupon
darin' in it (15)
darü'ber about it (15)
darun'ter among them
da-sein, war da, ist dagewesen, er ist da to be present
daß that (8)
das Datum, Daten date (14)
dauern to take; to last
davon' of it (21)
dazu' for it (25); in addition
die Debat'te, –n debate
der Deckstuhl, ⸗e deckchair (13)
definie'ren to define
der Deich, –e dike (10)
dein your (8)
deklinie'ren to decline (15)
die Dekoration', –en decoration (23)
die Demokratie' democracy (23)
demokra'tisch democratic (19)
denken, dachte, gedacht to think (8); sich — to think to oneself, imagine; das Denken thinking, thoughts
der Denker, — thinker
das Denkmal, ⸗er monument (19)
denn for, because (13)
deprimie'ren to depress
derglei'chen (15); similar
derjenige that one (23)
dersel'be, dieselbe, dasselbe the same (9)
deshalb therefore (10)
detailliert' detailed
der Detektiv', –e detective
deutsch German (1); auf — in German (1)
(das) Deutsch German (7)
der Deutsch'amerika'ner, — German-American
das Deutsch'amerika'nertum German-American element
der Deutsche, –n, –n German (8)
(das) Deutschland Germany (2)
die Deutschlandreise, –n trip through Germany (7)

die Deutschlehrerin, –nen (woman) teacher of German (13)
deutschsprachig German-speaking
die Deutschstunde, –n German class (13)
der Dezem'ber December (14)
das Dezimal'system' decimal system (14)
dgl. = dergleichen
d.h. = das heißt that is to say (21)
der Dialekt', –e dialect (9)
der Diamant', –en, –en diamond (11)
das Dichten writing of poetry (18)
der Dichter, — poet (16)
die Dichtkunst poetry, poetic art (16)
dick thick, fat (9)
dienen to serve (24)
der Dienst, –e service (22)
der Dienstag Tuesday (14)
das Dienstmädchen, — maid
dieser, diese, dieses this (1)
diesmal this time
das Ding, –e thing (25)
diploma'tisch diplomatic (12)
der Direk'tor, –s, . . . to'ren director (18)
die Diskussion', –en discussion
diskutie'ren to discuss
doch yet, however, nevertheless (11); after all, surely; *contradicting a negative statement* oh, yes; *in a question, when speaker anticipates affirmative reply* aren't you?
der Doktor, –s, Dokto'ren doctor (12)
der Dom, –e cathedral (4)
die Donau Danube (13)
donnerähnlich thunderlike
donnern to thunder
der Donnerstag Thursday (14)
das Dorf, ⸗er village (10)
die Dorfgeschichte, –n village tale
das Dorfwirtshaus, ⸗er village inn
dort there (7)
das Drama, Dramen drama (12)
der Drama'tiker, — dramatist
drama'tisch dramatic
draußen outside
sich drehen to turn
dreimal three times
dreißigst– thirtieth (11)
dreizehnt– thirteenth (4)
dritt– third
die Drogerie', –n drugstore (15)
der Drogist', –en druggist (15)
die Drohung, –en threat (24)

drücken to press
dumm stupid; foolish (25)
dunkel (*inflected* **dunkl–**) dark (22)
dunkelblau dark blue
durch through (5)
durchblät'tern to leaf through
**durchschnei'den, durchschnitt, durch-
schnitten** to cut across (10)
der **Durchschnitt** average (13)
dürfen, durfte, gedurft, er darf to be
permitted (12); **wir dürfen nicht**
we must not (22)
der **Durst** thirst
durstig thirsty (9)
das **Dutzend** dozen
duzen to call someone by the familiar
du (*rather than by the formal* **Sie**);
das Duzen calling each other **du**

eben just (25)
die **Ecke, –n** corner (12)
ehe before (18)
ehren to respect; to honor
das **Ei, –er** egg (13)
eigen own (7)
die **Eigenschaft, –en** quality
eigentlich really (24); actually
eilen (ist) to hurry (23)
ein-bauen to build in
der **Eindruck, ⸗e** impression
einfach simple, plain
**ein-fahren, fuhr ein, ist eingefahren,
er fährt ein** to enter
ein-führen to introduce (18); to
establish
einige some (11)
der **Einkauf, ⸗e** purchase
ein-kaufen to buy
ein-laden, lud ein, eingeladen to
invite (20)
die **Einladung, –en** invitation
einmal once (11); sometime; **auf —**
suddenly; **nicht —** not even; **noch
—** once more; **schon —** already
(24)
**einschlafen, schlief ein, ist einge-
schlafen, er schläft ein** to fall
asleep
der **Einwanderer, —** immigrant
ein-wandern (ist) to immigrate
der **Einwohner, —** inhabitant (14)
einzeln single, isolated (10)

einzig– only (5)
die **Eisenbahn, –en** railroad (17)
eiskalt ice-cold
der **Eistee** iced tea (15)
die **Elbe** Elbe river (3)
das **Elbewasser** water of the Elbe river
(21)
elegant' elegant (22)
die **Elektrizität'** electricity
das **Elend** misery (22)
elf eleven (10)
die **Eltern** parents (18)
emailliert' enameled
**empfehlen, empfahl, empfohlen, er
empfiehlt** to recommend (8)
das **Ende** end (4); **zu — gehen** to come to
an end (19)
enden to end (17)
endlich at last, finally (11)
die **Energie'** energy
ener'gisch energetic (21)
eng narrow (25)
die **Enge** narrowness (17)
die **Engelsgeduld** patience of an angel
(das) **England** England (3)
der **Engländer, —** Englishman (9)
englisch English (1); **auf —** in
English (2)
entdecken to discover (23)
die **Entfernung, –en** distance (14)
entfernt far, distant
entfliehen, entfloh, ist entflohen to
escape (18)
entlang along
entschuldigen to excuse; **Entschuldigen Sie!** Excuse me
die **Entschuldigung, –en** excuse; **Entschuldigung!** Excuse me (15)
entstehen, entstand, ist entstanden to
originate, come into being (16)
die **Entstehung** origin, formation (16)
enttäuscht disappointed (19)
sich **entwickeln** to develop
die **Entwicklung, –en** development (17)
die **Erde** earth (24), ground
das **Ereignis, . . . nisse** event
**erfahren, erfuhr, erfahren, er er-
fährt** to learn, find out (18)
die **Erfahrung, –en** experience
erfinden, erfand, erfunden to invent,
design (23)
der **Erfolg, –e** success (18)

erfüllen to fulfill (19)
die Ergänzung, –en supplement (6)
sich erheben, erhob sich, sich erhoben to rise (22)
erinnern to remind; sich — to remember
die Erinnerung, –en memory (16)
erkennen, erkannte, erkannt to recognize, notice
erklären to explain (4); erklärend by way of explanation
die Erklärung, –en explanation
erlauben to allow, permit (7)
erleben to experience, live to see (19)
das Erlebnis, . . . nisse experience (15)
erleuchten to illuminate (22)
ernst serious (22)
der Ernst seriousness; allen Ernstes in all seriousness
ernsthaft serious
erobern to conquer, gain (24)
erreichen to reach, get to (19)
erscheinen, erschien, ist erschienen to appear (11)
(sich) erschießen, erschoß, erschossen to shoot (oneself)
erschüttern to shake (17)
ersetzen to replace, take the place of, make up for
erst first (7); only, not until
erstaunt astonished
erwachen (ist) to awake
erwähnen to mention (19)
erwarten to expect (15)
die Erwartung, –en expectation
erwartungsvoll full of expectation
erzählen to tell (11)
essen, aß, gegessen, er ißt to eat (8)
das Essen eating, food (12); dinner
der Eßtisch, –e dining table
etwa about (19); approximately
etwas something (1), a little, some; so — such a thing
euer your (8)
(das) Euro'pa Europe (2)
europä'isch European (22)
das Exa'men, — examination (22)
existie'ren to exist (21)
exo'tisch exotic (19)
experimentie'ren to experiment

die Fackel, — torch

fahren, fuhr, ist gefahren, er fährt to go, drive (3), ride, travel
der Fahrplan, ⸗e timetable (14)
der Fahrschein, –e ticket
die Fakultät', –en faculty
der Fall, ⸗e case (14)
fallen, fiel, ist gefallen, er fällt to fall (20)
fällen to fell, cut down
falls in case (20)
falsch false, wrong (1)
die Fami'lie, –n family (10)
der Fami'lienname, –ns, –n family name, surname
der Fana'tiker, — fanatic
die Farbe, –n color (25), paint
der Farbfilm, –e color film
der Fasching carnival (23)
die Faschingszeit time of the carnival (23)
fast almost (18)
der Februar February (14)
das Federbett, –es, –en thick eider-down comforter (10)
fehlen to be missing, be absent (10), lack; das Fehlen lack, absence
der Fehler, — mistake (7); fault
die Feier, –n convocation
feierlich solemn
feiern to celebrate (11)
fein fine, refined (21)
der Feind, –e enemy (18)
die Feindesliebe love for one's enemy
die Feindschaft enmity
das Feld, –er field (10)
der Feldzug, ⸗e campaign (17)
das Fenster, — window (15)
der Fensterplatz, ⸗e seat by the window
die Ferien (pl.) vacation (10)
die Ferienreise, –n vacation trip
fern far, distant (17)
die Ferne distance (25)
das Fernglas binoculars (25)
der Fern'sehapparat', –e television set
fertig finished, completed (19)
das Fest, –e festival (23)
festlich festive (23)
die Festung, –en fortress (22)
der Film, –e film (21)
der Filmschauspieler, — film actor
die Filmzeitschrift, –en film magazine
finanziell' financial (24)
finden, fand, gefunden to find (7)

der **Finger**, — finger (13)
die **Firma, Firmen** firm, company (13)
der **Fisch**, –e fish (9)
der **Fischer**, — fisherman (10)
das **Fischgericht**, –e fish course (10)
    flackernd flickering (15)
die **Flag'genzeremonie'**, –n flag-raising ceremony
die **Flasche**, –n bottle (25)
    flattern to flutter, wave
    fliegen, flog, ist geflogen to fly (3)
der **Flieger**, — flyer (22)
    fliehen, floh, ist geflohen to flee (18)
    fließen, floß, ist geflossen to flow (20)
der **Flughafen**, ⸗ airport (22)
das **Flugzeug**, –e airplane (3)
das **Flugzeugfenster**, — airplane window (13)
der **Fluß**, ⸗sse river (4)
die **Flußstadt**, ⸗e river town (4)
das **Flußufer**, — river bank (4)
das **Flußwasser** river water (21)
    flüstern to whisper
    folgen to follow (14)
das **Folgende** the following (11)
die **Form**, –en form (10)
die **Formalität'**, –en formality
die **Formation'**, –en formation (18)
das **Formular'**, –e form, blank
    fort-fahren, fuhr fort, (ist) fortgefahren, er fährt fort to leave; to continue
    fort-fliegen, flog fort, ist fortgeflogen to fly away
der **Fortschritt**, –e progress
    fort-setzen to continue (24)
die **Fracht**, –en freight (23)
das **Frachtschiff**, –e freighter (23)
die **Frage**, –n question (2)
    fragen to ask (2)
(das) **Frankreich** France (2)
der **Franzo'se**, –n, –n Frenchman (9)
    franzö'sich French (9)
die **Frau**, –en woman; wife; Mrs. (5)
das **Fräulein**, — young lady; Miss (2)
    frei free (17); vacant
die **Freiheit** freedom, liberty (7)
der **Freiheitskampf** struggle for liberty (18)
die **Freiheitsstatue** Statue of Liberty (7)
    freilich to be sure (22)

die **Freistadt**, ⸗e free city (*city with sovereign rights*) (21)
der **Freitag** Friday (14)
die **Freizeit** leisure time (5)
    fremd foreign (18), strange
die **Freude**, –n joy, pleasure (21); — **machen** to give joy
sich **freuen** to be glad (21); **sich — auf** to look forward to; **sich — über** to be glad
der **Freund**, –e friend (8)
die **Freundin**, –nen girl friend
    freundlich friendly
die **Freundschaft**, –en friendship
die **Freundschaftserklärung**, –en declaration of friendship
der **Friede** peace (24)
    frisch fresh (9)
    frisie'ren to dress (*hair*)
    froh glad (24)
    fröhlich gay, merry (25)
    fruchtbar fruitful, fertile (10)
    früh early (18); **früher** earlier
der **Frühling** spring (14)
das **Frühstück** breakfast (13)
    frühstücken to eat breakfast
    fühlen to feel (13); **sich wohl —** to feel content
    führen to lead (18), conduct
    füllen to fill; **sich —** to fill up
    fünf five (5)
    funktionie'ren to work
    für for (3)
    furchtbar frightful, terrible (22)
sich **fürchten vor** to be afraid of
der **Fürst**, –en, –en prince, sovereign (16)
der **Fuß**, ⸗e foot (14); **zu —** on foot
der **Fußball**, ⸗e football
die **Fuß'ballare'na** football arena
das **Fußballgebet**, –e football prayer
die **Fußballmannschaft**, –en football team
das **Fußballspiel**, –e football (game)
das **Fußballspielfest**, –e football festival, football pageant

    ganz whole; entire(ly) (9); all of (13); very; quite; **das Ganze** the whole
    gar nicht not at all
der **Garten**, ⸗ garden (10)
das **Gar'tenrestaurant'**, –s garden restaurant
der **Gast**, ⸗e guest (15)

die **Gaststätte,** –n restaurant (24)
gebacken baked (9)
das **Gebäude,** — building (4)
geben, gab, gegeben, er gibt to give
(8); **es gibt** there is, there are (11)
das **Gebiet,** –e territory (9); field (17)
das **Gebirge,** — mountain range (10)
geboren born (24)
der **Gebrauch,** ≈e custom, use
gebrauchen to use (12)
das **Geburtshaus,** ≈er birthplace (5)
das **Geburtsjahr,** –e year of birth (17)
die **Geburtsstadt,** ≈e birthplace (5)
der **Geburtstag,** –e birthday (14)
der **Gedanke,** –ns, –n thought (12)
das **Gedicht,** –e poem (11)
die **Gefahr,** –en danger (16)
gefährlich dangerous (10)
gefallen, gefiel, gefallen, es gefällt
to like; **mir gefällt** I like (12)
das **Gefühl,** –e feeling
gegen against (6)
der **Gegensatz,** ≈e contrast (22), opposite
gegenü'ber opposite; toward
gehen, ging, ist gegangen to go; to
leave; **Wie geht's?** How are you?
(1)
gehören to belong (18)
der **Geist,** –er ghost (11); spirit (23);
intellect
geistig intellectual
das **Gelächter** laughter (22)
das **Geld,** –er money (14)
gelegen sein to be situated
die **Gelegenheit,** –en opportunity (21);
occasion
gelehrt learned, scholarly
der **Gelehrte,** –n scholar (24)
die **Gemäl'degalerie',** –n picture gallery
(21)
gemeinsam common (16)
die **Gemütlichkeit** congeniality (23)
der **General',** ≈e general (24)
das **Genie',** –s genius
sich **genie'ren** to feel embarrassed
genießen, genoß, genossen to enjoy
(23)
genug enough (3)
genügen to be enough, suffice
geöffnet open (15)
geogra'phisch geographically (10)

der **Gepäckträger,** — porter
gerade just; exactly (23)
gerecht just, fair
gern(e) gladly; **ich esse** — I like to
eat (9)
das **Geschäft,** –e store (21)
geschäftlich business
der **Geschäftsbrief,** –e business letter
das **Geschäftshaus,** ≈er commercial building (21)
die **Geschäfts'konferenz',** –en business
meeting
der **Geschäftsmann, . . . leute** businessman (21)
die **Geschäftsstraße,** –n business street
geschehen, geschah, ist geschehen,
es geschieht to happen (17), take
place
die **Geschichte,** –n history (7); story (10)
der **Geschirrspüler,** — dishwasher
der **Geselle,** –n, –n fellow
gesellschaftlich social
das **Gesetz,** –e law (19)
das **Gesicht,** –er face (9)
das **Gespräch,** - e conversation (19)
die **Gesprächspause,** –n pause in the conversation
die **Geste,** –n gesture
gestehen, gestand, gestanden to confess
gestern yesterday (21); — **abend,**
— **nacht** last night
gewaltig powerful, strong, mighty;
intense
das **Gewicht,** –e weight (14)
gewinnen, gewann, gewonnen to win
(20)
sich **gewöhnen an** to become accustomed
to
gewöhnlich average; usually
gewöhnt sein an to be accustomed to
der **Glanz** splendor (22)
das **Glas,** ≈er glass (9)
glauben to believe (3)
gleich same; right; **das Gleiche** the
same
gleichwertig of equal value
gleichzeitig simultaneously, at the
same time (23)
glitzern to glisten (13), glitter
das **Glück** luck; happiness; — **haben** to
be lucky (17)

glücklich happy (17)
gotisch Gothic (4)
der Gott, ⸗er God (8)
die Göttin, –nen goddess
göttlich divine
das Grab, ⸗er grave
das Gramm gram (14)
gratulie′ren to congratulate
grau gray (25)
die Grenze, –n border, boundary (12)
(das) Griechenland Greece (14)
groß great (2), large, big, tall (4);
größer larger (10)
die Großmutter, ⸗ grandmother (13)
die Großstadt, ⸗e metropolis (21)
die Großstadtmenge big-city crowd
die Großstadtstraße, –n big-city street
der Großvater, ⸗ grandfather
grün green (11)
der Grund, ⸗e reason (21)
die Gruppe, –n group
der Gruß, ⸗e greeting
grüßen to greet (23)
der Gugelhupf see Napfkuchen
das Gulasch goulash (9)
gut good (1), fine; well (4); etwas
Gutes something good; manches
Gute many a good thing; nichts
Gutes nothing good (19)

haben, hatte, gehabt, er hat to have
(2)
der Hafen, ⸗ harbor (7)
der Hafenarbeiter, — longshoreman
der Hafeneingang, ⸗e harbor entrance
der Hafenlärm harbor noise
die Hafenstadt, ⸗e seaport town (10)
halb half (14)
die Hälfte, –n half
halten, hielt, gehalten, er hält to hold
(8); to stop (11); to keep; — von
to think of
der Hamburger, — citizen of Hamburg
(13)
die Hand, ⸗e hand (8)
der Handel commerce (19)
handeln von to deal with
die Handelsstadt, ⸗e commercial city (19)
das Händeschütteln handshaking
der Handkoffer, — suitcase
das Handtuch, ⸗er towel (15)

hängen, hing, gehangen to hang, be
suspended (13)
der Harz Harz Mountain (11)
hassen to hate (18)
das Haupt, ⸗er head
der Hauptgrund main reason
die Hauptrolle, –n leading role
hauptsächlich essentially, chiefly (23),
mainly
die Hauptstadt, ⸗e capital (5)
die Hauptstraße, –n main street (22)
das Haupt′transport′mittel, — chief
means of transportation
das Hauptwerk, –e major work (5)
das Haus, ⸗er house (5); nach Hause
home (19); zu Hause at home (20)
die Hausaufgabe, –n homework
die Hausfrau, –en housewife (10)
der Haushalt household
der Hausherr head of the family
die Haushilfe household help
die Hausnummer, –n street number (14)
die Heimat home, hometown (15)
der Heimatstaat, –es, –en home state
die Heimatstadt, ⸗e hometown
das Heimweh homesickness; — haben
to be homesick
heiraten to marry
heiß hot (7)
heißen, hieß, geheißen to be called
(1); to mean (2)
heizen to heat
die Heizung heating
der Held, –en, –en hero (17)
die Heldin, –nen heroine
helfen, half, geholfen, er hilft to help
(4)
hell bright (22)
hellblau light blue
das Hemd, –es, –en shirt (12)
heraus′ out
herbstlich like fall
hero′isch heroic (24)
der Herr, –n, –en gentlemen, Mr. (2);
master
herrlich wonderful (11)
herrschen to prevail, exist
her-stellen to produce, manufacture
(23)
das Herz, –ens, –en heart (11)
die Herzenswärme warmth of the heart
der Herzog, ⸗e duke (18)

heute today (3); — **abend** tonight
(25); — **früh** this morning; —
nachmittag this afternoon (14)
heutig today's
die **Hexe, –n** witch (11)
hier here (7)
hiermit herewith (24)
hierzulande in this country
die **Hilfe** help (24)
der **Himmel** sky, heavens (25)
hinauf' up
**hinaus'-treten, trat hinaus, ist hinaus-
getreten, er tritt hinaus** to step
outside
**hinein'-treten, trat hinein, ist hinein-
getreten, er tritt hinein** to step
inside
sich **hin-setzen** to sit down (18)
hinter behind (9)
der **Hintergrund** background (23)
**hinü'ber-springen, sprang hinüber, ist
hinübergesprungen** to jump across
hinun'ter down(stairs)
**hinun'ter-gehen, ging hinunter, ist
hinuntergegangen** to go downstairs
**hinun'ter-gleiten, glitt hinunter, ist
hinuntergeglitten** to glide down
hinzu'-fügen to add
der **Histo'riker, —** historian
histo'risch historical (21)
hoch (hoh–) high (4)
das **Hochdeutsch** High German; **auf
hochdeutsch** in High German (10)
die **Hochebene, –n** plateau (13)
das **Hochhaus, =er** skyscraper
höchst– highest (11)
das **Hochwasser** high water, flood
das **Hofbräuhaus** *name of the best-known
restaurant in Munich* (23)
hoffen to hope (23)
die **Hoffnung** hope (24)
der **Höhepunkt, –e** climax (7)
Holsteiner Art à la Holstein (13)
hören to hear (11)
der **Horizont'** horizon (11)
der **Hörsaal, . . . säle** lecture room
das **Hotel', –s** hotel (12)
der **Hotel'angestellte, –n, –n** hotel employee
das **Hotel'zimmer, —** hotel room (15)
das **Huhn, =er** chicken (23)
der **Humor'** humor (8)

die **Humuserde** humus soil
der **Hund, –e** dog (9)
hundertmal a hundred times
hun'dertprozen'tig hundred-percent
(23)
der **Hunger** hunger (8)
hungernd starving
hungrig hungry (8)
hupen to honk (*horn*)

idealisiert' idealized
der **Idealis'mus** idealism
die **Idee', –n** idea (19)
ihr her; their (6)
Ihr your (1)
illustriert' illustrated (15)
immer always (8); **auf** — forever;
— **wieder** again and again (17)
imponie'ren to impress
imposant' impressive
in in, into (3)
der **India'ner, —** Indian (19)
der **India'nerpfad, –e** Indian trail (7)
das **Indivi'duum** individual (12)
industrialisiert' industrialized
die **Industrie', –n** industry (19)
das **Industrie'produkt', –e** industrial
product (21)
die **Industrie'stadt, =e** industrial town
(21)
das **Industrie'zentrum, . . . zentren** industrial center (11)
der **Ingenieur', –e** engineer (24)
der **Inhalt** content (18)
das **Inland** inland (21)
das **Innenleben** inner life
inner inner (19)
das **Innere** interior; inner self
innerhalb inside of (23)
die **Insel, –n** island (10)
inspirie'ren to inspire
das **Institut', –e** institute (12)
das **Instrument', –e** instrument (13)
interessant' interesting (7)
sich **interessie'ren für** to be interested in
(9)
das **Interes'se, –n** interest
international' international (9)
intrigie'ren to intrigue, plot (24)
irgendein any; some
(das) **Ita'lien** Italy

der **Italie′ner,** — Italian (9)
italie′nisch Italian (9)

ja yes; really, of course; (*also used as particle*)
die **Jagd** hunting
der **Jagdpartner,** — hunting partner
hagen to hunt; **das Jagen** hunting
der **Jäger,** — hunter
das **Jahr,** –e year (4)
die **Jahreszeit,** –en season
das **Jahrhun′dert,** –e century (4)
jahrhun′dertealt centuries-old (23)
jahrhun′dertelang for centuries
der **Januar** January (12)
jawohl′ yes, indeed
je . . . desto the . . . the
jeder, jede, jedes each, every (6)
jedesmal every time
jemand somebody (23)
jetzt now (3)
der **Journalist′,** –en, –en journalist (16)
jugendlich youthful
der **Juli** July (14)
jung young (9)
der **Junge,** –n, –n boy (10)
der **Jüngling,** — young man
der **Juni** June (14)

die **Kabi′ne,** –n cabin (13)
der **Kaffee** coffee (9)
das **Kaffeehaus, ⸗er** café
die **Kaffeetasse,** –n coffee cup
der **Kaiser,** — emperor (24)
die **Kaiserin,** –nen empress (2)
kaiserlich imperial
das **Kaiserreich,** –e empire
die **Kaisertochter, ⸗** daughter of the emperor
kalt cold (7)
der **Kampf, ⸗e** struggle, battle (5)
kämpfen to fight, struggle (18)
(das) **Kanada** Canada (2)
der **Kanal′, ⸗e** canal (10)
die **Kano′ne,** –n cannon, gun (13)
die **Kapel′ le,** –n band (23); chapel (24)
der **Kapitän′,** –e captain (13)
das **Kapi′tel,** — chapter (21)
der **Karneval,** –e carnival (23)
die **Karte,** –n card; map (2); ticket (24)
die **Katastro′phe,** –n catastrophe
kaufen to buy (11)

der **Kaufmann, . . . leute** merchant
kaum hardly (21)
kein no (3), not any
der **Kellner,** — waiter
die **Kellnerin,** –nen waitress (23)
kennen, kannte, gekannt to know (5)
kennen-lernen to get to know (15); to meet
das **Kilogramm′** kilogram (*2.205 lb.*) (14)
das **Kilome′ter,** — kilometer (*0.621 mile*)
kilome′terlang of many kilometers
der **Kilome′terstein,** –e kilometer stone (14)
die **Kilome′terzahl,** –en number of kilometers (14)
das **Kind,** –er child (8)
das **Kino,** –s movies (13)
die **Kirche,** –n church (16)
das **Kirchengebäude,** — church building
der **Kirchenraum, ⸗e** room in the church
klagen to complain
klar clear
die **Klasse,** –n class (4)
das **Klassenzimmer,** — classroom (18)
das **Klavier′,** –e piano (15)
der **Klavier′spieler,** — pianist (15)
das **Kleid,** –er dress (12)
die **Kleidung** clothing, clothes (9)
klein little, small (2)
die **Klimaanlage,** –n air conditioning
klingen to sound (14)
das **Klischee′,** –s cliché, stereotype (22)
der **Klischee′film,** –e stereotyped film
km = Kilometer (*0.621 mile*)
das **Knie,** — knee
der **Knoten,** — knot (13)
der **Koch, ⸗e** cook (8)
kochen to cook
der **Kolle′ge,** –n, –n colleague
das **Kolleg′heft,** –e lecture notebook
das **Kolonial′leben** colonial life
kolossal′ colossal, gigantic
das **Komman′do,** –s command (18)
kommen, kam, ist gekommen to come (3)
der **Kommentar′,** –e commentary
der **Kommilito′ne,** –n, –n fellow student
die **Kommilito′nin,** –nen fellow (girl) student
das **Kompliment′,** –e compliment
der **Komponist′,** –en, –en composer (5)
die **Komposition′,** –en composition (17)

die **Konditorei′, –en** confectioner's shop, café (15)
die **Konferenz′, –en** conference, meeting
der **König, –e** king (23)
können, konnte, gekonnt, er kann can, be able (12)
der **Kontinent′, –e** continent (17)
der **Kopf, ≃e** head
die **Kör′perdimension′, –en** physical dimension
die **Korrespondenz′** correspondence (14)
kosten to cost (14)
das **Kostüm′, –e** costume (23)
die **Kraft, ≃e** strength, energy (22), force, vigor
kräftig strong, powerful
die **Krankheit, –en** illness (18)
kreischen to shriek
der **Krieg, –e** war (21)
das **Kriegerdenkmal, ≃er** war memorial (24)
die **Kritik′** critique, review
kritisie′ren to criticize
die **Krone, –n** crown
der **Kronprinz, –en, –en** crown prince
die **Küche, –n** kitchen; cooking, cuisine (9)
der **Kuchen, —** cake (15)
die **Kuh, ≃e** cow (13)
kühl cool (7); **etwas Kühles** something cool (15)
der **Kühlschrank, ≃e** refrigerator
die **Kultur′, –en** culture (13)
kulturell′ cultural (16)
die **Kultur′kolonie′, –n** cultural colony
der **Kultur′kritiker, —** critic of culture
das **Kultur′leben** cultural life
das **Kultur′produkt′, –e** product of culture
die **Kultur′provinz′, –en** cultural province (9)
die **Kultur′tradition′, –en** cultural tradition
der **Kultur′unterschied, –e** cultural difference
das **Kultur′zentrum, . . . zentren** cultural center (16)
die **Kunst, ≃e** art (16)
die **Kunstausstellung, –en** art exhibition
der **Künstler, —** artist (17)
die **Kunstvorlesung, –en** lecture on art
kurz short (9)

der **Kurzbericht, –e** short report
küssen to kiss
die **Küste, –n** coast (10)

(das) **Labor′** *short for* **Laborato′rium**
lächeln to smile (7); **lächelnd** smiling (9); **das Lächeln** smile
lachen to laugh
der **Lacher, —** laugher
der **Laden, ≃** store (14)
der **Ladenbesitzer, —** store owner
die **Ladentür, –en** store door (15)
das **Land, ≃er** land, country (2); **auf dem Lande** in the country
das **Ländchen, —** small country
landen to land (13)
die **Landessprache** language of the country
die **Landschaft, –en** scenery (7); landscape
die **Landschaftsschilderung, –en** description of scenery
der **Landsmann, . . . leute** fellow countryman (24)
die **Landung, –en** landing (13)
lang long (12); **lange** for a long time
langsam slow(ly) (8)
der **Lärm** noise (21)
lassen, ließ, gelassen, er läßt to let, allow (20); to leave
laufen, lief, ist gelaufen, er läuft to run (20)
laut loud (1)
der **Lautsprecher, —** loudspeaker (13)
das **Laut′sprechersystem′, –e** loudspeaker system
leben to live (7)
das **Leben** life (14)
das **Le′bensexperiment′, –e** life experiment (19)
die **Lebensfreude** joy of life (22)
die **Lebenskraft** vitality (22)
die **Lebenslust** vivacity, high spirits (22)
der **Le′bensstandard′** standard of living
das **Lebenswerk, –e** lifework (17)
der **Lebenswille** will to live (22)
die **Lederhosen** (*pl.*) leather shorts
legen to lay, put
die **Legion′, –en** legion (13)
lehren to teach
der **Lehrer, —** teacher (7)
die **Lehrerin, –nen** (woman) teacher (7)

leicht light; easy (14); slight
leiden, litt, gelitten to suffer (20)
die **Leiden** (*pl.*) sorrows
leider unfortunately (12)
leise softly, in a low voice (23), gentle
leisten to achieve, accomplish (17)
sich — to afford
die **Lektü´re** reading
lernen to learn (14)
das **Lesebuch, ⸗er** reader
lesen, las, gelesen, er liest to read (1)
der **Leser, —** reader (25)
die **Leserin, –nen** (woman) reader
letzt– last (4), final
die **Leute** people (10)
das **Licht, –er** light (5)
die **Lichterreihe, –n** row of lights
lieb dear (14); **lieber** rather; **— mögen** to like better
die **Liebe** love (18)
lieben to love (7)
die **Liebesgeschichte, –n** love story (17)
der **Lie´besroman´, –e** love story (17)
das **Lieblingsthema, . . . themen** favorite subject
liebst–: am liebsten best (12)
das **Lied, –er** song (11)
der **Lie´derkomponist´, –en, –en** composer of songs (17)
liegen, lag, gelegen to lie, be situated (2)
die **Linie, –n** line (3)
link– left (4); **links** to the left
die **Lippe, –n** lip
die **Liste, –n** list
die **Literatur´, –en** literature (11)
die **Literatur´geschichte, –n** history of literature
das **Lob** praise (7)
loben to praise (7)
der **Löffel, —** spoon
los-machen to unfasten, detach
los-schießen, schoß los, losgeschossen to shoot, start shooting
die **Lösung, –en** solution (17)
die **Luft, ⸗e** air (13)
die **Luftbrücke** airbridge; airlift (22)
die **Lufthansa** *name of German airline*
die **Lüneburger Heide** Lüneburg Heath
die **Lust** joy (22)

lustig gay; **sich — machen über** to make fun of
der **Luxus** luxury
lyrisch lyrical (17)

machen to make (7); to do
die **Macht, ⸗e** power, force (19)
das **Mädchen, —** girl (7)
der **Mädchenname** maiden name (7)
das **Mädel, –s** girl
der **Magen, —** stomach
der **Mai** May (11)
der **Mais** corn
majestä´tisch majestic (22)
das **Mal** time (17)
mal (*short form for* **einmal**) once (8); just
malen to paint (17)
man one (10)
mancher, manche, manches many a (6)
manchmal sometimes (5)
die **Manhattaninsel** Manhattan island
der **Mann, ⸗er** man (10)
der **Mantel, ⸗** topcoat, overcoat
das **Märchen, —** fairy tale (11)
die **Mark** mark ‚(14)
der **Marktplatz, ⸗e** market place
der **Marsch, ⸗e** march (23)
marschie´ren to march (18)
der **März** March (14)
die **Maschi´ne, –n** machine (19)
die **Maske, –n** mask (23)
die **Maß** (*equivalent to about one quart*) **stein** (23)
das **Maß** extent, degree
die **Masse, –n** mass, substance, paste
die **Matro´ne, –n** matron, elderly lady
die **Mauer, –n** wall (24)
die **Medizin´** medicine (24)
das **Meer, –e** sea, ocean (10)
das **Meerwasser** ocean water (21)
mehr more (9), any more
mehrere several (10)
die **Meile, –n** mile (13)
mein my (3)
meinen to mean
die **Meinung, –en** opinion
meist– most (12); mostly; **die meisten** most (12); **meistens** mostly (14)
die **Meisterschaft, –en** championship

das **Meisterwerk, –e** masterwork, master-piece (17)
melancho'lisch melancholy
die **Melodie', –n** melody
die **Menge** crowd, quantity; numbers
die **Mensa** student cafeteria
der **Mensch, –en, –en** man (5), human being; *pl.* people (10)
die **Menschenmenge, –n** crowd
die **Menschheit** mankind (5)
das **Menschenleben, —** human life (19)
menschlich human, humane
die **Menschlichkeit** human nature
merken to notice, observe
das **Messer, —** knife (9)
das **Metall', –e** metal
das **Meter, —** meter (*3.28 feet*) (10)
die **Metho'de, –n** method (14)
(das) **Mexiko** Mexico (2)
mieten to rent
das **Mietshaus, ⸗er** apartment building (22)
der **Militär'arzt, ⸗e** army doctor (18)
militä'risch military (18)
die **Militär'schule, –n** military academy (18)
die **Million', –en** million
die **Mine, –n** mine (24)
die **Minu'te, –n** minute (14)
mißverstehen, mißverstand, mißver-standen to misunderstand (9)
mit with (4)
mit-bringen, brachte mit, mitgebracht to bring along (25); to take along
der **Mitmensch, –en, –en** fellow man (17)
mit-nehmen, nahm mit, mitgenom-men, er nimmt mit to take along (11)
der **Mittag, –e** noon (25); **zu — essen** to have lunch, dinner
das **Mittagessen** lunch (25), dinner
die **Mitte** middle, midst
das **Mittel, —** means
das **Mittelalter** Middle Ages
mittelalterlich medieval (17)
(das) **Mitteldeutschland** Central Germany (10)
der **Mittelstand** middle classes
mitten in in the center of (16)
der **Mittwoch** Wednesday (14)
möchte would like to (13)
modern' modern (5)

das **Mo'dejournal', –e** fashion magazine
modernisiert' modernized
mögen, mochte, gemocht, er mag may, to like; **lieber —** to like better
möglich possible (11)
die **Möglichkeit, –en** possibility, poten-tiality (13)
der **Monat, –e** month (10)
monatlich monthly
das **Mondlicht** moonlight (13)
der **Montag** Monday (13)
morgen tomorrow (14)
der **Morgen, —** morning (1)
morgens in the morning
das **Motiv', –e** motif (16)
der **Motor, –s, Moto'ren** motor (13)
das **Motor'boot, –e** motorboat (21)
das **Motor'rad, ⸗er** motorcycle
das **Motto, –s** motto (18)
die **Möve, –n** seagull
müde tired (14)
multiplizie'ren to multiply (14)
(das) **München** Munich (8)
Münchener (of) Munich (9)
das **Muse'um, Muse'en** museum (15)
die **Musik'** music (17)
der **Musiker, —** musician (24)
der **Musik'freund, –e** music lover
das **Musik'leben** music life
der **Muskel, –s, –n** muscle
müssen, mußte, gemußt, er muß must, to have to (12)
der **Mut** courage (24)
die **Mutter, ⸗** mother (7)
mütterlich motherly
die **Muttersprache, –n** mother tongue
das **Myste'rium** mystery

na well
nach to, toward (3); according to
der **Nachbar, –s, –n** neighbor (2)
das **Nachbarland, ⸗er** neighboring coun-try
nachdem' after (20)
nach-denken, dachte nach, nachge-dacht to think, reflect
nach-geben, gab nach, nachgegeben, er gibt nach to give in (18)
der **Nachhauseweg** way home
das **Nachlassen** decline

nach-lesen, las nach, nachgelesen, er liest nach to read up

der **Nachmittag, –e** afternoon (14)

nachmittags in the afternoon (14)

die **Nachmittagssonne** afternoon sun

die **Nachmittagsstunde, –n** afternoon hour (14)

die **Nachspeise, –n** dessert (25)

nächst– next, nearest (15); **am nächsten** closest

die **Nächstenliebe** love for one's fellow man

die **Nacht, ⁼e** night (5)

das **Nacht′lokal′, –e** night club (22)

nachts at night (14)

die **Nachtstunde, –n** hour of the night (18)

nah(e), näher, nächst– near, close (10)

die **Nähe** vicinity (22)

der **Name, –ns, –n** name (5)

namens by the name of

nämlich namely, to be sure

der **Napfkuchen** *form cake made with yeast*

die **Nase, –n** nose

die **Nation′, –en** nation (12)

der **National′held, –en, –en** national hero (19)

die **National′hymne, –n** national anthem

der **National′ökonom′, –en, –en** economist

die **Natur′** nature (19)

das **Natur′gefühl** feeling for nature

natür′ lich natural(ly) (4)

neben beside (7)

der **Nebentisch, –e** adjoining table

nehmen, nahm, genommen, er nimmt to take (8)

nein no (2)

nennen, nannte, genannt to name, call (16)

das **Neonlicht, –er** neon light (15)

nervös′ nervous

nett nice

neu new (4); anew

neun nine (2)

neunt– ninth (5)

neunzehnt– nineteenth (4)

nicht not (2)

nichts nothing (4); **— als** nothing but

der **Nichtwiener, —** non-Viennese (25)

nicken to nod

nie never (23)

niemand nobody

nirgends nowhere

noch still (7); (*also used as particle*); **— ein** another (9); **— einmal** once more (1); **— nicht** not yet (18)

norddeutsch North German

(das) **Norddeutschland** Northern Germany (10)

(das) **Nordeuropa** Northern Europe (10)

die **Nordgrenze** northern boundary (13)

nördlich north, to the north (2)

nordöstlich northeast (13)

der **Nord-Ostsee-Kanal′** North Sea-Baltic-Canal (10)

die **Nordsee** North Sea (10)

die **Nordseeküste** North Sea coast (10)

der **Nordstaat, –en** northern state (10)

der **Nordwesten** Northwest (11)

der **Novem′ber** November (14)

die **Nummer, –n** number

nun now (2); well

nur only (9); just

der **Nutzen** benefit

nützlich useful (14)

ob if, whether (14)

oben on top, above (14)

ober– upper

der **Ober, —** (head)waiter (8)

(das) **Oberbayern** Upper Bavaria (23)

oberlastig top-heavy

obgleich′ although (19)

obwohl′ although

der **Ochse, –n, –n** ox (23)

oder or (4)

offen open (15)

der **Offizier′, –e** officer (13)

öffnen to open (1)

oft often (10)

ohne without (6)

das **Ohr, –es, –en** ear (12)

der **Okto′ber** October (14)

das **Okto′berfest, –e** October festival (23)

die **Oper, –n** opera (5)

die **Ordnung** order (13)

die **Orgel, –n** organ

(das) **Ost′berlin′** East Berlin (22)

der **Osten** east (11)

(das) **Österreich** Austria (5)

der **Österreicher, —** Austrian (24)

österreichisch Austrian

(das) Ost'euro'pa Eastern Europe (24)
osteuropä'isch East European
die Ostgrenze eastern border (13)
östlich east(ern), to the east (2)
die Ostsee Baltic (sea) (10)
die Ostzone Eastern Zone (16)
die Ouvertü're, –n overture (16)
der Ozean, –e ocean (19)
der Ozeandampfer, — ocean liner (10)
die Ozeanreise, –n ocean voyage

paar: ein paar a few (17)
der Panzer, — armor; tank (13)
das Papier', –e paper
der Papier'becher, — paper cup
die Papier'serviet'te, –n paper napkin
das Paradies' paradise (19)
der Park, –s park (21)
der Parkplatz, ⸗e parking place (21)
der Passagier', –e passenger (11)
der Passagier'dampfer, — passenger
ship (3)
der Pastor, –s, Pasto'ren pastor, minister
persön'lich personally (12)
die Persön'lichkeit, –en personality (17)
die Peterskirche St. Peter's Church (24)
der Pfad, –e path, trail (7)
die Pfanne, –n pan
der Pfennig, –e penny (14)
das Pferd, –e horse (13)
pflegen to be accustomed to; to
cultivate
das Pfund pound (14)
das Phänomen', –e phenomenon (16)
der Philosoph', –en, –en philosopher (19)
die Philosophie', –n philosophy (13)
philosophie'ren to philosophize
philoso'phisch philosophical (8)
die Photographie', –n photograph, picture
das Plakat', –e poster (23)
der Plan, ⸗e plan (13)
(das) Plattdeutsch Low German (10)
die Platte, –n record (5)
der Plattenspieler, — record player
der Platz, ⸗e place, space (22)
plaudern to chat
plötzlich suddenly (13)
poe'tisch poetic
der Pole, –n, –n Pole (24)
(das) Polen Poland (2)
die Politik' politics (24)

der Poli'tiker, — politician
poli'tisch political (22)
polnisch Polish (9)
populär' popular
die Portion', –en portion, order (15)
die Porzellan'vase, –n china vase (17)
die Post mail
die Postkarte, –n post card (14)
praktisch practical (14)
die Prärie', –n prairie
der Präsident', –en, –en president
der Prater, large park in Vienna
das Präzisions'instrument', –e precision
instrument (23)
der Preis, –e price
preußisch Prussian (22)
das Prinzip', –ien principle (19)
der Privat'sekretär', –e private secretary
(19)
die Privat'wohnung, –en private resi-
dence
das Problem', –e problem (2)
das Produkt', –e product (8)
der Profes'sor, –s, Professo'ren professor
(12)
prosai'sch prosaic
das Prozent', –e percent (14)
die Psychologie' psychology (24)
der Punkt point
pünktlich punctually (13)
das Publikum public (15)
der Punkt, –e point

quälen to torment (18)
die Qualität', –en quality

das Radiospielen playing of radios
sich rasie'ren to shave
der Rasier'apparat', –e razor
die Rasier'seife shaving soap (15)
raten, riet, geraten, er rät to advise
(25); to guess
das Rathaus, ⸗er city hall
der Räuber, — robber (21)
die Rauchwolke, –n cloud of smoke
rauschen to rustle
das Rauschen rustle (11)
rebellie'ren to rebel
die Rechnung, –en check, bill (25)
recht right (4), correct; quite; —
geben to prove right; — haben to
be right

rechts to the right
die **Rede** speech; eine — **halten** to make
a speech (9)
reden to talk
die **Redensart, –en** expression; figure
of speech
die **Reformation'** Reformation (16)
der **Reforma'tor, –s, . . . mato'ren**
reformer (16)
regie'ren to rule (16)
die **Regie'rung, –en** government (5)
der **Regiments'arzt, ⸗e** regimental med-
ical officer (18)
regional' regional (9)
reich rich (21)
das **Reich, –e** empire
reichen to reach, extend (10)
die **Reihe, –n** row (4)
die **Reise, –n** trip, journey (7)
die **Reisebeschreibung, –en** travel book
das **Rei'sebüro', –s** travel agency (12)
der **Reiseführer, —** guidebook (11)
die **Reisemöglichkeit, –en** possibility for
travel
reisen to travel (11)
das **Reisen** traveling (2)
der **Reisende, –n, –n** traveler (12)
der **Reiseplan, ⸗e** itinerary
reiten, ritt, ist geritten to ride (on
horseback) (13)
der **Reiter, —** rider, horseman (13)
der **Reiz, –e** charm (23)
die **Religion', –en** religion
religiös' religious
die **Reling** rail, railing (7)
rennen, rannte, ist gerannt (to) run
(20)
die **Reparatur', –en** repair(s), repairing
reparie'ren to repair (23)
die **Repertoire' bühne, –n** repertory stage
die **Republik'** republic (16)
der **Rest, –e** rest, remainder
das **Restaurant', –s** restaurant (8)
retten to save, salvage (18)
die **Revolution', –en** revolution (17)
der **Rhein** Rhine (2)
der **Rheindampfer, —** Rhine steamer
(7)
rheinisch Rhenish (11)
die **Rheinkarte, –n** map of the Rhine
(7)
das **Rheinland** Rhineland (23)

die **Rheinlandschaft** scenery along the
Rhine (7)
die **Rheinreise, –n** trip on the Rhine (7)
richtig right, correct (1); real (21)
die **Richtung, –en** direction (11)
riechen, roch, gerochen to smell (21)
das **Riesengebäude, —** gigantic building
riesengroß huge, gigantic
die **Riesenhand, ⸗e** gigantic hand
das **Riesenrad, ⸗er** Ferris wheel (24)
die **Riesenstadt, ⸗e** gigantic city
riesig huge (22), gigantic (22)
der **Ring, –e** ring
robust' robust (23)
die **Rolle, –n** role (22)
der **Roman', –e** novel (17)
der **Roman'dichter, —** writer of novels
(19)
der **Roman'tiker, —** romanticist
roman'tisch romantic (7)
die **Römerstadt, ⸗e** Roman city
die **Römerzeit** Roman times (16)
römisch Roman (4)
rosig rosy
der **Rotwein** red wine
rufen, rief, gerufen to call (8); das
Rufen calling
die **Ruhe** quiet, peace
ruhig calm (13)
der **Ruhm** fame, renown (12)
das **Ruhrgebiet** Ruhr district (11)
die **Rui'ne, –n** ruin (7)
rund round; approximately (15)
der **Rundfunk** radio (16)
der **Russe, –n** Russian (9)
russisch Russian (9)
(das) **Rußland** Russia (2)

die **Sache, –n** matter; cause
der **Sack, ⸗e** sack
die **Sage, –n** legend (11)
sagen to say, tell (2)
der **Salat', –e** salad (9)
sammeln to gather, collect
der **Samstag** Saturday (14)
der **Sandsturm, ⸗e** sandstorm
der **Satz, ⸗e** sentence (1)
schade sein to be a pity
schaffen, schuf, geschaffen to create
(22)
schallen to sound (21)
die **Scham** shame

scharf sharp
die **Schatzkammer, –n** jewel room
das **Schaufenster,** — show window (15)
der **Schauspieler,** — actor
der **Schein, –e** note, bill
    scheinen, schien, geschienen to seem (15), appear
    schenken to give (*as a present*) (25)
    schicken to send (24)
    schieben, schob, geschoben to shove
    schießen, schoß, geschossen to shoot
das **Schiff, –e** ship (21), boat
die **Schiffs'sire'ne, –n** ship's siren (21)
die **Schiffs'kapel'le, –n** ship's orchestra
die **Schiffswerft, –en** shipyard (21)
das **Schild, –er** sign (8)
der **Schinken,** — ham (9)
das **Schinkenbrot, –e** ham sandwich
die **Schlacht, –en** battle (24)
der **Schlaf** sleep
    schlafen, schlief, geschlafen, er schläft to sleep (8)
    schlagen, schlug, geschlagen, er schlägt to hit (9), beat, defeat (18)
das **Schlagobers** whipped cream
die **Schlagsahne** whipped cream (15)
    schlecht bad, poor
der **Schlepper,** — tug(boat)
    schließen, schloß, geschlossen to close (20)
    schließlich finally (18); after all
das **Schloß, ⸗sser** castle (7)
der **Schluck** sip
    schlummern to slumber
der **Schluß** end (23); **Schluß damit!** Enough of that! — **machen** to stop
    schmecken to taste
der **Schmerz, –ens, –en** pain (18)
der **Schnee** snow
    schneiden, schnitt, geschnitten to cut (20)
    schnell quick (21)
das **Schokola'deneis** chocolate ice cream (15)
    schon already (17); *as intensifying particle* indeed, no doubt
    schön beautiful (7); fine; nice; good; very well (9)
die **Schönheit** beauty (7)
    schreiben, schrieb, geschrieben to write (1)
die **Schreibmaschi'ne** typewriter

die **Schreib'maschi'nenseite, –n** typewritten page
    schreien to shout, scream
der **Schriftsteller,** — writer (19)
der **Schuh, –e** shoe
das **Schulbuch, ⸗er** textbook (8)
die **Schule, –n** school (24)
der **Schüler,** — pupil, student (18)
die **Schulter, –n** shoulder
die **Schulzeit** school time, school days (18)
    schütteln to shake
    schützen to protect (10)
    schwänzen to cut (class)
    schwarz black (11)
    schweigen, schwieg, geschwiegen to be silent (7)
die **Schweiz** Switzerland (12)
der **Schweizer,** — Swiss (18)
    schwer difficult (5); heavy (22); hard
die **Schwester, –n** sister (10)
die **Schwierigkeit, –en** difficulty
    schwimmen, schwamm, ist geschwommen to swim (10)
ein **Sechsjähriger** six-year-old (boy)
der **See, –s, –n** lake (12)
die **See, –n** sea
das **Seebad, ⸗er** seaside resort (10)
    seekrank seasick
die **Seeluft** sea air
der **Seemann,...leute** seaman, sailor (21)
die **Seereise, –n** ocean journey (13)
das **Segelboot, –e** sailboat (21)
    sehen, sah, gesehen, er sieht to see, look (3)
die **Sehenswürdigkeit, –en** object of interest (22)
    sehr very (4); very much (18)
die **Seife** soap (15)
    sein, war, ist gewesen, er ist to be (2)
    sein his, its (6)
    seit since (6)
die **Seite, –n** page (1)
die **Sekretä'rin, –nen** secretary
die **Sekun'de, –n** second
    selbst myself; itself; even
der **Selbstbedienungsladen, ⸗** self-service store
    selbstverständlich as a matter of course
    selten seldom
die **Seme'sterarbeit, –en** term paper

senden, sandte, gesandt to send (20)
sentimental' sentimental
der **Septem'ber** September (14)
die **Serviet'te, –n** napkin
setzen to set, put (12); to place; **sich — to sit down** (15)
sich oneself, yourself (11)
sicher certain
sicherlich surely, undoubtedly (25)
sichtbar visible (21)
der **Sieg, –e** victory
der **Siegesgott** God of victory
siegreich victorious (22)
das **Signal', –e** signal (9)
singen, sang, gesungen to sing; **singend** singing; **das Singen** singing
sinken, sank, ist gesunken to sink, descend, fall (17)
der **Sinn, –e** sense, meaning (17)
sinnlos senseless, meaningless
die **Sitte, –n** custom (9)
der **Sitz, –e** seat (5)
sitzen, saß, gesessen to sit (8)
der **Sitzplatz, ⸗e** seat
der **Ski, –er** ski
der **Skiläufer, —** skier
so so, thus, then (4); **— ein** such a (7); **— etwas** something like that; **— ... wie** as ... as (4)
sobald' as soon as (20)
das **Sofa, –s** sofa
sofort' immediately, at once
sogar' even
sogenannt so-called
der **Sohn, ⸗e** son (14)
solcher, solche, solches such (6)
der **Soldat', –en, –en** soldier (10)
sollen, sollte, gesollt, er soll to be supposed to (12); shall
der **Sommer, —** summer (10)
der **Sommernachmittag, –e** summer afternoon (15)
das **Som'merseme'ster, —** summer semester
das **Som'merthea'ter, —** summer theater
sonderbar strange
sondern but (9)
der **Sonnabend** Saturday (14)
die **Sonne** sun (7)
sich sonnen to sun oneself
das **Sonnenlicht** sunlight
die **Sonnenwärme** warmth of the sun

der **Sonntag** Sunday (10)
der **Sonn'tagnach'mittagsspazier'gang, ⸗e** Sunday-afternoon walk
sonst otherwise (12)
die **Sorge, –n** worry; **sich Sorgen machen** to worry (15)
die **Sorte, –n** kind
soviel' wie as much as
soweit' as far as (10)
sozial' social (17)
sozusagen so to speak
sparsam economical, thrifty
die **Sparsamkeit** thrift
spät late (11)
der **Spazier'gang, ⸗e** walk; **einen — machen** to take a walk (25)
die **Speisekarte, –n** menu (8)
der **Speisesaal, . . . säle** dining room
spekulie'ren to speculate
das **Spezial'gebiet, –e** field of special interest
das **Spezial'geschäft, –e** *store specializing in a particular type of merchandise*
die **Spezialität', –en** specialty (9)
das **Spiel, –e** play, game (24)
spielen to play (5)
der **Spieler, —** player
das **Sportauto, –s** sports car
das **Sporthemd, –es, –en** sport shirt
der **Sportsheld, –en, –en** sports hero
die **Sprache, –n** language (10)
der **Sprachlehrer, —** language teacher
sprachlich linguistic, language
sprechen, sprach, gesprochen, er spricht to speak, talk (1); **sprechend** talking
das **Sprichwort, ⸗er** saying (8)
springen, sprang, ist gesprungen to jump
der **Staat, –es, –en** state, country (17)
der **Staatsmann, ⸗er** statesman (17)
das **Stadion, Stadien** stadium
die **Stadt, ⸗e** city, town (4)
das **Städtchen, —** small town (13)
die **Stadtmauer, –n** city wall (24)
die **Stadtverwaltung** city administration
der **Stall, ⸗e** stall, stable (24)
stammen aus to stem from, originate from, be descended from
die **Standardisie'rung** standardization
der **Standpunkt, –e** point of view
stark strong (10)

starren to stare
stati′stisch statistic
stattlich stately
staunen to be astonished (17)
stehen, stand, gestanden to stand (7); to be printed (8)
steif stiff; formal
die **Steifheit** stiffness, formality
steigen, stieg, ist gestiegen to rise (17), climb; to get in
die **Stelle, –n** place (9), spot; digit (14); passage
stellen to put (9)
die **Stellung, –en** position (11)
die **Stephanskirche** Saint Stephen's Cathedral (25)
sterben, starb, ist gestorben, er stirbt to die (17)
der **Stern, –e** star (17)
stets always (24)
der **Stil, –e** style (4)
still still, quiet (22)
die **Stille** quiet, stillness
die **Stimme, –n** voice
der **Stock,** *pl.* **Stockwerke** floor
stören to disturb, bother
die **Straße, –n** street (14), road
die **Straßenbahn, –en** streetcar
der **Straßenkreuzer, —** street cruiser
der **Straßenlärm** street noise (22)
strömen to stream, gush
das **Stübchen, —** small room
das **Stück, –e** piece (9); play (18)
der **Student′, –en, –en** student (7)
die **Studen′tenbude, –n** (student) room
die **Studen′tengeneration′, –en** generation of students
das **Studen′tenheim, –e** dormitory
das **Studen′tenleben** student life
die **Studen′tenmutter, ·** mother of students
die **Studen′tensprache** student language
die **Studen′tenzeit** student days
die **Studen′tenzeitung, –en** student newspaper
die **Studen′tin, –nen** (girl) student (10)
studie′ren to study
das **Studium, Studien** studies
der **Stuhl, ·e** chair (9)
die **Stunde, –n** hour (11)
stundenlang for hours (11)
suchen to look for, try to find (10)

(das) **Südame′rika** South America (19)
(das) **Südbayern** Southern Bavaria (13)
süddeutsch South German (13)
(das) **Süddeutschland** Southern Germany (10)
südlich south, to the south (2), southern (11); **südlichst–** most southerly (13)
die **Südwestecke** southwest corner (12)
der **Sultan, –e** sultan (24)
der **Superlativ′, –e** superlative
die **Suppe, –n** soup (9)
der **Sweater, —** sweater (4)
das **Symbol′, –e** symbol
symbolisie′ren to symbolize (22)
die **Symphonie′, –n** symphony (5)
das **System′, –e** system
die **Szene, –n** scene (17)

die **Tafel, –n** blackboard, board (1)
der **Tag, –e** day (1)
das **Tagebuch, ·er** diary (16)
die **Tagebuchseite, –n** page of the diary
tagelang for days (23)
die **Tageszeit** time of day
die **Tageszeitung, –en** daily paper
täglich daily (14)
taktvoll tactful
der **Tank, –s** tank (13)
der **Tanz, ·e** dance
tanzen to dance
tapfer courageous (18)
die **Tasche, –n** pocket
das **Taschentuch, ·er** handkerchief
die **Tasse, –n** cup (9)
die **Tat, –en** deed, action
die **Tatsache, –n** fact
das **Tausend, –e** thousand (14)
das **Taxi, –s;** die **Taxe, –n** taxi (22)
die **Technik** technology (17)
technisch technical, technological (17)
der **Tee** tea (13)
die **Teetasse, –n** teacup
der **Teil, –e** part (4); **zum —** in part
teil-nehmen, nahm teil, teilgenommen to participate
das **Telephon′gespräch, –e** telephone conversation
telephonie′ren to telephone
der **Teller, —** plate (9)
temporär′ temporary

die **Terras′se**, –n terrace (24)
 teuer expensive (11); **das Teuerste**
 the most expensive item
das **Thea′ter**, — theater (9)
der **Thea′terbesucher**, — theatergoer
das **Thea′terprogramm′**, –e (14)
das **Thea′terstück**, –e play (9)
das **Thema**, –s, **Themen** theme (5); subject, topic
der **Thronfolger**, — successor to the throne
 tief deep, low (3)
der **Tiefkühler**, — freezer
das **Tier**, –e animal
der **Tisch**, –e table (8)
die **Tischkarte**, –n place card
der **Tischsteward**, –s table steward (13)
die **Tisch′unterhal′tung** table conversation
der **Titel**, — title (25)
die **Toast′maschi′ne** toaster
die **Tochter**, = daughter (10)
der **Tod** death (18)
das **Todesjahr**, –e year of death (17)
 tödlich fatal, mortal (18)
 todmüde dead-tired
der **Ton**, =e tone (23); sound
das **Tor**, –e gate (22)
die **Torte**, –n *fancy cake* (15)
der **Tote**, –n, –n dead (person) (24)
der **Tourist′**, –en, –en tourist (7)
 tragen, trug, getragen, er trägt to carry, wear (20)
 tragisch tragic(al)
 transatlan′tisch transatlantic (16)
das **Transport′mittel**, — means of transportation
der **Traum**, =e dream (24)
 träumen to dream
der **Träumer**, — dreamer
 träumerisch dreamy, sleepy (19)
 traurig sad (9)
 treffen, traf, getroffen, er trifft to meet
 treiben, trieb, getrieben to drive (18)
 trennen to divide (21)
die **Treppe**, –n (flight of) stairs, staircase
 treten, trat, ist getreten, er tritt to step (16)
die **Trilogie′** trilogy (*series of three related dramas*) (18)
 trinken, trank, getrunken to drink (8)

das **Trinkgeld**, –er tip
das **Trinkwasser** drinking water
 triumphie′rend triumphantly
 trivial′ trivial
 trocken dry
der **Trockner**, — dryer
der **Trost** consolation (18)
 trotz in spite of (6)
 trotzdem in spite of it; nevertheless
die **Truppen** (*pl.*) troops (24)
 tun, tat, getan to do (9)
die **Tür**, –en door (13)
der **Türke**, –n, –n Turk (24)
die **Türkengefahr** Turkish danger (24)
 türkisch Turkish (24)
der **Turm**, =e tower (21)
 typisch typical (9)
der **Tyrann′**, –en, –en tyrant (18)
 tyran′nisch tyrannical, despotic (18)

 üben to practice (23)
 über over (3), above; about
 überall everywhere (24)
 überfal′len, überfiel, überfallen, er überfällt to attack (16)
 überhaupt′ come to think of it; generally
sich **überle′gen** to consider, think over
 überneh′men, übernahm, übernom′men, er übernimmt to take over, assume (22)
 überra′schen to surprise (21)
die **Überra′schung**, –en surprise
(die) **Übersee** overseas
 überse′hen, übersah, übersehen, er übersieht to overlook
 überset′zen to translate (1)
die **Überset′zung**, –en translation (12)
 übertrei′ben, übertrieb, übertrieben to exaggerate; **übertrieben** excessive
 überzeu′gen to convince
 übrig-bleiben, blieb übrig, ist übrig-geblieben to remain over (24)
 übrigens by the way (19)
das **Ufer**, — bank (of a river) (4)
die **Uhr**, –en watch (12); clock; o'clock (14)
 um around, at (6); — . . . **zu** in order to (15)
die **Umgebung** surroundings (22)
 umher′-fahren, fuhr umher, ist um-

hergefahren, er fährt umher to drive around

der Umlaut, –e vowel modification (13)

um-rechnen to convert (14)

sich um-sehen, sah sich um, sich umgesehen, er sieht sich um to look around

um-ziehen, zog um, ist umgezogen to move

der Unabhängigkeitskrieg War of Independence (19)

unbedeutend unimportant (16)

unbekannt unknown (19)

undenkbar unthinkable

unerwartet unexpected

ungarisch Hungarian (9)

ungefähr approximately (14)

das Unglück misfortune

die Universität', –en university (13)

die Universitäts'bühne, –n university stage

das Universitäts'gebäude, — university building

der Universitäts'profes'sor, . . . professo'ren university professor (23)

die Universitäts'stadt, ⸗e university town (12)

unmöglich impossible (18)

unruhig restless

unser our (6)

unten below (13)

unter under (9), below; among (16); lower

unterbre'chen, unterbrach, unterbrochen, er unterbricht to interrupt (8)

der Unterdrü'cker, — oppressor (18)

sich unterhal'ten, unterhielt sich, sich unterhalten, er unterhält sich to converse, talk

die Unterhal'tung, –en conversation

der Untermieter, — roomer

unterschei'den, unterschied, unterschieden to distinguish; sich — to distinguish oneself (9)

der Unterschied, –e difference (9)

das Unterseeboot, –e submarine (23)

unübersetz'bar untranslatable

unverdient undeserved

unverständlich unintelligible

der Urlaub furlough (18)

der Urwald, ⸗er primeval forest (19)

usw. = und so weiter and so on (14)

uto'pisch utopian (19)

der Vater, ⸗ father (3)

väterlich parental

die Verallgemei'nerung, –en generalization

verantwortlich responsible (12)

sich verbeugen to bow

verbieten, verbot, verboten to forbid (18)

verbinden, verband, verbunden to connect (10)

die Verbindung, –en connection (19); fraternity

verbrennen, verbrannte, verbrannt to burn (17)

verbringen, verbrachte, verbracht to spend (*time*) (23)

der Verbündete, –n, –n ally (24)

verdanken to owe (11)

verdienen to deserve (7); to earn

die Vereinigten Staaten United States (19)

verfolgen to pursue (24)

vergangen past (16)

die Vergangenheit past (22)

vergehen, verging, ist vergangen to pass (24)

vergessen, vergaß, vergessen, er vergißt to forget (8)

der Vergleich, –e comparison

vergleichen, verglich, verglichen to compare (10)

das Vergnügen: zum — for pleasure

vergrößern to enlarge, increase ι

das Verhältnis, . . . nisse relationship

verkaufen to sell (15)

der Verkäufer, — seller, vendor

der Verkaufsstand, ⸗e stand (*of a vendor*)

verlangen to demand, ask

verlassen, verließ, verlassen, er verläßt to leave (22)

verlegen to move (16)

verlieren, verlor, verloren to lose (17)

vermissen to miss

vernichten to destroy

der Vers, –e verse

verschieden different, various

das Verschwinden disappearance

sich verspäten to be delayed; verspätet delayed; belated

versprechen, versprach, versprochen, er verspricht to promise (16)

das **Versprechen,** — promise; **ein — halten** to keep a promise

verständlich understandable

sich **verstärken** to become stronger; to increase, intensify

verstehen, verstand, verstanden to understand (1)

der **Versuch, –e** attempt

versuchen to try, attempt (19)

vertraulich intimate

verurteilen to condemn (24)

die **Vervollkommnung** perfection (17)

verwirrend confusing

die **Verwirrung** confusion

der **Verwundete, –n, –n** wounded (person) (24)

viel much (2); **viele** many (2); **vieles** much (21)

vielleicht' perhaps, maybe (5)

viermal four times

das **Viertel,** — quarter (14)

die **Villa, Villen** villa (21)

der **Violinist', –en, –en** violinist (15)

die **Vision', –en** vision (17)

das **Vokabular'** vocabulary

das **Volk, =er** people, nation (9)

der **Volks'charak'ter** national character

das **Volksfest, –e** national festival

das **Volkslied, –er** folksong (11)

der **Volkswagen,** — Volkswagen (3)

voll full, filled

der **Voll'amerika'ner,** — full-fledged American

Volldampf voraus! Full steam ahead!

voller full of (19); filled with

von of, from (2); by (5)

vor before, in front of; from (9); **— tausend Jahren** a thousand years ago (21)

der **Vorabend** evening before

vorbei' past, gone

(sich) vor-bereiten (auf) to prepare (oneself for) (18)

die **Vorbereitung, –en** preparation

der **Vordergrund** foreground

vorgestern day before yesterday

vorig– previous (16)

vor-lesen, las vor, vorgelesen, er liest vor to read aloud

die **Vorlesung, –en** lecture (19)

der **Vorname, –ns, –n** first name

sich **vor-stellen** to imagine, suppose (24); to introduce oneself

die **Vorstellung, –en** performance; notion, conception

der **Vorteil, –e** advantage

der **Vortrag, =e** lecture

vorü'ber over, past

vorü'ber-fahren, fuhr vorüber, ist vorübergefahren, er fährt vorüber to go past

vorü'ber-gehen, ging vorüber, ist vorübergegangen to go past

vorü'ber-gleiten, glitt vorüber, ist vorübergeglitten to glide past

vor-ziehen, zog vor, vorgezogen to prefer

wachsen, wuchs, ist gewachsen, er wächst to grow

der **Wagen,** — car (1)

die **Wahl** election

wählen to choose; to elect

wahr true; **nicht —?** isn't that so? (7)

während during (5); while (20)

die **Wahrheit** truth

wahrschein'lich probably (8)

der **Wald, =er** wood, forest (10)

das **Walddörfchen,** — little forest village

der **Waldpfad, –e** forest path

der **Walzer,** — waltz (15)

der **Walzerkönig** waltz king

die **Wand, =e** wall

wandern (ist) to wander, hike

das **Wandern** hiking

die **Wanderung, –en** hike

wann when (13)

die **Ware, –n** ware, merchandise

warm warm (12)

warmherzig warm-hearted

warnen to warn

die **Warnung, –en** warning (24)

warten (auf) to wait (for)

warum' why (3)

was what; which (1); **— für ein** what a (18), what kind of

die **Wäsche** wash, laundry

(sich) waschen, wusch (sich), (sich) gewaschen, er wäscht (sich) to wash (oneself) (15)

die **Wasch'maschi'ne, –n** washing machine

das **Wasser** water (9)

der **Wechsel,** — change
weder . . . noch neither . . . nor (22)
wegen on account of, because of (6)
weg-lassen, ließ weg, weggelassen, er läßt weg to drop, omit (14)
weiblich feminine (15)
die **Weihnachtsferien** Christmas vacation
das **Weihnachtslied, –er** Christmas carol
weil because (2)
die **Weile** while; **eine** — for a while (7)
der **Wein, –e** wine (7)
der **Weinberg, –e** vineyard (7)
das **Weindorf, ⁼er** wine village (25)
das **Weinfest, –e** wine festival
die **Weinkarte, –n** wine list (25)
weise wise, prudent (16); **der Weise** wise man (16)
weiß white (4)
weit wide; far (16); **von weitem** from afar (21)
weiter-gehen, ging weiter, ist weitergegangen to continue
weiter-leben to go on living (22)
weiter-wandern (ist) to hike on
weitgereist widely traveled
welcher, welche, welches which (2)
die **Welle, –n** wave
die **Welt, –en** world (7)
weltberühmt world-famous (7)
die **Weltbühne** world stage
der **Welt′kommunis′mus** world communism
der **Weltkrieg, –e** world war (21)
die **Weltmacht, ⁼e** world power
der **Weltreisende, –n, –n** world traveler
der **Weltrichter,** — judge of the world
die **Weltstadt, ⁼e** metropolis (7)
das **Weltwunder,** — wonder of the world
wenig not much, little (15)
wenige few (11)
wenigstens at least (25)
wenn when, if (10); — **auch** even though
wer who (4), he who (21)
werden, wurde, ist geworden, er wird to become (8)
das **Werk, –e** work (5)
das **Wesentliche** the essential (19)
(das) **West′berlin′** West Berlin (22)
(das) **Westdeutschland** West Germany (9)
der **Westen** West (11)
(das) **Westfa′len** Westphalia (10)
westfä′lisch Westphalian (9)

die **Westgrenze** western border (12)
westlich west(ern), to the west (2)
die **Wette, –n** bet, wager
das **Wetter** weather (7)
der **Wettkampf, ⁼e** contest (16)
wichtig important (15); **das Wichtigste** the most important thing (18)
widersteh′en, widerstand, widerstanden to resist
wie how (1); as (7), like (11)
wieder again (9)
der **Wiederaufbau** reconstruction (24)
wiedererwacht reawakened
wieder-finden, fand wieder, wiedergefunden to find again
wiederho′len to repeat (1); **wiederholt** repeatedly (18)
die **Wiederho′lung** review (6)
wieder-kommen, kam wieder, ist wiedergekommen to return (20)
wieder-sehen, sah wieder, wiedergesehen, er sieht wieder to see again; **Auf Wiedersehen!** Good-by (1)
wiegen, wog, gewogen to weigh (14)
(das) **Wien** Vienna (1)
Wiener Viennese, Vienna (1)
das **Wienerisch** Viennese (*language*)
wieviel′ how much, how many (14)
wild wild (10)
der **Wille** will (18)
Willkommen! Welcome!
der **Wind, –e** wind (7)
windig windy (13)
winken to wave (*one's hand or handkerchief*)
der **Winter,** — winter (12)
die **Winterferien** (*pl.*) winter vacation (13)
wirklich real(ly), actual(ly) (15)
die **Wirklichkeit** reality
die **Wirtin, –nen** landlady; innkeeper's wife
das **Wirtshaus, ⁼er** inn
wissen, wußte, gewußt, er weiß to know (12)
der **Wissenschaftler,** — scientist (16)
wissenschaftlich scientific (12)
der **Witz, –e** joke
wo where (5)
wobei′ whereby
die **Woche, –n** week (14)
das **Wochenende** week end
der **Wochentag, –e** weekday (14)

wöchentlich weekly, a week
wodurch' through what (17)
wofür' in what, in which (18)
woher' wherefrom, from where; how (3)
wohin' where to (3)
wohl well; no doubt, I daresay
wohlhabend well-to-do (18)
wohnen to live (19); **das Wohnen** living
die **Wohnung,** –en apartment
die **Wolke,** –n cloud (13)
der **Wolkenkratzer,** — skyscraper (7)
die **Wol'kenkratzersilhouet'te** skyscraper silhouette (21)
die **Wolkenkratzerstraße,** –n street of skyscrapers
wollen, wollte, gewollt, er will to want to (9)
worauf' on what, for what
das **Wort,** ‡er *or* –e word (1)
wozu' to what, for what
das **Wunder,** — wonder (22)
wunderbar wonderful (13)
das **Wunderkind,** –er child prodigy
sich **wundern** to wonder, be astonished
der **Wunsch,** ‡e wish (19)
wünschen to wish (9)
das **Würstchen: das warme** — frankfurter, wiener
wütend furious (18)

die **Zahl,** –en number, numeral (14)
zählen to count (17)
die **Zahnbürste,** –n toothbrush (15)
der **Zauber** magic, fascination (7)
der **Zauberberg** Magic Mountain (5)
die **Zauberflöte** Magic Flute (5)
z.B. = **zum Beispiel** for example (17)
zeichnen to draw, sketch
die **Zeichnung,** –en sketch, drawing
zeigen to show, point (3)
die **Zeit,** –en time (4)
das **Zeitalter,** — age (17)
der **Zeitgenosse,** –n, –n contemporary (19)
die **Zeitschrift,** –en magazine (15)
der **Zeitsinn** sense of time
die **Zeitung,** –en newspaper (15)
das **Zelt,** –e tent (23)
die **Zensur',** –en grade
das **Zentimeter,** — centimeter (*0.39 in.*) (14)

zentral'geheizt centrally heated
die **Zentral'heizung** central heating
das **Zentrum** center
die **Zeremonie',** –n ceremony
zerstören to destroy (21)
ziehen, zog, gezogen to draw (12), pull
ziemlich rather (19)
das **Zimmer,** — room (15)
der **Zimmergenosse,** –n, –n roommate
zitie'ren to cite, quote
zittern to tremble, vibrate; **das Zittern** vibration
zivilisiert' civilized (19)
die **Zone,** –n zone (10)
zu to, at (6); too
der **Zucker** sugar (14)
zuerst' at first, first of all (25)
zufrie'den content
der **Zug,** ‡e train (3)
zu-hören to listen
die **Zukunft** future (17)
zu-machen to close (1)
zunächst' first of all (19), to begin with
zurück'-bringen, brachte zurück, zurückgebracht to return
zurück'-geben, gab zurück, zurückgegeben, er gibt zurück to return
zurück'-kehren (ist) to return
zurück'-kommen, kam zurück, ist zurückgekommen to come back, return (19)
zurück'-treten, trat zurück, ist zurückgetreten to step back
zusam'men together (18)
zusam'men-brechen, brach zusammen, ist zusammengebrochen to collapse (18)
zusam'men-fassen to sum up
zusam'men-hängen, hing zusammen, zusammengehangen to hang together, be connected (23)
der **Zuschauer,** — spectator
zuviel' too much (15)
zwar to be sure (19)
zweit– second (14)
zwischen between (7)
zwölfhun'dert twelve hundred (13)
der **Zyniker,** — cynic
zynisch cynical
der **Zynis'mus** cynicism

ENGLISH-GERMAN
VOCABULARY

afternoon der Nachmittag
against gegen (*acc.*)
all alle; — **day** den ganzen Tag
allow: to be allowed dürfen, durfte, gedurft (darf)
alone allein
already schon
also auch
although obgleich
always immer
America (das) Amerika
American (*adj.*) amerikanisch; (*noun*) der Amerikaner, —
angry: to be — sich ärgern
another noch ein
answer die Antwort, –en
answer antworten; (*answer a question*) beantworten
anything: not — nichts
arrive an-kommen, kam an, ist angekommen
ask fragen
at an (*dat. or acc.*); (*time*) um, zu
automobile das Auto –s

be sein, war, ist gewesen; **there is** es gibt
become werden, wurde, ist geworden, wird
bed: to — zu Bett
before vor
begin beginnen, begann, begonnen
believe glauben
beside neben (*dat. or acc.*)
best best–
better besser
between zwischen
Bible die Bibel
big groß
book das Buch, ⸗er
bring bringen, brachte, gebracht
brother der Bruder, ⸗
build bauen
building das Gebäude, —
bus der Bus, –se
but aber; (*on the contrary*) sondern
buy kaufen
by von (*dat.*)

call rufen, rief, gerufen
can können, konnte, gekonnt, kann
car das Auto, –s; der Wagen, —
century das Jahrhundert, –e

chair der Stuhl, ⸗e
chapter das Kapitel, —
child das Kind, –er
church die Kirche, –n; **to** — in die Kirche
city die Stadt, ⸗e
class die Klasse, –n
coffee der Kaffee
cold kalt
come kommen, kam, ist gekommen
come back zurück-kommen, kam zurück, ist zurückgekommen
compare vergleichen, verglich, verglichen
composer der Komponist, –en, –en
cool kühl
correct richtig
country das Land, ⸗er
cup die Tasse, –n

damage beschädigen
dangerous gefährlich
dark dunkel
day der Tag, –e
describe beschreiben, beschrieb, beschrieben
difference der Unterschied
diplomatic diplomatisch
drama das Drama, Dramen
dress sich an-ziehen, zog sich an, sich angezogen
drink trinken, trank, getrunken
during während (*gen.*)

each jeder, jede, jedes
earlier früher
early früh
eat essen, aß, gegessen, ißt
English (*adj.*) englisch; (*language*) (das) Englisch
enough genug
especially besonders
Europe (das) Europa
even sogar
every jeder, jede, jedes
everything alles
explain erklären

fall fallen, fiel, ist gefallen, fällt
famous berühmt
fast schnell
field das Feld, –er
find finden, fand, gefunden
first erst–

fish der Fisch, –e
five fünf
fly fliegen, flog, ist geflogen
for für (*acc.*)
forest der Wald, ⸗er
forget vergessen, vergaß, vergessen, vergißt
friend der Freund, –e
from von (*dat.*)
front: in front of vor (*dat. or acc.*)

gentleman der Herr, –n, –en
German deutsch; **German language** (das) Deutsch; **in —** auf deutsch
Germany (das) Deutschland
get (*become*) werden, wurde, ist geworden, wird; (*receive*) bekommen, bekam, bekommen
get up auf-stehen, stand auf, ist aufgestanden
give geben, gab, gegeben, gibt
give in nach-geben, gab nach, nachgegeben, gibt nach
go (*on foot*) gehen, ging, ist gegangen; (*by vehicle*) fahren, fuhr, ist gefahren, fährt; **go on living** weiter-leben

good gut
government die Regierung, –en
guidebook der Reiseführer, —

happy glücklich
have haben, hatte, gehabt
hear hören
help helfen, half, geholfen, hilft (*dat.*)
here hier
herself sich
himself sich
his sein
home nach Hause; (*at home*) zu Hause
hot heiß
hotel das Hotel, –s
house das Haus, ⸗er
how wie
hungry hungrig
hurry sich beeilen

if wenn
ill krank
important wichtig
in in (*dat. or acc.*)
inexpensive billig

interest interessieren; **to be interested in** sich interessieren für
interesting interessant
interrupt unterbrechen, unterbrach, unterbrochen, unterbricht
into in (*acc.*)
its sein

knife das Messer, —
know (*a person*) kennen, kannte, gekannt; (*a fact*) wissen, wußte, gewußt, weiß; (*a language*) können, konnte, gekonnt, kann
known bekannt

lady die Dame, –n
last letzt–
late spät
leisure time die Freizeit
lesson die Aufgabe, –n
let lassen, ließ, gelassen, läßt
letter der Brief, –e
like *verb plus* gern; mögen, mochte, gemocht, mag; gefallen, gefiel, gefallen, gefällt
line die Linie, –n
live leben; (*dwell*) wohnen
long lang; (*adv.*) lange; **longer** länger
look aus-sehen, sah aus, ausgesehen, sieht aus
look at an-sehen, sah an, angesehen, sieht an
lose verlieren, verlor, verloren

magazine die Zeitschrift, –en
make machen
man der Mann, ⸗er; der Mensch, –en
mankind die Menschheit
many viele
map die Karte, –n
mark die Mark
may dürfen, durfte, gedurft, darf
mention erwähnen
menu die Speisekarte, –n
mistake der Fehler, —
Miss Fräulein
modern modern
money das Geld
more mehr
mother die Mutter, ⸗
mountain der Berg, –e
mountain range das Gebirge, —

Mr. Herr, –n, –en
much viel
must müssen, mußte, gemußt, muß
my mein

name der Name, –ns, –n
need brauchen
neighbor der Nachbar, –s, –n
never nie
new neu
newspaper die Zeitung, –en
New Yorker der New Yorker
no (*in answer to question*) nein; (*adj.*)
  kein, keine, kein
not nicht
nothing nichts
now jetzt

o'clock Uhr
office das Büro, –s
often oft
old alt
on auf (*dat. or acc.*)
only nur
order sich bestellen
other ander–
our unser
out of aus (*dat.*)

part der Teil, –e
passenger der Passagier, –e
people die Leute
perform auf-führen
personally persönlich
picture das Bild, –er
piece das Stück, –e
plane das Flugzeug, –e
plate der Teller, —
play spielen
please bitte
poem das Gedicht, –e
poet der Dichter, —
prefer *verb plus* lieber
problem das Problem, –e
professor der Professor, –s, –en
pronunciation die Aussprache
put (*lay*) legen; (*place*) stellen

question die Frage, –n

read lesen, las, gelesen, liest
record die Platte, –n

reign regieren
repair reparieren
repeat wiederholen
restaurant das Restaurant, –s
rich reich
river der Fluß, ⸗sse
row die Reihe, –n
run rennen, rannte, ist gerannt

Saturday der Sonnabend, der Samstag
say sagen
schoolbook das Schulbuch, ⸗er
seat der Sitz, –e
second zweit–
see sehen, sah, gesehen, sieht
sell verkaufen
sentence der Satz, ⸗e
several mehrere
shave sich rasieren
show zeigen
sick krank
since da
sing singen, sang, gesungen
sister die Schwester, –n
sit sitzen, saß, gesessen; **sit down** sich
  setzen
six sechs
sixteenth sechzehnt–
sleep schlafen, schlief, geschlafen, schläft
slowly langsam
small klein
some einige
something etwas
song das Lied, –er
soon bald
soup die Suppe
speak sprechen, sprach, gesprochen,
  spricht
stand stehen, stand, gestanden
start beginnen, begann, begonnen; anfangen, fing an, angefangen, fängt an
stay bleiben, blieb, ist geblieben
steamship der Dampfer, —
stop auf-hören
struggle der Kampf, ⸗e
student der Student, –en
study studieren, lernen, fleißig arbeiten
such a solcher, solche, solches; so ein,
  so eine, so ein
summer der Sommer, —
supposed: to be — to sollen, sollte,
  gesollt, soll

surprise überraschen
symphony die Symphonie, –n

table der Tisch, –e
take nehmen, nahm, genommen, nimmt
take along mit-nehmen, nahm mit, mit-genommen, nimmt mit
talk sprechen, sprach, gesprochen, spricht
tell sagen
tennis (das) Tennis
than als
thank danken (*dat.*)
that das; der da, die da, das da; dieser, diese, dieses; (*conj.*) daß
theater das Theater, —; **to the** — ins Theater
there dort; **there is (are)** es gibt
think of denken an (*acc.*), dachte, gedacht
this dieser, diese, dieses
those diese
Thursday (der) Donnerstag
time die Zeit
tired müde
to (*up to*) an (*acc. or dat.*); (*with place names*) nach (*dat.*); (*until*) bis
today heute
tomorrow morgen
too zu
tower der Turm, ⸗e
town die Stadt, ⸗e
train der Zug, ⸗e
translate übersetzen
travel reisen
traveler der Reisende, –n
tree der Baum ⸗e

trip die Reise, –n
two zwei

unable: to be — nicht können
understand verstehen, verstand, verstanden
upon auf (*dat. or acc.*)
use gebrauchen

very sehr
village das Dorf, ⸗er
visit besuchen
Volkswagen der Volkswagen

waiter der Ober, —
want wollen, wollte, gewollt, will
war der Krieg, –e
water das Wasser
weather das Wetter
well gut
what was
when wann; als, wenn
where wo
which welcher, welche, welches
who wer
why warum
wish wünschen
with mit (*dat.*)
without ohne (*acc.*)
work arbeiten
write schreiben, schrieb, geschrieben
write down auf-schreiben, schrieb auf, aufgeschrieben

year das Jahr, –e
your Ihr; dein

INDEX